Visa pour Shanghai

Du même auteur

Mort d'une héroïne rouge, Liana Levi, 2001,
également disponible en Points-Seuil, 2003.

Qiu Xiaolong

Visa pour Shanghai

Traduit de l'anglais
par Aline Sainton

Liana Levi

Pour Julia

Remerciements

Merci beaucoup à mes amis Marvin Reno, David Walsh, Brenda Seale et Richard Newman de leur aide.

Je tiens aussi à remercier mon éditeur Laura Hrushka. C'est son travail acharné qui a permis que dansent dans mes pages, personnages et mots.

1

Une fois de plus, Chen, inspecteur principal de la police criminelle de Shanghai, reprenait, dans la brume du petit matin, la direction du parc du Bund.

À l'extrémité nord, son entrée principale faisait face à l'*Hôtel de la Paix*, tandis que l'autre entrée débouchait sur le pont de Waibai, dont le nom, inchangé depuis l'époque coloniale, signifiait littéralement Pont-pour-que-les-Blancs-traversent. Le parc était connu pour sa promenade dominant l'étendue où se joignaient les fleuves Huangpu et Suzhou. De là-haut, on distinguait le va-et-vient des navires à l'entrée de la lointaine Wusongkou, la mer de Chine orientale. En dépit de sa taille relativement modeste, près de six hectares, la situation centrale du parc en faisait un des endroits les plus fréquentés de la ville.

Ce jour-là, Chen était l'un des premiers promeneurs matinaux. Il s'achemina vers le milieu du jardin en direction d'une clairière entourée de saules et de peupliers. Le kiosque blanc à véranda, de style européen, contrastait avec les bancs verts repeints de frais.

Chen aimait d'autant plus ce parc que bien des souvenirs y étaient associés. Il en avait appris l'histoire à l'école primaire. Le manuel scolaire officiel de l'époque expliquait qu'au début du siècle, celui-ci n'était ouvert qu'aux Occidentaux. Des pancartes accrochées aux grilles le proclamaient interdit aux Chinois et aux chiens. Des gardes Sikhs enturbannés de rouge faisaient respecter cette interdiction. Après 1949, le gouvernement chinois considéra celle-ci comme un excellent exemple de l'attitude des puissances occidentales en Chine avant l'avènement du communisme et l'anecdote était souvent rapportée au cours d'instruction patriotique. Était-elle exacte ? Il était difficile, maintenant, de savoir la vérité : la frontière séparant le vrai du faux était fluctuante, sans cesse remise en question par les autorités.

Il monta une volée de marches menant à la Promenade, et aspira l'air frais du bord de l'eau. Mais plus par son histoire que par sa beauté, le parc plaisait à l'inspecteur principal Chen pour une raison toute personnelle.

Au début des années soixante-dix, jeune diplômé de l'enseignement secondaire en attente d'une affectation, il avait pris l'habitude de venir au parc pratiquer le taï chi. Deux ou trois mois plus tard, par un matin pluvieux passé à tenter sans trop y croire d'imiter les antiques postures, il était tombé sur un manuel d'anglais oublié sur un banc. Il n'avait jamais su comment ce livre était arrivé là. Les gens posaient parfois des journaux ou de vieux magazines sur les bancs humides avant de s'asseoir, mais jamais des manuels scolaires. Pendant plusieurs semaines, il l'avait apporté chaque matin au parc, en espérant que quelqu'un le lui réclamerait. Personne ne l'avait jamais fait. Un matin, l'extrême difficulté d'une nouvelle posture l'avait amené à renoncer et il avait ouvert le livre. Et dès lors, ses visites au parc avaient été consacrées non plus à la pratique du taï chi, mais à l'étude de l'anglais.

Le changement avait inquiété sa mère. Il n'était pas considéré comme politiquement correct de lire un autre ouvrage que les *Citations du président Mao*. Néanmoins son père, un érudit néoconfucéen, avait considéré qu'étudier dans ce parc pouvait être bien pour son fils. Selon l'ancienne théorie du *wuxing*, l'un des cinq éléments, l'eau, lui faisant défaut, tout séjour dans le parc ne pourrait lui être que bénéfique. Des années plus tard, Chen avait en vain essayé de trouver trace de cette théorie. Il se demandait encore si son père ne l'avait pas inventée pour les besoins de sa cause.

Durant les années de la Révolution culturelle, il trouva un réconfort dans ses matinées au parc. En 1977, il fut reçu au concours de l'Institut des langues étrangères de Pékin nouvellement réinstauré, avec la meilleure note de tous les candidats

10

à l'épreuve d'anglais. Quatre ans plus tard il était, grâce à un autre concours de circonstances, affecté à la police criminelle de Shanghai.

Rétrospectivement, la vie de Chen paraissait pleine de hasards quelque peu ironiques dans lesquels le yin et le yang semblaient s'être égarés. Par exemple, ce livre abandonné dans le parc, ou sa jeunesse perdue dans les limbes de cette époque. Une chose menait à une autre, et encore à une autre, et à un résultat qui semblait sans rapport avec la situation de départ. Les relations de cause à effet étaient peut-être encore plus tordues que ne voudraient l'admettre ces auteurs de romans policiers occidentaux que Chen traduisait pendant ses heures de loisir.

La fraîche brise lui apporta la petite musique de l'horloge de la tour des Douanes. Six heures trente. À l'époque de la Révolution culturelle, elle jouait un autre air, *L'Orient est rouge*.

En ce début des années quatre-vingt-dix, les réformes économiques de Deng Xiaoping avaient considérablement transformé le visage de Shanghai. De l'autre côté de la rue de Zhongshan, de superbes immeubles, qui avaient abrité au début du siècle les plus prestigieuses sociétés commerciales occidentales puis, après 1950, les institutions du parti communiste, accueillaient de nouveau ces mêmes compagnies occidentales. Le Bund tentait de retrouver son statut de Wall Street de la Chine. Le parc aussi avait changé, et Chen n'était pas enthousiasmé par certaines de ses nouveautés. Le Pavillon du Fleuve, par exemple, un monstre de béton postmoderne, accroupi à surveiller le parc dans le petit matin gris. D'ailleurs Chen lui-même avait changé. L'étudiant sans le sou était devenu un homme respecté, un inspecteur principal de la police criminelle.

Mais le parc du Bund restait son parc, et bien qu'il eût toujours beaucoup de travail, il s'arrangeait pour y venir une ou deux fois par semaine. Son bureau n'était pas loin, à quinze minutes à pied à peine.

Pas très loin de lui, un homme d'un certain âge pratiquait le taï chi et enchaînait l'une après l'autre une série de pos-

11

tures, *Le chasseur attrapant la queue d'un oiseau, La grue blanche ouvrant ses ailes, Le cheval sauvage secouant sa crinière...* Le policier se demanda ce qu'il serait devenu s'il avait continué à pratiquer cette discipline au lieu d'étudier l'anglais. Peut-être serait-il maintenant comme cet adepte aux traits sereins, vêtu d'une tenue en soie blanche à manches larges et boutons de soie rouge? Chen le connaissait. Il était comptable dans une entreprise d'État au bord de la faillite. Pourtant, à cet instant il était un maître en son art, et ses mouvements étaient en parfaite harmonie avec le *qi* de l'univers.

Chen s'assit à l'endroit habituel, sur un banc abrité par un peuplier. Le slogan omniprésent de la Révolution culturelle, *Vive la dictature du prolétariat,* était gravé en petits caractères sur le dossier du banc. Des couches successives de peinture verte n'étaient pas parvenues à le cacher complètement.

Il sortit un recueil de sa serviette et l'ouvrit à un poème de Niu Xiji.

Le brouillard disparaît
Devant les montagnes printanières
Dans le ciel pâle brillent
Rares et menues, les étoiles
La lune descendante éclaire son visage
Je vois l'aube dans le scintillement de ses larmes
L'aube de la séparation.

Trop sentimental pour ce matin. Il sauta plusieurs vers pour arriver à la strophe finale:

Songeant encore à ta jupe verte, partout
Partout j'évite l'herbe d'un pas précautionneux.

«Une autre coïncidence...» se dit-il en pianotant sur le dossier du banc. Il n'y avait pas très longtemps, en effet, il avait au *Café du Bord du fleuve* récité ces vers à une amie chère à son cœur qui, elle aussi, marchait très loin d'ici sur l'herbe verte.

Mais l'inspecteur principal Chen n'était pas venu au parc pour s'abandonner à la nostalgie. L'heureuse conclusion d'une importante affaire politique, impliquant Baoshen, vice-maire de

Pékin, avait eu des répercussions inattendues sur sa vie personnelle aussi bien que professionnelle. Il était encore physiquement épuisé et émotionnellement secoué. «Comme le dit notre ancien sage, avait-il écrit dans une récente lettre à sa petite amie Ling, *Huit ou neuf fois sur dix, les choses tournent mal en ce monde.* En dépit de ses bonnes intentions, l'homme n'est le plus souvent que le produit de la chance ou de la malchance.» Elle n'avait pas répondu, ce qui ne l'étonnait pas. Cette affaire avait encore compliqué leurs relations.

Une silhouette en costume Mao gris apparut derrière lui.

– Camarade inspecteur principal Chen… dit une voix grave et respectueuse.

Il reconnut Zhang Hongwei, un agent de la sécurité du parc. Dans les années soixante-dix, Zhang, qui portait un insigne à l'effigie de Mao à son revers de veste, et patrouillait aussi énergiquement que s'il avait été monté sur ressorts avait souvent regardé d'un œil méfiant le manuel d'anglais du jeune Chen. C'était maintenant un homme de cinquante ans, au crâne dégarni, qui traînait les pieds. À part l'insigne, la veste grise était toujours la même.

– S'il vous plaît, pouvez-vous venir avec moi, camarade inspecteur principal Chen.

Le policier suivit le gardien jusqu'à un endroit partiellement caché par un bouquet de conifères plantés près de l'eau, à environ cinquante mètres de l'entrée arrière du parc. Un cadavre mutilé gisait sur le sol, recroquevillé et couvert de plaies. Les filets de sang écoulés des blessures avaient tissé des réseaux semblables à des toiles d'araignée. Des gouttes rouges allaient de la berge à l'endroit où avait été abandonné le cadavre.

L'inspecteur principal Chen n'avait jamais imaginé avoir un jour à examiner les lieux du crime dans le parc du Bund.

– Je suis tombé dessus en faisant ma première ronde, camarade inspecteur principal Chen. Vous venez souvent ici le matin, nous le savons tous, continua-t-il d'un ton d'excuse, alors…

– À quelle heure avez-vous commencé votre ronde, ce matin?

– Vers six heures. Dès l'ouverture du parc.

– Et la dernière hier soir, à quelle heure ?

– Vingt-trois heures trente. Nous avons effectué plusieurs tours avant de fermer. Il n'y avait personne.

– Alors vous êtes certain que...

Leur conversation fut interrompue par un éclat de rire venu de la berge à côté de la grille. Une jeune fille posait avec une ombrelle japonaise pour un jeune homme muni d'un appareil photo. Assise sur le parapet, elle se penchait en arrière au-dessus de l'eau. Une pose dangereuse. Elle rougit et l'appareil cliqueta. Un jeune couple en voyage de noces sans doute. Une journée tendre commencée par des photos dans le Bund.

– Videz le parc et fermez-le pour la matinée, ordonna Chen en fronçant les sourcils. (Il écrivit au dos d'un signet.) Appelez ce numéro depuis votre bureau, c'est celui du camarade inspecteur Yu Guangming. Demandez-lui de me rejoindre ici le plus vite possible.

Zhang partit en hâte et Chen commença à examiner le cadavre. Un homme d'une petite quarantaine d'années, de taille et de corpulence moyennes, vêtu d'un pyjama de soie d'apparence coûteuse. Son visage était maculé de sang et portait de profondes entailles, et le côté gauche de son crâne avait été écrasé par un coup violent. Il était difficile d'imaginer à quoi il ressemblait de son vivant, mais il n'y avait pas besoin d'un médecin légiste pour voir qu'il avait été frappé plus d'une douzaine de fois avec un instrument coupant lourd, plus lourd qu'un couteau. Les blessures à ses épaules étaient profondes, la chair était entaillée jusqu'à l'os. Vu le nombre et la gravité des blessures, il était étonnant qu'il y ait si peu de sang sur le sol.

Sa veste de pyjama n'avait qu'une poche. Chen y glissa la main. Rien. Il ne voyait pas non plus d'étiquette aux vêtements. Il toucha délicatement différents endroits de la mâchoire inférieure et du cou ensanglantés. La *rigor mortis* était perceptible mais le reste du corps était encore relativement souple. Les jambes commençaient à devenir livides. Lorsqu'il appuya du bout des doigts sur un emplacement violacé, celui-ci blanchit. La mort devait remonter à quatre ou cinq heures. Il souleva une paupière et un œil injecté de sang fixa le ciel pommelé. Les cornées n'étaient pas encore opaques, ce qui confirmait un décès récent.

Comment un tel cadavre pouvait-il se retrouver dans le parc?

Les rondes, que ce soit celles du personnel ou des retraités employés bénévolement, étaient consciencieusement effectuées. Les surveillants annonçaient au porte-voix que le parc fermait et qu'il fallait sortir, regardaient partout et débusquaient à la torche électrique les amoureux cachés dans les coins sombres. Ils avaient même envoyé à la police un rapport détaillé sur leur procédure, en demandant davantage d'argent pour le travail nocturne. Avec la sévère crise du logement dont souffrait Shanghai, le parc était devenu un refuge tout trouvé pour les jeunes couples n'ayant chez eux aucune intimité. La surveillance était sans faille. Zhang avait péremptoirement exclu l'éventualité que quelqu'un ait pu se cacher dans le parc avant la fermeture, et Chen le croyait.

Certes, on avait pu s'y glisser après. Escalader le parapet n'aurait pas demandé beaucoup d'efforts, un individu pouvait en avoir tué un autre avant de prendre la fuite. Mais automobiles et passants circulaient toute la nuit dans le secteur. Un incident de ce genre aurait été remarqué et signalé.

L'état du lieu où avait été découvert le cadavre démentait également cette hypothèse: les buissons n'offraient aucun signe de lutte, seuls deux ou trois rameaux étaient brisés. Le pyjama du mort suggérait plutôt un meurtre commis ailleurs, dans une chambre, d'où l'on aurait transporté le cadavre jusqu'au parc. La berge n'était pas très élevée, un cadavre violemment lancé à marée haute d'une embarcation pouvait être tombé sur la rive et avoir roulé dans les buissons, ce qui expliquerait la traînée de taches sombres.

Mais une question tracassait l'inspecteur. Celui qui avait dissimulé le corps en ce lieu ne pouvait ignorer qu'il serait presque immédiatement découvert. Ce parc était en plein centre de la ville, et fréquenté par des milliers de personnes. Pourquoi y transporter un cadavre ?

Il aperçut la silhouette familière de l'inspecteur Yu s'approchant à grands pas dans la brume, un appareil photo à l'épaule. Un homme de bonne taille, de carrure moyenne, au visage rude et aux yeux perçants profondément enfoncés, Yu était son adjoint, bien qu'il fût un peu plus âgé. Il avait beaucoup d'expérience. Il était aussi le seul de ses collègues à ne pas critiquer derrière son dos la rapide ascension de son chef, due à la nouvelle politique de Deng Xiaoping, qui favorisait les cadres ayant fait des études supérieures. Depuis qu'ils avaient résolu ensemble l'affaire de l'Héroïne Rouge[1], Yu était son ami. Il se dispensa d'ailleurs de saluer Chen.

– C'est ici ?

– Oui.

Yu commença par prendre des photographies sous différents angles. Il s'agenouilla près du cadavre, fit des gros plans au zoom et examina méticuleusement les blessures. Sortant un mètre de sa poche de pantalon, il mesura les entailles sur le devant du corps, avant de le retourner pour passer à celles du dos. Toujours accroupi, il regarda Chen par-dessus son épaule.

– Aucun indice de son identité ?

– Non.

– Assassinat de triade[2], j'ai bien peur.

– Qu'est-ce qui te fait dire ça ?

– Regardez ces blessures, ce sont des coups de hache. Dix-sept ou dix-huit. Il n'y en a pas besoin de tant, leur nombre a sans doute une signification rituelle, c'est courant chez les triades. Le coup à la tête était largement suffisant.

Yu se releva et rangea son mètre.

---

1. Du même auteur : *Mort d'une héroïne rouge*, Liana Levi, 2001 (Points-Seuil, 2003).
2. Autrefois société secrète, la triade aujourd'hui s'apparente à une mafia.

– Les blessures mesurent en moyenne huit à neuf centimètres. Le meurtrier a le coup de main, et de la force. Ce n'est pas un travail d'amateur.

– Remarque pertinente, approuva Chen. Où penses-tu que le meurtre a eu lieu?

– Sûrement pas ici. Le gars est encore en pyjama, l'assassin a dû transporter le cadavre. En guise d'avertissement, autre pratique des triades. Une façon d'envoyer un message.

– À qui?

– Peut-être à quelqu'un du parc… ou bien à une personne qui sera informée en un rien de temps. Quel meilleur endroit que le parc pour que tout le monde parle du cadavre?

– Tu crois qu'il a été déposé là pour qu'on le trouve?

– Ça me paraît clair.

– Alors par où commence-t-on?

Yu répondit par une autre question.

– Est-on obligé de se charger de cette affaire, patron? Je ne veux pas dire qu'elle ne soit pas du ressort de la police criminelle, mais notre brigade est spécialisée dans les affaires politiques, non?

Chen comprenait les réserves de son assistant. En principe, ils n'avaient pas à se charger d'une affaire avant qu'elle ne soit déclarée «spéciale» par la police. «Spéciale» était l'étiquette appliquée quand la police devait adapter ses objectifs à des impératifs politiques.

– On parle de créer une nouvelle brigade anti-triades. Mais ce meurtre sera peut-être classé affaire politique. Et on n'est pas certain qu'il s'agisse d'un crime commis par une triade.

– Mais si c'est le cas, ce sera une affaire à haut risque. On pourra s'y brûler les doigts.

Chen avait compris où Yu voulait en venir. Il n'y avait pas tellement de flics pour se charger d'une enquête risquant de toucher à ces gangs.

– Ma paupière gauche palpitait ce matin, ce n'est pas un bon présage, ça, patron.

– Allons, inspecteur Yu !

L'inspecteur principal Chen n'était pas un homme superstitieux, contrairement à certains de ses collègues qui ne se seraient jamais chargés d'une affaire sans consulter le Yi-King. Et s'il avait été superstitieux, il aurait eu une bonne raison de se charger de cette affaire : n'était-ce pas dans ce parc que la chance lui avait souri ?

– À l'école secondaire, j'ai appris que c'était grâce aux gangs de Shanghai que Chiang Kai-shek avait pris le pouvoir. Plusieurs de ses ministres étaient membres de la Triade bleue... (Yu se tut un instant, puis continua). Après 1949, les gangs ont disparu. Mais ils ont réapparu dans les années soixante, non ?

– Oui, je sais.

Chen était surpris de l'inhabituelle éloquence de l'inspecteur. Il était rare que Yu fasse référence à l'histoire ou à un livre.

– Ces gangsters sont probablement infiniment plus puissants qu'on ne l'imagine, patron. Ils ont essaimé à Hong Kong, au Canada, aux États-Unis, partout. Sans compter leurs bonnes relations avec quelques-uns des officiels les plus haut placés du pays.

– J'ai lu des rapports sur cette situation. Mais après tout, c'est pour ça qu'on est flics, non ?

– Un de mes amis a pour travail d'obtenir le paiement des dettes contractées auprès d'une entreprise d'État de la province de Anhui. Selon lui, il dépend totalement de la « voie sombre », les méthodes des triades. Il n'y a pas tellement de gens pour se fier à la police, de nos jours.

– Oui, mais ceci s'est produit dans le Bund, en plein cœur de Shanghai. On ne va quand même pas attendre les bras croisés ! protesta Chen. Il a fallu que je me trouve dans le parc ce matin, c'est bien ma chance ! Je vais en parler au secrétaire du Parti Li. On peut au moins faire un rapport et diffuser un avis de recherche avec le portrait de la victime. Il faut bien l'identifier.

Quand le cadavre fut enfin parti en direction de la morgue, l'inspecteur principal et son assistant retournèrent à la berge et s'arrêtèrent, les coudes posés sur le parapet. Le parc vide semblait étrange. Chen sortit un paquet de cigarettes Kent. Il en alluma une pour Yu et une pour lui-même.

– *Ce que tu ne peux pas faire, tu devras le faire de toute façon.* C'était une des maximes confucéennes de mon père.

– Vous savez bien que, quelle que soit votre décision, je vous suivrai, patron! répondit Yu d'un ton conciliant.

Chen comprenait son raisonnement mais n'avait pas envie de s'étendre sur le sien. Son attachement sentimental au Bund ne regardait que lui. Et d'un point de vue politique, s'occuper de cette affaire se justifiait: si, comme ils le soupçonnaient tous les deux, il s'agissait d'un assassinat commis par un gang organisé, un tel forfait ne pouvait que ternir l'image de la ville. Sur les cartes postales, dans les manuels scolaires, tout comme dans les poèmes écrits par Chen lui-même, le parc était le symbole de Shanghai. Et en tant qu'inspecteur principal, il était sans conteste de son devoir de protéger l'image de sa ville. En fin de compte, une enquête sur un meurtre ayant conduit à la présence d'un cadavre dans le parc était indispensable, et Chen se trouvait sur place.

– Merci, camarade inspecteur Yu, je savais bien que je pouvais compter sur vous.

En quittant le jardin, ils aperçurent un rassemblement devant la grille où un avis de fermeture pour travaux d'entretien était affiché. Quand il est nécessaire de dissimuler la vérité, une excuse en vaut bien une autre.

2

– Vous avez fait beaucoup de chemin, camarade inspecteur principal Chen.

Le secrétaire du Parti, Li Guohua, chef de la police criminelle de Shanghai, souriait en se calant dans son fauteuil pivotant en cuir marron, près de la fenêtre. Son spacieux bureau ouvrait sur le centre ville de Shanghai.

19

L'inspecteur principal Chen était assis de l'autre côté du bureau en acajou et humait le parfum de sa tasse de thé vert, du Puits du Dragon, faveur insigne dont bénéficiaient peu de visiteurs du puissant secrétaire du Parti.

En tant que nouveau cadre promis à de futures promotions, Chen devait beaucoup à Li, son mentor dans les arcanes politiques de la police. Li avait introduit Chen au Parti, il n'avait pas ménagé sa peine pour lui en indiquer les ficelles et l'avait conduit à son poste actuel de chef de la brigade spéciale. Li, jeune flic de base au début des années cinquante, avait progressé régulièrement, à travers les aléas des mutations politiques. Dans les luttes intestines du Parti, il avait su parier sur les gagnants. Aussi voyait-on dans son choix de Chen comme successeur potentiel un autre investissement astucieux sur le futur. Surtout une fois que fut connue du petit cercle interne la liaison de Chen avec Ling, la fille d'un membre du bureau politique de Pékin. Pour être juste envers Li, il faut préciser que celui-ci n'en avait eu connaissance qu'après la promotion de Chen.

– Je vous remercie, camarade secrétaire du Parti Li. Comme aurait dit notre sage : *Un homme est prêt à sacrifier sa vie pour celui qui l'apprécie, et une femme se fait belle pour celui qui l'apprécie.*

Il n'était pas politiquement correct de citer Confucius, mais Chen devinait que cela ne déplairait pas à Li.

– Le Parti vous a toujours tenu en haute estime, déclara Li d'un ton officiel.

Sa veste Mao était boutonnée jusqu'au menton malgré la chaleur.

– C'est pourquoi, continua-t-il, nous vous confions cette mission, camarade inspecteur principal Chen. Vous êtes l'homme de la situation.

– Vous êtes déjà au courant ?

Chen n'était pas surpris que quelqu'un d'autre ait fait son rapport à Li sur le cadavre découvert ce matin dans le parc du Bund.

– Regardez ce portrait. (Li sortit une photo d'une chemise

en papier kraft sur son bureau.) L'inspecteur Catherine Rohn, envoyée par la police fédérale des États-Unis.

La photo était celle d'une jeune femme approchant sans doute la trentaine, jolie, énergique, avec de grands yeux bleus. Chen contempla la photo, déconcerté.

– Elle est très jeune.

– L'inspecteur Rohn a étudié le chinois à l'université. C'est en quelque sorte la sinologue de la police fédérale. Et vous êtes l'érudit de notre police.

– Pardon, de quelle mission parlez-vous, camarade secrétaire du Parti?

Une sirène de bateau retentissait de temps en temps au loin.

– L'inspecteur Rohn vient chercher Wen Liping pour l'accompagner aux États-Unis. Votre travail consiste à l'aider à remplir sa mission. (Li s'éclaircit la voix.) C'est une tâche importante. Nous savons que nous pouvons compter sur vous, camarade inspecteur principal Chen.

Chen comprit que Li parlait de tout autre chose.

– Qui est Wen Liping? Je n'ai pas la moindre idée de la mission dont vous parlez, camarade secrétaire du Parti.

– Wen Liping est l'épouse de Feng Dexiang.

– Et qui est Feng Dexiang?

– Un fermier du Fujian, actuellement témoin principal dans un procès concernant l'immigration clandestine à Washington. Avez-vous entendu parler d'un dénommé Jia Xinzhi?

Li versa de l'eau chaude dans la tasse de Chen.

– Jia Xinzhi… Oui, j'en ai entendu parler, c'est le chef d'une célèbre triade basée à Taïwan.

– Jia a été mêlé à bon nombre d'activités criminelles internationales. C'est une «tête de serpent» de premier plan. Il a été arrêté à New York à cause de ses activités. Pour le faire condamner, les autorités américaines ont besoin d'un témoin prêt à déclarer sous serment que Jia Xinzhi est le commanditaire d'un navire chargé d'immigrants clandestins, le *Golden Hope*.

– Ah oui, je me souviens… j'ai lu des articles sur ce drame, il y a deux mois à peu près, n'est-ce pas ? Le navire, transportant plus de trois cents Chinois, s'est échoué sur la côte américaine. Quand les gardes-côtes sont arrivés sur les lieux, il n'y avait plus à bord qu'une femme enceinte et malade, trop faible pour embarquer dans les bateaux de pêche destinés en principe à débarquer les émigrants à terre. Plus tard, plusieurs cadavres ont été découverts dans la mer, ceux des passagers qui n'avaient pas réussi à sauter dans les bateaux de pêche.

– C'est ça. Vous connaissez donc l'histoire. Jia est le propriétaire du *Golden Hope*.

– Il faudrait effectivement agir contre l'émigration clandestine. (Chen posa sa tasse dans laquelle les feuilles de thé paraissaient déjà moins vertes.) La situation s'est aggravée ces dernières années. Surtout dans les régions côtières. Ce n'est pas ainsi que nous voulons que la Chine s'ouvre au monde.

– Feng Dexiang était sur le *Golden Hope*. Il a réussi à monter à bord d'un bateau de pêche et il s'est mis à travailler clandestinement à New York, se tuant jour et nuit à la tâche pour rembourser son voyage.

– La plupart de nos émigrants ne se doutent pas de ce qui les attend là-bas. J'ai entendu dire qu'ils sont obligés de travailler comme des forçats.

– Jia est aussi insaisissable qu'une anguille de rizière. Les Américains le recherchent depuis des années. Maintenant ils ont de bonnes chances de le faire condamner pour la mort des passagers qui se sont noyés. Feng s'est trouvé pris dans une bagarre entre membres de gangs à New York et a été arrêté. Accusé de divers délits, on l'a menacé d'expulsion. Pour s'en tirer, il a accepté de témoigner contre Jia.

– Feng est le seul passager du *Golden Hope* à avoir été retrouvé ?

– Non, on en a arrêté plusieurs autres.

– Pour quelle raison les Américains se concentrent-ils sur Feng ?

– Eh bien, une fois arrêtés, les immigrants clandestins en provenance de Chine demandent l'asile politique en invoquant les droits de l'homme. Ils brandissent notre règle d'un seul enfant par famille et la menace d'avortement forcé. Le statut de réfugié politique est facilement accordé, et ils n'ont pas besoin de marchander avec le gouvernement américain. Feng n'avait aucune raison pour faire une telle demande car son fils unique est mort il y a plusieurs années. Aussi a-t-il choisi de coopérer.

– Sage décision! Mais Jia n'est pas seulement compromis dans l'immigration clandestine, il est plus qu'une «tête de serpent», c'est «une tête de dragon», un chef de triade au niveau international. Une fois qu'ils sauront qui est le témoin, Feng peut s'attendre à des représailles impitoyables.

– Comme son témoignage est indispensable au procès de Jia, les Américains le font bénéficier du dispositif de protection des témoins, en coopération avec la police fédérale. Ils ont également ment consenti à faire venir son épouse Wen Liping, qui est à nouveau enceinte. Ils ont demandé notre aide à ce sujet.

– Si ce procès endigue un peu le flot d'émigrants chinois clandestins, ce sera un avantage pour les deux pays. (Chen fouilla la poche de son pantalon à la recherche d'un paquet de cigarettes.) Je ne peux supporter la façon dont la propagande occidentale considère que notre gouvernement en est délibérément responsable.

– Il n'a pas été facile pour notre gouvernement de décider d'accéder à la demande des Américains. Quelques-uns de nos vieux camarades n'apprécient pas la façon dont ils veulent tout diriger. (Li sortit un étui en argent et lui offrit une cigarette à filtre Panda, marque réservée aux cadres du Parti d'un rang beaucoup plus élevé que celui de Chen.) De plus, envoyer Wen aux États-Unis n'ira pas dans le sens de nos efforts pour freiner l'émigration clandestine en retenant les familles. Cette mesure a pourtant été des plus efficaces pour limiter le nombre des candidats au départ. Régulariser leur situation à l'étranger leur prend des années. Ensuite lorsqu'ils s'organisent pour faire venir leur famille, cela demande encore quelques années car nous y mettons un maximum d'obstacles.

– Ce qui les oblige avant de partir à peser les conséquences d'une aussi longue séparation.

– Exactement. Une si prompte réunion de Wen avec son époux risque de leur donner des espoirs. Toutefois, après de longues discussions à haut niveau entre les deux gouvernements, nous avons pris la décision de collaborer.

– Dans l'intérêt des deux pays. (Chen choisit ses mots avec précaution.) Si nous refusons de coopérer, les Américains pourraient y voir un souhait inavoué de voir l'émigration clandestine continuer.

– C'est exactement ce que j'ai dit ce matin, lors de la téléconférence du ministère.

– À partir du moment où les deux pays sont arrivés à un accord, il est essentiel de laisser Wen rejoindre son mari. (Chen reprit la photo.) Pourquoi la police fédérale américaine envoie-t-elle un officier à Shanghai ?

– La police locale du Fujian a mis beaucoup de temps pour établir tous les documents et obtenir toutes les signatures nécessaires selon la procédure officielle. Feng jure qu'il ne témoignera pas si Wen ne l'a pas rejoint avant l'ouverture du procès. Les Américains se font du souci et le voyage de l'inspecteur Rohn a soi-disant pour but d'aider Wen à obtenir son visa. Mais c'est surtout pour exercer sur nous une certaine pression.

– Quand le procès s'ouvre-t-il ?

– Le 24 avril. Nous sommes le 8.

– Alors le temps presse. Dans des circonstances aussi particulières, un passeport et tout le reste peuvent être délivrés en vingt-quatre heures. En quoi dois-je intervenir ?

– La femme de Feng a disparu. Le ministère en a été informé hier soir. Sa disparition nous met dans une situation fort embarrassante. Les Américains risquent de nous soupçonner d'essayer de faire machine arrière.

L'inspecteur principal Chen fronça les sourcils. Dans des circonstances normales, un citoyen chinois ordinaire pouvait

24

attendre des mois pour un passeport. Mais si le gouvernement central avait donné le feu vert à la police locale, celle-ci aurait dû agir rapidement. Et après ce retard inexplicable, Wen avait disparu ? C'était absurde. Cette histoire sentait la machination. Mais pourquoi une telle manigance ? Pékin aurait pu dès le début refuser de coopérer avec les États-Unis. À ce stade, changer son fusil d'épaule équivalait à perdre la face.

Il se garda bien de faire part de ses réflexions à Li.

– Alors que sommes-nous censés faire, camarade secrétaire du Parti ?

– Nous allons retrouver Wen. La police locale est déjà en train de la chercher. Vous serez responsable de l'opération.

– Dois-je accompagner l'inspecteur Rohn dans le Fujian ?

– Non. L'enquête sera menée parallèlement par les polices de Shanghai et du Fujian. Pour l'instant, votre mission est à Shanghai, avec l'inspecteur Rohn.

– Comment puis-je être responsable d'une enquête au Fujian, si je dois escorter une Américaine ?

– L'inspecteur Rohn est une invitée de marque. C'est la première opération conjointe sino-américaine contre l'émigration clandestine. D'ailleurs, que pourrait faire cette femme policier dans le Fujian ? Ce pourrait être dangereux là-bas, et à nos yeux sa sécurité passe avant tout. À vous de lui tenir compagnie à Shanghai et de tout faire pour que son séjour soit plaisant et sans danger. Vous l'informerez des progrès de l'enquête et vous la distrairez.

– Est-ce bien là le travail d'un inspecteur principal de la police chinoise ?

Chen regarda les photos de Li sur le mur du bureau, des témoignages de sa brillante carrière, celle d'un politicien serrant la main de ses homologues, prononçant des discours lors de conférences du Parti, intervenant au bureau politique, à différentes époques, en différents lieux. Li était le représentant numéro un du Parti au sein de la police, et Chen ne vit pas une seule photo prise au cours d'une opération de police.

– Assurément. C'est même une mission capitale. Le gouvernement chinois est décidé à venir à bout de l'émigration clandestine. Les Américains ne doivent avoir aucun doute là-dessus. Nous devons convaincre l'inspecteur Rohn que nous agissons en ce sens. Elle va sans doute poser toutes sortes de questions, et nous l'informerons dans la mesure du possible. Cette tâche requiert un officier expérimenté tel que vous. Inutile de préciser qu'il y a une différence entre une situation vue de l'intérieur et la même situation vue de l'extérieur.

– Et quelle est cette… cette différence?

Chen en écrasa sa cigarette dans un cendrier en cristal en forme de cygne.

– Eh bien, par exemple, l'inspecteur Rohn sera peut-être sceptique à propos de la délivrance du passeport. Notre bureaucratie a certaines exigences. Il en est de même dans les autres pays. Il est inutile d'insister là-dessus. Nous devons garder à l'esprit la nécessité de présenter une image irréprochable du gouvernement chinois. Vous saurez trouver les mots, camarade inspecteur principal Chen.

Pour le moment, en tout cas, Chen ne les trouvait pas. Comment convaincre sa coéquipière américaine alors qu'il partageait les mêmes doutes! Il devrait marcher sur des œufs. Toujours la politique! L'inspecteur principal Chen avait déjà donné. Il posa sa tasse.

– J'ai bien peur de ne pas pouvoir m'occuper de cette affaire, camarade secrétaire du Parti Li. En fait, j'étais venu vous parler d'une tout autre question. Un cadavre a été découvert dans le parc du Bund ce matin. Les blessures laissent penser qu'il s'agit d'un meurtre commis par des triades.

– Un meurtre d'une triade dans le parc du Bund?

– Oui, le camarade inspecteur Yu et moi-même sommes arrivés à la même conclusion. Mais nous n'avons aucun indice sur le gang en question. Je vais donc devoir enquêter sur cette affaire d'homicide, qui pourrait ternir l'image de notre nouvelle Shanghai, et…

– Vous avez raison, interrompit aussitôt Li, c'est probablement une affaire du ressort de la brigade spéciale. Mais l'affaire de la disparition de Wen est beaucoup plus urgente. Celle du parc peut attendre jusqu'au départ de l'inspecteur Rohn. Ça ne vous retardera pas beaucoup.

– Je ne crois pas être la personne qu'il vous faut pour l'affaire Wen. Quelqu'un de la Sécurité ou du ministère des Relations extérieures conviendrait mieux.

– Laissez-moi vous dire quelque chose, camarade inspecteur principal Chen. C'est une décision de Pékin. C'est le ministre Huang en personne qui vous a recommandé pour ce travail lors de notre téléconférence.

– Mais pourquoi, camarade secrétaire du Parti Li ?

– L'inspecteur Rohn est capable de s'exprimer en chinois. Le ministre Huang a insisté pour que son homologue chinois non seulement soit politiquement fiable, mais qu'il parle anglais. Vous êtes un jeune cadre parlant anglais et vous avez une certaine expérience des contacts avec les Occidentaux.

– Si elle parle le chinois, je ne vois pas pourquoi son coéquipier doit parler anglais. Quant à mon expérience des Occidentaux, je n'en ai rencontré qu'en ma qualité de représentant de l'Union des écrivains chinois. C'est complètement différent, nous discutions littérature. Pour ce travail, un officier de la Sécurité intérieure serait plus qualifié.

– L'inspecteur Rohn possède une maîtrise limitée du chinois. Quelques-uns des nôtres ont fait sa connaissance à Washington. Elle a fait du bon travail lors des visites et réceptions, mais pour les discussions officielles, ils ont dû avoir recours à un interprète professionnel. Nous pensons que vous serez obligé de parler anglais la plupart du temps.

– Je suis très honoré que le ministre Huang ait pensé à moi, articula lentement Chen en essayant de trouver quelque excuse qui semblât sérieuse, mais je me sens trop jeune et inexpérimenté pour une telle tâche.

– Parce que vous croyez que c'en est une pour un vieux de

la vieille comme moi ? soupira Li. (Sous la lumière matinale, les cernes sous ses yeux devenaient des poches.) Ne laissez pas vos jeunes années filer sans rien accomplir. J'aimais la poésie, moi aussi. Vous souvenez-vous des vers du général Yue Fei ?

Ne gaspillez pas le temps de votre jeunesse
À ne rien faire
Jusqu'à ce que vos cheveux deviennent blancs
Vous le regretteriez en vain.

Chen était abasourdi. Li n'avait jamais parlé poésie avec lui, encore moins récité des vers.

– Un autre point a été évoqué à la réunion du ministère, continua Li, nous voulons un homme qui donne une bonne image de notre police.

– C'est-à-dire ?

– L'inspecteur Rohn n'est-elle pas fort présentable ? (Li lui montra de nouveau la photo.) Vous donnerez une excellente image de la police chinoise. Un poète moderniste, un traducteur à la connaissance approfondie de la littérature occidentale.

Cela devenait absurde. Qu'attendait-on exactement de lui ? D'être un acteur, un guide touristique, un mannequin, un spécialiste des relations publiques, tout sauf un flic, quoi !

– C'est exactement la raison pour laquelle je ne désire pas me charger de ce travail, camarade secrétaire du Parti Li. On a déjà assez jasé sur ma connaissance de la culture occidentale. Décadence bourgeoise et tout ce qui s'ensuit. Accompagner un officier de police américain du sexe féminin, dîner dans les restaurants, faire les magasins, jouer les touristes au lieu d'effectuer un réel travail… Que va-t-on penser ?

– Ne vous en faites pas, vous avez un travail bien réel.

– Quel travail, camarade secrétaire du Parti ?

– Wen Liping est originaire de Shanghai. Elle faisait partie des «jeunes instruits» du début des années soixante-dix. Il se peut qu'elle soit revenue ici. Vous aurez une enquête à mener sur place.

L'argument était loin d'être convaincant. Il n'y avait pas

28

besoin d'un inspecteur principal pour interroger les personnes susceptibles d'avoir des nouvelles de Wen. «À moins que je ne sois censé faire semblant de m'activer pour impressionner l'Américaine».

Li se leva et posa ses mains sur les épaules de Chen.

– C'est un rôle que vous ne pouvez pas refuser, camarade Chen Cao. Vous travaillerez dans l'intérêt du Parti, ne l'oubliez pas!

– Dans l'intérêt du Parti!

Chen se leva lui aussi. En dessous, la circulation était bloquée dans la rue de Fuzhou. Avancer d'autres arguments serait futile.

– Vous avez toujours le dernier mot, camarade secrétaire du Parti Li.

– C'est le ministre Huang qui l'a dit, en fait. Depuis plusieurs années, le Parti vous fait confiance. Que citiez-vous donc de Confucius, tout à l'heure?

– Je sais, mais…

– Vous prenez cette affaire en main à un moment critique, nous le comprenons. Le ministère va vous attribuer un financement spécial. Votre budget est sans limites. Emmenez l'inspecteur Rohn dans les meilleurs restaurants, au théâtre, offrez-lui une excursion en bateau, que sais-je? À vous de voir. Dépensez autant que vous pourrez, ne laissez pas les Américains penser que nous sommes tous aussi pauvres que ces émigrants clandestins. Votre tâche est aussi diplomatique.

Cette mission aurait fait beaucoup d'envieux. Hôtels de luxe, divertissements, banquets… La règle d'or régissant les relations internationales était que la Chine ne devait pas perdre la face devant les visiteurs occidentaux. Il y avait toutefois un autre aspect: Chen et sa coéquipière seraient discrètement surveillés par le gouvernement. La Sécurité intérieure veillerait en coulisses.

– Je ferai de mon mieux. Mais j'ai deux demandes à formuler, camarade secrétaire du Parti Li.

– Allez-y.

– Je désire avoir le camarade inspecteur Yu pour m'assister dans cette affaire.

– L'inspecteur Yu est un policier d'expérience, mais il ne parle pas anglais. Si vous avez besoin d'aide, je préférerais suggérer quelqu'un d'autre.

– J'enverrai le camarade inspecteur Yu dans le Fujian. Je ne sais pas ce que la police locale a déjà fait. Nous avons besoin d'établir la cause de la disparition de Wen. (Il essaya de voir si Li changeait d'expression. En vain.) Le camarade inspecteur Yu peut me tenir informé des derniers événements survenus là-bas.

– Que va penser la police du Fujian?

– Ne suis-je pas responsable de l'affaire?

– Tout à fait. Vous avez le contrôle total de toute l'opération. Votre ordre de mission est prêt.

– Dans ce cas, j'aimerais qu'il s'envole dès cet après-midi pour le Fujian.

– Bon, si vous insistez… Et sur place, avez-vous besoin d'aide? Vous allez être très occupé avec l'inspecteur Rohn.

– C'est exact. J'ai d'autres enquêtes en cours. Et il y a aussi ce cadavre dans le parc.

– Vous tenez vraiment à vous charger de cette affaire? Je ne pense pas que vous en ayez le temps, camarade inspecteur principal Chen.

– Il faut effectuer certaines recherches qui ne peuvent attendre.

– Que diriez-vous du sergent Qian Jun? Il peut être votre adjoint temporaire.

Chen n'aimait pas Qian, un jeune diplômé de l'académie de police avec des idées arrêtées sur la politique. Cependant il aurait été malvenu de repousser une seconde fois la suggestion de Li.

– Qian conviendra très bien. Je serai la plupart du temps à l'extérieur avec l'inspecteur Rohn, Qian pourra se charger de la liaison avec le camarade inspecteur Yu.

– Qian peut aussi vous aider pour la paperasserie, ajouta Li avec un sourire… Oh, vous avez droit à une prime d'habillement pour cette mission. Pensez à passer à la comptabilité.

– Cette allocation n'est-elle pas réservée aux officiers se rendant à l'étranger ?

– Vous devrez être élégant pour recevoir quelqu'un qui vient de l'étranger. Souvenez-vous, vous représentez la police de notre pays. Vous pouvez également prendre une chambre à l'*Hôtel de la Paix*. C'est là que logera l'inspecteur Rohn. Ce sera plus pratique pour vous.

– Eh bien…

La perspective de séjourner dans le célèbre hôtel était tentante. Avoir une chambre donnant sur le Bund ne serait pas seulement un plaisir pour lui. Quand il avait séjourné à l'*Hôtel du fleuve Jing*, il avait invité Yu et sa famille à venir prendre un bain chaud. La plupart des logements de Shanghai n'avaient pas de salle de bain, encore moins d'eau chaude. Mais ce ne serait pas très sage, pensa-t-il, de séjourner dans le même hôtel qu'une femme officier américain…

– Ce ne sera pas nécessaire, camarade secrétaire du Parti Li. Il n'y a que dix minutes à pied d'ici. Nous pouvons faire faire cette économie à l'État.

– Certes. Il est de notre devoir de toujours suivre cette ancienne tradition du Parti : « Vivre simplement et travailler dur. »

En quittant le bureau de Li, Chen se remémora brièvement le fugitif souvenir de ce qui lui était arrivé, il n'y avait pas si longtemps, dans un autre hôtel.

Que peut être conservé en mémoire
De ce qui est perdu pour toujours ?

Il appuya à plusieurs reprises sur le bouton de l'ascenseur. En panne, une fois de plus !

3

L'avion avait du retard.

«Ça commence mal!» se dit Chen, qui attendait à l'aéroport international Hongqiao de Shanghai. Il regarda l'écran indiquant les départs et les arrivées. Celui-ci parut le fixer en retour et lui renvoyer son agacement.

Derrière les vitres, l'après-midi était clair, mais à l'aéroport Narita de Tokyo, la visibilité était, d'après les renseignements obtenus au guichet, très faible. C'est pourquoi les passagers en correspondance là-bas, dont Catherine Rohn, qui arrivait par United Airlines, devaient attendre que le brouillard se lève.

La porte fermée semblait inexplicablement sinistre. Probablement parce que cette mission ne lui disait rien qui vaille. Pourtant ses collègues auraient pour une fois été unanimes: il était l'homme de la situation. Arborant un complet neuf, gêné par une cravate trop serrée, son porte-documents de cuir à la main, il attendait l'inspecteur Rohn en s'efforçant de préparer des paroles de bienvenue.

La plupart des personnes assises dans l'aéroport semblaient de bonne humeur. Un jeune homme était si excité qu'il tournait et retournait son téléphone portable en le passant d'une main à l'autre. Un groupe de cinq ou six personnes, apparemment membres d'une même famille, n'arrêtait pas d'envoyer l'une ou l'autre, à tour de rôle, regarder l'écran. Un homme d'âge mûr essayait d'enseigner à une femme du même âge quelques mots simples en anglais. Il finit par y renoncer en secouant la tête avec un sourire amusé.

Dans un coin, l'inspecteur principal Chen réfléchissait à l'endroit où pouvait se trouver Wen. Un enlèvement par les triades locales? Un accident? Dans les deux cas, c'était au Fujian qu'on trouverait des indices. Et lui avait pour tâche de rester à Shanghai assurer la sécurité de l'inspecteur Rohn et veiller à ce que celle-ci soit satisfaite. Pour la sécurité, pas de problème, quant à la satisfaction... Si la police du Fujian n'arrivait pas à retrouver Wen, comment réussirait-il, lui, à la convaincre que la police chinoise avait fait de son mieux?

L'hypothèse d'une disparition volontaire de Wen semblait improbable. D'après les renseignements dont il disposait, elle avait fait une demande de passeport des mois auparavant, et s'était rendue deux fois à Fuzhou dans ce but. Pourquoi s'esquiver discrètement, à ce stade? Et si elle avait été victime d'un accident, on l'aurait déjà découverte.

Il restait une autre possibilité: les autorités de Pékin voulaient faire marche arrière. Quand les intérêts nationaux étaient en jeu, tout était possible. Si c'était le cas, sa mission était de la poudre aux yeux, comme une pièce de jeu de go placée pour détourner l'attention de l'adversaire.

Mieux valait arrêter d'y penser, ça ne servait à rien. Ce n'était pas la peine. Dans un discours sur les réformes économiques de la Chine, le camarade Deng Xiaoping avait usé d'une métaphore, *traverser la rivière en sautant de pierre en pierre*. Quand on ne peut pas présager des problèmes à venir, impossible de faire des projets pour les éviter. À ce point, Chen n'avait pas d'autre ligne de conduite possible.

Il ouvrit son porte-documents pour regarder la photo de l'inspecteur Rohn, mais celle qu'il sortit représentait une Chinoise: Wen Liping.

Un maigre visage hâve et blafard, aux cheveux mal peignés, avec de profondes rides autour d'yeux sans éclat, dont les coins semblaient alourdis par un fardeau invisible. Telle était l'image de cette femme sur la photo récente de la demande de passeport. Quelle différence avec celle de son dossier de lycéenne, sur laquelle Wen, jeune, jolie, vive, regardait au loin vers des lendemains qui chantent. C'était la Révolution culturelle et elle levait vers le ciel un bras barré d'un brassard rouge vif. À l'école secondaire, Wen avait été une «reine», mot que l'on n'utilisait pas à l'époque.

Chen était particulièrement frappé par un instantané pris à la gare de Shanghai: Wen dansait en tenant à la main un cœur en papier rouge portant en caractères chinois: *Loyal.* Un long cou gracieux, de superbes jambes, des mèches de cheveux noirs sur sa joue, et un brassard rouge sur sa manche verte. Elle se tenait au centre d'un groupe de jeunes instruits, clignant des yeux dans la lumière du soleil. À l'arrière-plan, des gens frappaient sur des tambours et des gongs et plus loin une mer de drapeaux rouges s'agitait au vent. Il y avait une légende sous la photo: «Wen Liping, élève de l'école du Grand Bond en avant, promotion 1970».

La photo avait paru dans le *Wenhui* au début des années soixante-dix, quand les élèves sortant des écoles secondaires des villes du pays, les jeunes instruits, avaient tous été envoyés à la campagne, en réponse à la déclaration du président Mao: «Il est nécessaire que les jeunes instruits soient rééduqués par les paysans pauvres et moyen-pauvres».

Wen était partie pour le village de Changle dans la province du Fujian, en tant que jeune instruite rejoignant un membre de sa famille. Peu après, moins d'un an plus tard, elle avait épousé Feng Dexiang, un homme de quinze ans son aîné, le dirigeant du comité révolutionnaire de la commune populaire de Changle. Il y avait à ce mariage des explications divergentes. Certains décrivaient la jeune fille comme une disciple trop ardente de Mao, d'autres prétendaient qu'une grossesse en était la cause. Elle avait eu un enfant l'année suivante. Qui aurait reconnu la lycéenne de Shanghai, avec son nouveau-né ficelé sur le dos, vêtue d'un vêtement noir tissé à la maison, travaillant pieds nus et trempée de sueur dans la rizière? Elle n'était revenue à Shanghai qu'une seule fois, à l'occasion des obsèques de son père. Après la Révolution culturelle, Feng fut limogé. Wen, en plus de son dur labeur dans les rizières et au potager, prit un emploi dans une usine de la commune populaire. Il fallait bien faire vivre sa famille. Puis le fils unique du couple était mort dans un tragique accident. Et, il y avait maintenant quelques mois, Feng s'était embarqué sur le *Golden Hope*.

Rien d'étonnant, se dit Chen, à ce que la photo de son passeport soit si différente de celles de son dossier de lycéenne.

Les fleurs se fanent, l'eau s'écoule, le printemps pâlit
Le monde a changé.

Vingt ans avaient passé le temps d'un claquement de doigts, Wen avait terminé ses études deux ou trois ans seulement avant Chen. «Vraiment, se dit-il, par comparaison, je n'ai pas à me plaindre de ma vie. Malgré cette ridicule mission.»

Il regarda sa montre. Encore un moment avant l'arrivée de l'avion. Depuis une cabine téléphonique, il appela Qian Jun au bureau.

– Le camarade inspecteur Yu a téléphoné?

– Non, pas encore, camarade inspecteur principal.

– L'avion a du retard. Je dois attendre l'Américaine et ensuite l'accompagner à son hôtel. Je ne pense pas pouvoir revenir au bureau cet après-midi. Si Yu appelle, dites-lui de me joindre chez moi. Et voyez si vous pouvez aussi accélérer le rapport d'autopsie du cadavre du parc.

– Je vais faire de mon mieux, inspecteur principal Chen. Vous êtes donc chargé de l'enquête maintenant?

– Oui, la victime d'un meurtre trouvée dans le parc du Bund est aussi une priorité politique, pour nous.

– Bien sûr, camarade inspecteur principal Chen.

Puis il appela Peiqin, la femme de Yu.

– Peiqin, ici Chen Cao. Je suis à l'aéroport. Excusez-moi d'avoir envoyé d'urgence votre mari en mission.

– Vous n'avez pas à vous excuser, camarade inspecteur principal Chen.

– A-t-il appelé chez vous?

– Non, pas encore. Je pense qu'il vous téléphonera d'abord.

– Il est sûrement arrivé. Ne vous inquiétez pas. J'aurai sans doute des nouvelles de lui ce soir.

– Merci.

– Prenez soin de vous, Peiqin. Bonjour à Qinqin et au Vieux chasseur.

– Je n'y manquerai pas. Faites attention à vous aussi.

Si seulement il était avec Yu! Il aurait aimé discuter des

hypothèses avec son coéquipier habituel, même si celui-ci était encore moins enthousiasmé par l'affaire Wen que par celle du parc.

Bien que les deux hommes soient totalement différents, ils étaient amis. Chen avait été invité plusieurs fois chez Yu et y avait passé de plaisants moments. Pourtant l'appartement se composait en tout et pour tout d'une pièce de dix ou onze mètres carrés, où Yu, sa femme et son fils, dormaient, mangeaient et vivaient, à côté de la chambre où demeurait le père de Yu. Yu était un hôte chaleureux, un bon joueur de go, et Peiqin était une merveilleuse maîtresse de maison. Sa cuisine était excellente et elle était aussi versée en littérature classique chinoise.

Chen regagna son siège. Il pouvait continuer sa lecture sur les émigrants clandestins du Fujian. Le sujet étant interdit dans les publications chinoises, le document était en anglais. Il n'avait pas lu plus de deux ou trois lignes lorsqu'une jeune maman, poussant un chariot à bagages, vint s'asseoir près de lui. C'était une jolie femme dans les vingt-cinq ans, des traits fins et nets, avec une ombre légère sous ses grands yeux.

– C'est en anglais? demanda-t-elle en jetant un regard sur les feuilles qu'il avait à la main.

– Oui.

Avait-elle choisi un siège à côté de lui parce qu'elle avait aperçu un imprimé en anglais? Elle portait une robe blanche en tissu léger, un caftan, qui semblait flotter autour de ses longues jambes. Elle balançait du bout d'un pied chaussé d'une sandale le chariot où dormait un bébé blond.

– Il n'a pas encore vu son papa américain, dit-elle en chinois… Regardez ses cheveux, il a les cheveux dorés, comme lui.

– Il est mignon.

– Il est blond, dit-elle en anglais.

Beaucoup d'histoires couraient sur les mariages mixtes ces temps-ci. Le bébé endormi semblait adorable, mais l'insistance de sa mère sur sa couleur de cheveux gênait l'inspecteur en

36

chef. Comme si avoir une caractéristique d'Occidental devait être une raison de s'enorgueillir.

Il se leva pour passer un autre coup de fil. Heureusement une des cabines acceptait les pièces pour les appels longue distance. *Le temps, c'est de l'argent.*

Depuis les années quatre-vingt-dix, le slogan était à la mode. Et politiquement correct. Et aussi adapté à ce cas précis. Il téléphona au camarade Hong Liangsing, chef de la police du Fujian.

– Camarade commissaire Hong, ici Chen Cao. Le camarade secrétaire du Parti Li vient de me charger de l'affaire Wen. Je ne connais rien de l'enquête. C'est vous qui êtes parfaitement au courant de la situation.

– Allons, camarade inspecteur principal Chen, nous avons été informés de la décision du ministère. Nous ferons tout notre possible pour vous aider.

– Vous pouvez commencer en me mettant au courant du contexte général, camarade commissaire Hong.

– L'émigration clandestine est un problème depuis des années, dans la région. La situation a beaucoup empiré depuis 1985. Avec la politique de la porte ouverte, les gens ont eu accès à la propagande occidentale et ont commencé à rêver d'avoir leur part des montagnes d'or à l'étranger. Les réseaux de passeurs taïwanais se sont mis en place. Avec leurs grands navires modernes, les traversées de l'océan sont devenues possibles. Et aussi extrêmement profitables.

– Je sais, oui. Et des gens comme Jia Xinzhi sont devenus des « têtes de serpent ».

– Avec l'aide de bandes locales, comme les Haches volantes. Leur rôle est de s'assurer que les émigrés clandestins remboursent leur passage en temps voulu.

– Combien ?

– Trente mille dollars US par personne.

– Tant que ça ! On peut vivre confortablement rien qu'avec les intérêts d'une telle somme. Pourquoi prendre ce risque ?

– Ils s'imaginent qu'en un ou deux ans à l'étranger, ils

gagneront bien davantage. Et le risque n'est plus si grand. Nos lois ont changé, ces dernières années. S'ils sont pris, ils ne vont plus en prison ou dans des camps de travail, on se contente de les renvoyer chez eux. Ils n'ont même plus à craindre de représailles politiques à leur retour. Pourquoi voudriez-vous qu'ils s'inquiètent des conséquences d'un échec?

– Dans les années soixante-dix, ils auraient été condamnés à de lourdes peines de prison, remarqua Chen.

Un de ses professeurs avait été mis en prison pour le seul «crime» d'avoir écouté La Voix de l'Amérique.

– Et l'un des facteurs principaux de cette émigration clandestine est, vous ne le croirez jamais, la politique américaine. Quand des immigrés clandestins sont pris là-bas, ils devraient être renvoyés immédiatement ici, n'est-ce pas? Eh bien, non. On les autorise à rester un certain temps et on les encourage à demander l'asile politique. Alors on est submergés de cas. Si les Américains pouvaient faire tomber Jia, ce serait un gros coup porté aux réseaux de passeurs clandestins.

– Vous semblez très au fait de la situation, commissaire superintendant Hong. L'inspecteur Yu et moi aurons grand besoin de votre aide. Je ne sais pas si le camarade inspecteur Yu est déjà arrivé dans le Fujian.

– Je crois, mais il ne m'a pas contacté.

– Je suis en train d'attendre l'Américaine à l'aéroport et je vais manquer de pièces. Il faut que je raccroche, je vous rappellerai ce soir, camarade commissaire Hong.

– Vous pouvez m'appeler quand vous voulez, camarade inspecteur principal Chen.

La conversation avait été plus facile que Chen ne s'y était attendu. Normalement la police locale n'était pas très coopérative lorsqu'il s'agissait de collaborer avec un étranger au service.

Il raccrocha et revint consulter l'écran des arrivées et des départs. L'avion serait là dans vingt minutes.

4

L'inspecteur Yu Guangming était parti pour le Fujian en train et non par avion. Il n'y avait pratiquement pas de différence en temps de voyage, mais ce choix était dicté par des motifs économiques. Selon le règlement de la police judiciaire concernant les frais de voyage, le camarade en déplacement était autorisé à garder pour lui la moitié de la différence entre le prix de l'avion et celui du train. Un montant non négligeable quand on voyageait en « siège dur » plutôt qu'en wagon couchette plus confortable. Plus de cent cinquante yuans, avec lesquels il avait l'intention d'acheter une calculatrice électronique à son épouse, Peiqin. Celle-ci était comptable dans un restaurant, mais se servait toujours d'un boulier en bois à la maison, et faisait cliqueter les boules entre ses doigts fins tard dans la nuit.

Alors, sitôt installé sur son banc de bois, l'inspecteur Yu commença par lire le dossier Wen. Un maigre dossier, dont la partie concernant la jeunesse de la lycéenne lui donna un sentiment de déjà vu. Peiqin et lui avaient aussi été des jeunes instruits dans les années soixante-dix.

À la moitié du dossier, il alluma une cigarette et fixa pensivement les anneaux de fumée.

Condisciples de la promotion de soixante-dix, Peiqin et Yu, qui n'avaient pas plus de seize ans, avaient dû quitter Shanghai pour être « rééduqués » dans une ferme de l'armée perdue dans la province éloignée du Yunnan, à la frontière entre la Chine du Sud et la Birmanie. La veille de leur départ, les parents des deux jeunes gens avaient eu un long entretien. Le lendemain, Peiqin était montée dans le camion, s'était assise timidement à côté de Yu et n'avait pas osé lever les yeux sur lui pendant tout le trajet jusqu'à la gare de Shanghai. C'était en quelque sorte des fiançailles arrangées, comprit Yu. Leurs familles voulaient qu'à des centaines de kilomètres de leurs parents, ils veillent l'un sur l'autre. C'est ce qu'ils firent, et au-delà. Pourtant, ils ne se marièrent pas là-bas. Non parce qu'ils ne s'aimaient pas, mais parce qu'étant toujours inscrits comme célibataires, il leur restait une chance de revenir à Shanghai. La politique gouvernementale obligeait les jeunes instruits mariés à s'établir définitivement à la campagne.

L'envoi forcé des jeunes instruits à la campagne ne fut jamais officiellement supprimé, mais cessa vers la fin des années soixante-dix. Yu et Peiqin étaient revenus à Shanghai. La jeune femme avait été nommée au restaurant Sihai et le père de Yu, le Vieux chasseur, s'était arrangé pour prendre une retraite anticipée, ce qui avait permis à son fils d'obtenir son poste à la brigade criminelle. Les deux jeunes gens s'étaient mariés. Un an après la naissance de leur fils Qinqin, leur vie était organisée selon une paisible routine. Quelle différence avec leurs rêves du Yunnan! Employée comme comptable au restaurant, travaillant dans l'étuve d'une cabine *tingzhijian,* au-dessus de la cuisine, la seule distraction de Peiqin était de lire *Le Rêve dans le pavillon rouge*; elle le lisait et relisait pendant sa demi-heure de pause-déjeuner. Flic sans grand espoir d'avancement, et pro-bablement destiné à le rester, Yu pensait toutefois qu'il n'avait pas à se plaindre : Peiqin était une épouse merveilleuse, et Qinqin promettait d'être également un fils merveilleux.

Pourquoi Wen n'était-elle pas retournée à Shanghai comme tant d'autres? Beaucoup de jeunes instruits mariés avaient divorcé pour pouvoir rentrer chez eux. Durant ces années absurdes, on était obligé, pour survivre, de faire des choses bien plus absurdes encore. C'était difficile à concevoir main-tenant, même pour l'inspecteur principal Chen. Bien que plus jeune seulement de quelques années, il n'avait pas connu l'exil forcé à la campagne.

– Attention, attention! C'est l'heure du repas. Les passagers désirant se restaurer sont priés de se rendre au wagon six, annonça dans le haut-parleur une revêche voix féminine. Au menu ce soir, galettes de riz avec du porc, boulettes fourrées de Qicai, et nouilles aux champignons. Nous servons également de la bière et du vin.

Yu sortit une boîte de nouilles instantanées, versa de l'eau avec le thermos du train dans un bol en émail et y plaça les nouilles. L'eau n'étant pas assez chaude, il fallut à celles-ci plusieurs minutes pour ramollir. Yu avait également dans un sachet en plastique une tête de carpe fumée préparée par Peiqin. Mais manger ne lui remonta pas le moral. Cette mission était presque une plaisanterie. Comme si la police de Shanghai allait faire sa cuisine aux fourneaux de la police du Fujian. Comment un policier de Shanghai, tout seul, pouvait-il aboutir à quelque chose quand la police de Fujian n'y était pas parvenue ? Avoir chargé leur brigade de cette enquête sur Wen n'avait aucun sens, à moins que ce ne fût une mise en scène au bénéfice des Américains. Il fit sauter avec son couteau l'œil fixe de la tête de la carpe.

Vers trois heures du matin, Yu s'assoupit, assis raide et droit comme un bambou, la tête cognant contre le dossier rigide. Quand le soleil lui tapa dans l'œil, le couloir était plein de voyageurs attendant leur tour aux lavabos. D'après l'annonce du haut-parleur, le Fujian était proche.

Après une nuit en position assise, il avait les cervicales endolories, les épaules raides et les jambes engourdies. Il secoua la tête en voyant son reflet dans la fenêtre du train : un homme plus tout jeune, au menton pas rasé et au visage creusé par la fatigue du voyage. Aucun rapport avec l'infatigable jeune instruit assis avec Peiqin dans le train du Yunnan.

Autre conséquence d'un voyage en « siège dur » : il mit cinq minutes à repérer un homme brandissant un carton à son nom. Le camarade inspecteur Zhao Youli, de la police du Fujian, devait avoir attendu son collègue de Shanghai parmi les voyageurs descendant des wagons-lits. Zhao avait un visage poupin, des yeux globuleux et des cheveux gominés. Il portait un coûteux complet blanc, une cravate en soie rouge et des chaussures

41

de ville bien astiquées. Il sourit à la vue de Yu et ses yeux devinrent des fentes.

– Bienvenue, camarade inspecteur Yu. Je dois travailler avec vous sur l'affaire.

– Merci, camarade inspecteur Zhao.

– Je vous attendais par là-bas.

– Il n'y avait plus de place en wagon-lits, mentit Yu, gêné par sa propre apparence.

Avec son vieux blouson et son pantalon tout froissé par une nuit de voyage, il ressemblait plus au garde du corps qu'à l'homologue du pimpant Zhao.

– Y a-t-il quelque chose de nouveau, camarade inspecteur Zhao ?

– Non, nous avons cherché Wen partout. Sans succès. Cette affaire est prioritaire à nos yeux, vous savez, et je suis vraiment heureux que vous ayez fait tout ce chemin depuis Shanghai pour nous aider.

Yu perçut la nuance de sarcasme dans la voix de Zhao.

– Allons, camarade inspecteur Zhao, vous ne pouvez pas dire ça, je ne connais rien à cette affaire, moi. En fait, je ne sais même pas pourquoi on m'a envoyé. Ordre du ministère, paraît-il.

La vérité était que Yu n'espérait pas arriver à quoi que ce soit. De deux choses l'une : ou bien sa mission était simplement un paravent politique, ou bien Wen avait été enlevée par les complices de Jia au Fujian. Si c'était le cas, la rechercher serait aussi utile que de cracher en l'air, à moins que la police locale n'ait décidé de régler leurs comptes aux malfaiteurs.

– Vous savez bien, *Le moine qui vient de loin psalmodie plus fort*, camarade inspecteur Yu, dit Zhao, en lissant de la main ses cheveux.

– Si c'est en dialecte du Fujian, ça ne risque pas, je n'en parle pas un traître mot. Je ne suis même pas capable de demander mon chemin. Vous allez être obligé de me conduire au village de Changle.

– Pourquoi cette hâte, camarade inspecteur Yu ? Laissez-moi vous conduire d'abord à votre hôtel. Vous venez de passer une nuit dans le train, reposez-vous, déjeunez avec moi, puis nous passerons au commissariat. Nous pourrons discuter de tout ça avant un dîner d'accueil.

– En fait… (Yu était stupéfait du manque de zèle de son collègue.) J'ai fort bien dormi dans le train. Et le camarade inspecteur principal Chen attend avec impatience les enregistrements des interrogatoires.

Ils partirent pour le village de Changle. Tout en conduisant sur une route creusée d'ornières, Zhao lui fit un rapport succinct sur les Haches volantes.

Cette association avait été fondée à la fin de la dynastie des Qing dans la région du Fujian. C'était une confrérie secrète aux intérêts commerciaux variés, contrebande de sel, trafic de drogue, usure, protection, jeu et prostitution. En dépit des efforts des différents responsables administratifs pour les juguler, ces activités s'étaient étendues. Cependant, la triade restait locale. Après 1949, sous le gouvernement communiste, la bande avait été dissoute et quelques membres influents avaient été exécutés à cause de leurs relations avec les nationalistes. Mais ces dernières années, les gangs avaient refait surface. L'émigration clandestine était dirigée par des «têtes de serpents» de Taïwan, telles que Jia Xinzhi, mais le rôle de la triade du Fujian était essentiel. Un émigrant clandestin s'engageait à rembourser son passage par des versements à tempérament. Au début, le rôle des Haches volantes était de s'assurer que ceux-ci étaient effectués à temps. Par la suite, les membres de la triade s'intéressèrent à d'autres aspects de l'opération, tels que le recrutement des candidats au départ.

– Que savez-vous d'autre concernant la disparition de Wen ?

Zhao expliqua à Yu où en était la police du Fujian.

Le matin du 6 avril, Zhao était allé chez Wen pour vérifier sa demande de passeport. La police du Fujian avait été informée de l'arrivée imminente de l'officier de police américain et désirait donc accélérer la procédure. Wen n'était pas chez elle, ni à l'usine de la commune populaire. Zhao y était retourné dans l'après-midi, sans plus de succès. Le lendemain matin, nouveau déplacement à Changle, avec un autre policier. Ils avaient trouvé porte close. D'après ses voisins, c'était la première fois que Wen s'absentait toute une journée : elle était employée à l'usine, devait s'occuper du potager familial, nourrir les poulets et les porcelets. Ils avaient regardé dans la porcherie, les animaux affamés tenaient à peine sur leurs pattes. Ils avaient donc décidé de pénétrer dans la maison, après avoir cherché des signes d'effraction. Il n'y en avait pas, ni des traces de lutte à l'intérieur. Ils avaient commencé à quadriller le village en frappant à toutes les portes. Wen avait été vue pour la dernière fois vers 22 h 45 le 5 avril, alors qu'elle allait tirer de l'eau au puits du village. Le 7 avril après-midi, ils étaient sûrs qu'il lui était arrivé quelque chose.

La police locale avait fouillé les villages alentour, ainsi que les hôtels dans un rayon de soixante-dix kilomètres. Ils avaient également enquêté à la gare routière. Un seul autocar avait traversé le village cette nuit-là. Jusque-là tous leurs efforts n'avaient mené à rien.

– Nous n'y comprenons rien, conclut Zhao, cette disparition est un mystère.

– Y a-t-il une possibilité pour qu'elle ait été enlevée par les Haches volantes ?

– C'est peu probable. Personne n'a rien remarqué d'anormal au village cette nuit-là. Elle aurait crié ou lutté, et quelqu'un l'aurait entendue. D'ailleurs, vous allez voir vous-même dans quelques minutes.

Il leur fallut cependant encore quinze minutes avant que le village soit en vue. Il se composait de deux types de maison dont le contraste était choquant. Des maisons neuves, modernes, de bonne taille, comparables à celles des meilleurs quartiers de Shanghai, voisinaient avec de vieilles masures exiguës.

– On dirait deux mondes différents, observa Yu.

44

– C'est tout à fait ça. Il y a un énorme écart entre les familles dont un membre est à l'étranger et les autres. Toutes ces maisons neuves ont été construites avec l'argent envoyé d'outre-mer.

– C'est stupéfiant. Ces maisons neuves coûteraient des millions à Shanghai.

– Laissez-moi vous donner quelques chiffres, camarade inspecteur Yu. Le revenu annuel d'un paysan ici tourne autour de trois mille yuans, plus ou moins, suivant le temps. À New York, un émigré peut gagner cette somme en une semaine, s'il travaille dans un restaurant et dort sur place. C'est payé en argent liquide. Une année d'économies suffit pour se construire une maison ici et acheter le mobilier et l'électroménager. Comment voulez-vous que les familles qui n'ont personne à l'étranger puissent lutter? Elles ne peuvent que rester entassées dans ces anciennes cabanes, dans l'ombre des parvenus.

– Oui, on ne peut pas tout faire avec de l'argent, répondit Yu, reprenant une citation d'un film récent, mais on ne peut rien faire sans lui.

– Pour les pauvres, la seule façon d'améliorer leur condition est de partir à l'étranger, eux aussi. Ceux qui s'y refusent seront considérés comme bêtes, paresseux ou bons à rien. C'est un cercle vicieux. C'est pourquoi de plus en plus de gens partent.

– Feng est-il parti pour cette même raison?

– Ça a sans doute été une de ses raisons.

Ils arrivèrent à la maison de Wen. Elle était ancienne, probablement construite au tout début du siècle, et relativement spacieuse, avec un jardin devant et un derrière, ainsi qu'une porcherie. Elle semblait beaucoup plus décrépite que la moyenne des logements du village. La porte était fermée de l'extérieur par un cadenas en cuivre que Zhao ouvrit avec son canif. Dans un coin du jardin désert, Yu aperçut deux paniers de bouteilles de vin vides.

– Feng buvait beaucoup… Wen gardait les bouteilles pour les revendre.

Ils examinèrent les murs du jardin. Le dessus était recouvert de poussière, et ils ne trouvèrent pas trace d'escalade.

– Vous n'avez rien trouvé de suspect dans ce qu'elle a laissé ?

– Oh, elle n'a pas laissé grand-chose.

Pas beaucoup de meubles en tout cas, observa Yu en sortant son carnet de notes. La salle de séjour, meublée en tout et pour tout d'une table bancale avec deux bancs de bois, paraissait désespérément vide. Il y avait cependant un panier de boîtes de conserve et de paquets de plastique sous la table. L'un des paquets portait la mention : « Matière inflammable. DANGER. » Quel que soit ce produit, il ne semblait pas faire partie des objets normalement rangés dans une salle de séjour.

– Qu'est-ce que c'est ?

– Wen s'en servait pour son travail.

– Quelle sorte de travail faisait-elle chez elle ?

– Le même qu'à l'usine. C'était simple : elle employait un produit chimique abrasif dans lequel elle trempait les doigts pour frotter les rouages des instruments de précision jusqu'à ce qu'ils soient parfaitement lisses, une ponceuse humaine, en quelque sorte. Ici, les gens sont payés en fonction du nombre de produits finis, à la pièce. Pour gagner quelques yuans de plus, elle rapportait les abrasifs et les pièces à poncer à la maison le soir.

Ils allèrent dans la chambre. Le vieux lit était énorme avec une tête de lit à motif sculpté, répété sur la commode. La plupart des tiroirs contenaient des chiffons, de vieux vêtements et des objets inutiles. Un tiroir était rempli de vêtements d'enfant, sans doute ceux de son fils mort. Dans un autre, Yu trouva un album de photos avec quelques clichés de Wen, pris du temps de ses études.

L'une représentait Wen à la gare de Shanghai, penchée par la fenêtre du train, agitant la main vers des gens sur le quai qui étaient sans doute en train de chanter et de crier des slogans révolutionnaires. La scène était familière à Yu. Il avait vu Peiqin, penchée ainsi, faire à sa famille sur le quai des signes d'adieu. Il mit plusieurs photos dans son carnet.

– Wen avait-elle quelques photos récentes ?
– La seule photo récente est celle de son passeport.
– Même pas une photo de mariage ?
– Non.

Étrange, pensa Yu. Bien qu'ils n'aient pas demandé leur certificat de mariage au Yunnan, par peur de compromettre leurs chances d'obtenir la permission de revenir à Shanghai, le jeune couple, et surtout Peiqin, avait tenu à se faire photographier dans la pose des jeunes mariés. Maintenant, des années plus tard, Peiqin y faisait toujours allusion comme à leur photo de mariage.

Le tiroir du haut de la commode contenait quelques livres d'enfants, un dictionnaire, quelques pages d'un journal vieux de plusieurs mois, un exemplaire du *Rêve dans le pavillon rouge* dans une édition datant d'avant la Révolution culturelle, et une anthologie des meilleurs poèmes de 1988.

– Un recueil de poèmes de 1988, dit Yu en se tournant vers Zhao... Ce n'est pas tellement à sa place ici.

– Oui, c'est aussi ce que je pense. (Zhao prit le volume.) Regardez... des dentelles de papier entre les pages. Dans les villages, c'est à ça que servent les livres.

– Oui, ma mère faisait ça aussi, pour ne pas les froisser. (Yu feuilleta le recueil.) Pas de signature. Ni le nom de Wen dans la table des matières.

– Vous ne voulez pas l'envoyer à votre poète d'inspecteur principal ?

– Non, je ne pense pas qu'il ait de temps pour la poésie, en ce moment. (Il prit note du livre dans son carnet.) Oh, vous avez parlé de son travail dans une usine de la commune populaire. Mais il y a plusieurs années que les communes ont été supprimées.

– C'est vrai. Mais les gens ont conservé l'habitude de l'appeler l'usine de la commune populaire.

– On peut y aller aujourd'hui ?

– Le directeur est parti pour Guangzhou. Je prendrai rendez-vous pour vous dès son retour.

Une fois l'inspection de la maison de Wen terminée, ils allèrent au bureau du comité du village. Le responsable n'y était pas. Une octogénaire reconnut Zhao et leur fit du thé. Yu téléphona à la police criminelle de Shanghai mais l'inspecteur principal Chen n'y était pas non plus.

Il était l'heure de déjeuner. Zhao ne fit plus allusion à sa proposition de repas de réception. Ils se dirigèrent vers une gargote à nouilles, en fait un poêle à bois et quelques marmites devant une maison délabrée. En attendant son bol de nouilles au poisson, Yu se retourna pour regarder la rizière derrière lui.

La majorité des personnes dans la rizière étaient des femmes jeunes ou d'âge moyen. Elles travaillaient, les cheveux retenus sur la tête par une serviette blanche et les jambes de pantalon roulées haut.

– Voilà une autre conséquence de la situation, expliqua Zhao comme s'il lisait dans les pensées de Yu… Ce village est typique de la région. Dans les deux tiers des familles, les hommes sont à l'étranger. Sinon c'est comme une tare pour la famille. Vous ne verrez pratiquement pas d'hommes jeunes ou d'âge moyen. Il n'y a plus que leurs femmes pour travailler dans les champs.

– Combien de temps ces femmes restent-elles seules ?

– Au moins sept ou huit ans, jusqu'à ce que leurs maris légalisent leur situation à l'étranger.

Après le déjeuner, Zhao suggéra de commencer par interroger quelques familles. Trois heures plus tard, cependant, Yu avait compris : ils n'apprendraient sans doute rien de nouveau ou d'utile. À chaque fois qu'ils abordaient le sujet des émigrants clandestins, ou celui de l'activité des gangs, leurs questions étaient accueillies par un silence obstiné.

Quant à Wen, ses voisins semblaient éprouver pour elle une inexplicable antipathie. Selon eux, Wen s'était, pendant toutes ces années, repliée sur elle-même. Ils parlaient d'elle comme de « la femme de la ville » ou de la jeune instruite, bien qu'elle ait travaillé plus dur que la plupart des épouses du village. En temps normal, elle passait la matinée à l'usine de la commune populaire, s'occupait du potager familial en fin d'après-midi, et ensuite polissait de nuit, à la main, les pièces rapportées à la maison. Toujours affairée, tête baissée, Wen n'avait ni le temps ni, semblait-il, l'envie de bavarder avec les autres. Lou, sa voisine d'à côté, suggéra que Wen avait peur de Feng, le représentant haï de la Révolution culturelle. Comme elle avait peu de contacts avec les autres villageois, personne ne sembla avoir remarqué quoi que ce soit de bizarre le 5 avril.

– C'est également mon impression… grommela Zhao. Elle semble toujours être restée une étrangère, dans ce village, malgré les années.

« Il est possible qu'elle se soit refermée sur elle-même après son mariage, pensa Yu. Mais vingt ans, c'est long ! »

La quatrième personne de leur liste était une femme nommée Dong, qui habitait en face de chez Wen.

– Son fils unique est parti avec Feng sur le même bateau, le *Golden Hope*, mais il n'a donné aucune nouvelle, prévint Zhao avant de frapper à la porte.

Une petite femme à cheveux blancs, au visage tanné et profondément ridé leur ouvrit la porte. Elle ne les invita pas à entrer.

– Camarade Dong, nous enquêtons sur la disparition de Wen, commença Yu… Savez-vous quelque chose sur elle, particulièrement à propos de la nuit du 5 avril ?

– Ce que je sais de cette femme ? Laissez-moi vous dire quelque chose. Lui, c'est un loup aux yeux blancs, et elle une chienne à tête de friponne. Maintenant ils ont tous les deux des ennuis, n'est-ce pas ? C'est bien fait pour eux !

Dong pinça les lèvres de colère et leur ferma la porte au nez. Yu se tourna vers Zhao, l'air interrogateur.

– Continuons… Dong accuse Feng d'avoir poussé son fils à partir. Il n'avait que dix-huit ans. C'est pourquoi elle le traite de loup aux yeux blancs, les plus cruels.

– Et pourquoi dit-elle que Wen est une chienne à face de friponne ?

– Feng a divorcé de sa première épouse pour se marier avec Wen. C'était une beauté, quand elle est arrivée. Les gens du pays racontent tout un tas d'histoires sur ce mariage.

– Une autre question. Comment Dong a-t-elle pu savoir que Feng avait des ennuis ?

– Je ne sais pas. (Zhao évita le regard de Yu.) Les gens d'ici ont de la famille ou des amis à New York. Ou bien ils ont entendu des rumeurs, après la disparition de Wen.

– Je vois.

Yu ne voyait rien du tout, mais ne pensait pas utile d'insister sur ce point pour le moment. Il essaya de se débarrasser de l'impression que les dérobades de l'inspecteur Zhao cachaient quelque chose. L'envoi d'un policier de Shanghai avait pu être interprété par la police du Fujian comme un camouflet. Mais se retrouver à travailler avec un partenaire peu enthousiaste et des citoyens peu aimables n'était pas une surprise, pour lui. Lorsqu'il faisait équipe avec l'inspecteur principal Chen, les missions étaient tout sauf faciles.

Il doutait que le travail de Chen à Shanghai soit plus aisé. En apparence, peut-être, pour des yeux non avertis : l'*Hôtel de la Paix*... un budget illimité... et une séduisante coéquipière américaine. Mais Yu ne s'y laissait pas prendre. Il alluma une autre cigarette en se disant que s'il avait été à la place de son patron, il aurait répondu que ce n'était pas un travail de policier et opposé un refus catégorique au secrétaire du Parti Li. Ce qui expliquait sans doute pourquoi il ne serait jamais l'inspecteur principal Yu.

Quand ils eurent terminé leurs interrogatoires de la journée, le bureau du comité du village était fermé. Il n'y avait pas de téléphone public au village. Sur la proposition de Zhao, ils se préparaient à retourner à pied à l'hôtel, à vingt minutes de marche. En sortant du village, Yu s'approcha d'un vieil homme qui réparait un pneu de bicyclette sous une enseigne décolorée par la pluie.

– Vous ne connaissez pas quelqu'un qui ait un téléphone chez lui, ici ?

– Il y a deux téléphones dans le village. Un pour le comité du village, et l'autre chez madame Miao. Son mari a passé cinq ou six ans aux États-Unis. Quelle chance d'avoir un téléphone chez soi !

. – Merci. On va l'utiliser, alors.

– Il vous faudra payer. D'autres habitants l'utilisent aussi. Pour appeler leur famille à l'étranger. Et quand les gens téléphonent de l'étranger, c'est Miao qui répond.

– Tout à fait comme le téléphone public de Shanghai. Croyez-vous que Wen utilisait aussi le téléphone de Miao ?

– Oh oui, tout le monde le fait au village.

Yu se tourna vers Zhao, le regard interrogateur. Celui-ci avait l'air gêné.

– Désolé. Je l'ignorais complètement.

5

La porte s'ouvrit enfin et un groupe de voyageurs de première classe émergea. Des étrangers pour la plupart. L'inspecteur principal Chen aperçut une jeune femme en tailleur-pantalon crème, grande, mince, avec des yeux bleus et des cheveux blonds aux épaules. Il la reconnut aussitôt, bien qu'elle semblât un peu différente de son image sur la photo, prise peut-être quelques années plus tôt. Elle se mouvait avec aisance, comme un cadre supérieur habitué à travailler à l'étranger.

– Inspecteur Catherine Rohn ?

– Oui ?

– Je suis Chen Cao, inspecteur principal de la police criminelle de Shanghai. Je suis ici pour vous accueillir au nom de vos collègues chinois. Nous allons travailler ensemble.

– Inspecteur principal Chen, répéta-t-elle en chinois, *Chen Tong zhi* ?

– C'est vrai, vous parlez chinois.

– Non, pas trop. (Elle retourna à l'anglais.) Je suis contente d'avoir un coéquipier qui parle anglais.

– Bienvenue à Shanghai !

– Merci, inspecteur principal Chen.

– Allons chercher vos bagages.

Une longue file de voyageurs attendait à la douane, passeports, formulaires et stylos à la main. L'aéroport parut soudain surpeuplé.

– Ne vous en faites pas pour les formalités douanières, inspecteur Rohn, vous êtes un hôte américain de marque.

Il la guida vers un autre accès en saluant au passage plusieurs hommes en uniformes. L'un d'eux jeta un bref coup d'œil au passeport de la jeune femme, y griffonna quelques mots et lui fit signe de passer.

Ils sortirent avec ses bagages sur un chariot qu'ils poussèrent vers la station de taxis, en face d'un énorme panneau publicitaire en chinois pour coca-cola. Peu de clients attendaient.

– Nous parlerons à votre hôtel, l'*Hôtel de la Paix*, sur le Bund. Je regrette, nous allons être obligés de prendre un taxi. J'ai renvoyé la voiture de service, à cause du retard.

– Ce sera très bien. En voilà un.

Une petite Xiali stoppa devant eux. Il aurait préféré attendre une Dazhong, fabriquée conjointement par Shanghai Automobile et Volkswagen, qui aurait été plus spacieuse et confortable. Mais elle était déjà en train d'indiquer le nom de l'hôtel en chinois au chauffeur.

Le coffre de la Xiali était tout petit. Avec la valise sur le siège avant, à côté du chauffeur, et un sac à côté d'elle, sur le siège arrière, il se sentait coincé et elle avait du mal à étendre ses longues jambes. La climatisation ne marchait pas. Il descendit la vitre, mais ça ne changea pas grand-chose. Elle s'épongea le front et quitta sa veste. Elle portait un débardeur. La route défoncée mettait de temps à autre son épaule au contact de celle de Chen et cette proximité le gênait.

Une fois qu'ils furent sortis de la zone aéroportuaire de Hongqiao, la circulation devint intense. Des travaux obligeaient le taxi à de fréquents détours. À l'intersection des rues de Yen'an et de Jiangning, un embouteillage les arrêta et Chen se sentit obligé de faire la conversation.

– Combien de temps a duré votre voyage, inspecteur Rohn?

– Plus de vingt-quatre heures.

– C'est un long voyage.

– J'avais deux correspondances à prendre. De Saint Louis à San Francisco, puis San Francisco-Tokyo, et enfin Tokyo-Shanghai.

– La Compagnie aérienne de Chine orientale a des vols directs de San Francisco à Shanghai.

– Oui, je sais. Mais c'est ma mère qui a fait ma réservation et elle ne jure que par United Airlines. Question de sécurité, dit-elle.

– Je vois. Il n'y a... (Il ravala la phrase qui lui était venue à l'esprit: «Il n'y a que ce qui est américain qui est bien.») Vous travaillez à Washington?

– Notre quartier général est à Washington, mais je travaille à Saint Louis. Mes parents habitent aussi cette ville.

– Saint Louis, la ville de naissance de T.S. Eliot. Et l'université de Washington a été fondée par son grand-père.

– C'est vrai, oui. Il y a aussi un amphithéâtre Eliot à l'université. Vous m'étonnez, inspecteur principal Chen.

– J'ai traduit quelques-uns des poèmes d'Eliot.

Il s'était attendu à sa surprise.

– Les policiers chinois ne sont pas tous comme dans les films américains, continua-t-il, ne connaissant que les arts martiaux, estropiant l'anglais, et mangeant du poulet Gongbao.

– Ce sont des stéréotypes hollywoodiens. J'ai étudié le chinois à l'université, inspecteur principal Chen.

– Je plaisantais...

Pourquoi était-il tout d'un coup si susceptible à propos de l'image de la police chinoise? À cause de l'insistance du secrétaire du Parti Li? Il haussa les épaules, touchant les siennes de nouveau.

– Quoique j'avoue cuisiner assez bien le poulet Gongbao, aussi.

– J'y goûterais avec plaisir.

Il changea de sujet.

– Alors, que pensez-vous de Shanghai? C'est votre premier séjour n'est-ce pas?

– Oui, j'ai tellement entendu parler de cette ville! C'est comme un rêve qui se réalise. Les rues, les immeubles, les gens, et même la circulation, tout semble étrangement familier. Regardez, s'exclama-t-elle comme le taxi dépassait la rue de Xizhuang… Le *Big World*. J'en ai une carte postale.

– Oui, c'est un centre de loisirs très connu. On peut y passer la journée, assister à différents opéras régionaux, sans parler du karaoké, des ballets, des spectacles acrobatiques et des jeux électroniques. Et juste à côté, on trouve tout un choix de nourriture dans la rue du Yunnan, surnommée «rue des Gourmets». Il n'y a que ça, des restaurants de toute sorte.

– J'adore la cuisine chinoise.

Le taxi tourna dans le Bund. À la lumière des éclairages au néon, ses yeux semblaient d'un bleu un peu différent, avec des reflets verts. «Azur», pensa-t-il. Ce n'était pas seulement une question de couleur, il se souvint d'un vers ancien: *La mer azurée se changea en un champ de mûres bleues.* Une allusion aux vicissitudes du monde, et à ce qui ne reviendra jamais.

À leur gauche, les immeubles de béton, de granit et de marbre s'étiraient le long du Bund. Ils passèrent devant la légendaire banque Hong Kong-Shanghai, toujours gardée par les lions en bronze témoins de ses nombreux changements de propriétaire. À côté, au sommet de la Tour des douanes de style néoclassique, une grosse horloge carillonnait les heures.

– Cet immeuble à façade de marbre avec la tour pyramidale, au coin de la rue de Nanjing, est l'*Hôtel de la Paix*. Autrefois *Hôtel de Cathay*. Son propriétaire avait gagné des millions avec le commerce de l'opium. Après 1949, le gouverne-ment de la ville l'a débaptisé. Malgré son âge, il reste l'un des meilleurs hôtels de Shanghai.

Le taxi s'arrêta devant l'hôtel avant qu'il n'eût fini. C'était aussi bien, il avait l'impression qu'elle l'écoutait avec un amuse-ment indulgent. Un portier en uniforme sortit et se précipita pour ouvrir la portière à la jeune femme. L'employé en cas-quette et costume rouge prenait sans doute Chen pour l'in-terprète et ne s'occupait que de la voyageuse. Mi-agacé, mi-amusé, Chen l'aida à charger les bagages sur le chariot.

Du jazz résonnait dans le hall. Un orchestre de vieux musi-ciens jouait dans l'un des bars à l'autre bout, puisant dans le répertoire ancien pour auditeurs nostalgiques. Les journaux en parlaient comme l'une des attractions du Bund.

Elle demanda où se trouvait la salle à manger. Le portier montra une porte vitrée plus loin dans le couloir, et ajouta qu'elle resterait ouverte jusqu'à trois heures du matin. Certains bars fermaient encore plus tard.

– Nous pourrions aller manger maintenant, si vous voulez, suggéra Chen.

– Non, merci. J'ai mangé dans l'avion. Je vais sans doute res-ter éveillée jusqu'à deux ou trois heures du matin, à cause du décalage horaire.

Ils prirent l'ascenseur pour le septième étage. Sa chambre avait le numéro 708. Elle glissa la carte en plastique après avoir ouvert la porte et la lumière inonda une grande chambre avec des meubles en bois sombre incrustés d'ivoire style Art déco. Des affiches représentant des acteurs et actrices des années vingt contribuaient à recréer une ambiance d'époque. Les seuls objets modernes étaient une télévision en couleur, un petit réfrigérateur à côté de la commode, et une cafetière électrique sur une petite table.

Chen regarda sa montre.

– Il est vingt et une heures. Vous devez être fatiguée, après ce long voyage, inspecteur Rohn.

– Non, pas du tout, mais j'ai besoin de me rafraîchir.

– Je vais fumer une cigarette en bas, je reviendrai dans vingt minutes.

– Mais non, vous n'avez pas besoin de sortir. Asseyez-vous… (Elle lui montra le divan et lui tendit un magazine avant d'aller à la salle de bain avec son sac.) Je l'ai lu dans l'avion.

C'était un exemplaire de *Entertainment Weekly*, dont la couverture représentait un groupe d'acteurs américains. Il ne l'ouvrit pas, il inspecta d'abord la chambre à la recherche de micros, puis se dirigea vers la fenêtre. Il s'était une fois promené dans le Bund avec des copains de classe en regardant les fenêtres de l'*Hôtel de la Paix* et en se demandant quelle était la vue depuis là-haut. Il n'imaginait pas pouvoir un jour regarder par les fenêtres du célèbre établissement.

Mais la vue du parc le ramena à l'homicide dont il ne s'était pas encore occupé. Un peu plus au nord, autobus et trolleys traversaient fréquemment et bruyamment le pont. Les bars et restaurants voisins étaient surmontés d'enseignes au néon qui s'allumaient et s'éteignaient sans arrêt. Certains restaient ouverts toute la nuit. Comme il l'avait pensé ce matin, il était difficilement concevable qu'un inconnu ait pu, sans se faire remarquer, escalader le parapet.

Il quitta la fenêtre avec l'idée de faire du café. La conversation qu'il allait devoir avoir avec sa coéquipière américaine ne s'annonçait pas facile. Mieux valait d'abord appeler le bureau. Qian était encore là, attendant docilement près du téléphone. Peut-être l'avait-il méjugé, après tout.

– Le camarade inspecteur Yu vient juste d'appeler. Il a une piste importante.

– C'est-à-dire?

– D'après l'une des voisines de Wen, celle-ci a reçu un appel téléphonique de son mari peu de temps avant de disparaître dans la nuit du 5 avril.

– Bon. C'est un point de départ… Comment la voisine le sait-elle?

– Wen n'a pas de téléphone chez elle. La conversation a eu lieu chez la voisine, mais celle-ci ne sait rien de sa teneur.

– Autre chose ?

– Non. L'inspecteur Yu a dit qu'il essaierait de rappeler.

– S'il appelle bientôt, dites-lui d'essayer de me joindre à l'*Hôtel de la Paix*, chambre 708.

Ouf! Il avait quand même quelque chose de positif à annoncer à l'inspecteur Rohn. Il posait le récepteur quand elle sortit de la salle de bain en se séchant les cheveux avec une serviette. Elle était maintenant vêtue d'un blue-jeans et d'un chemisier de coton blanc.

– Vous voulez une tasse de café ?

– Non merci. Pas ce soir. Savez-vous quand Wen sera prête à partir pour les États-Unis ?

– Eh bien, j'ai des nouvelles pour vous, mais elles ne sont pas bonnes, j'en ai bien peur.

– Il y a quelque chose qui ne va pas ?

– Wen Liping a disparu.

– Disparu ? Comment est-ce possible, inspecteur principal Chen ? (Elle le regarda fixement.) Assassinée ou enlevée ? demanda-t-elle sèchement.

– Je ne pense pas qu'elle ait été tuée. Cela ne servirait à personne. Nous ne pouvons pas écarter la possibilité d'un enlèvement. La police locale a commencé ses recherches, mais jusqu'à présent, elle n'a rien trouvé pour étayer cette hypothèse. Tout ce que nous savons, c'est qu'elle a reçu un appel téléphonique de son mari le soir du 5 avril et qu'elle a disparu peu de temps après. Sa disparition peut être liée à cet appel téléphonique.

– Feng a l'autorisation de téléphoner chez lui une fois par semaine, mais il lui est interdit de dire quoi que ce soit qui puisse compromettre l'affaire. Tous ses appels sont écoutés. J'espère que sa conversation a été enregistrée, mais ce n'est pas certain. Il était impatient de voir arriver sa femme, pourquoi aurait-il dit quoi que ce soit susceptible de causer sa disparition ?

– Vous devriez vérifier ses communications du 5 avril. Il serait intéressant de savoir exactement ce qui a été dit.

– Je vais me renseigner, mais qu'avez-vous l'intention de faire de votre côté, inspecteur principal Chen ?

– La police du Fujian la recherche. Ils enquêtent dans tous les hôtels et vérifient l'identité des passagers dans tous les autobus là-bas. Il n'y a pas encore de piste. Nous savons très bien qu'il est important de retrouver Wen aussi vite que possible. Une équipe spéciale a été formée, dont j'ai la responsabilité. Mon adjoint, l'inspecteur Yu, est parti hier soir pour le Fujian. Je viens à l'instant d'apprendre qu'elle avait reçu un appel téléphonique juste avant de disparaître. Yu nous tiendra informé de tout ce qu'il découvrira au fur et à mesure.

La réaction de Catherine Rohn ne se fit pas attendre.

– Il y a plusieurs mois que Wen a fait sa demande de passeport afin de rejoindre son mari. Et tout d'un coup, elle disparaît. Une femme enceinte ne peut être allée bien loin à pied. Personne ne l'a vue dans un train ou un autobus, n'est-ce pas ? Donc elle est encore au Fujian, ou bien quelqu'un l'a enlevée. Vous dirigez l'équipe spéciale chargée de l'affaire, mais vous êtes ici à Shanghai avec moi. Pour quelle raison ?

– Nous attendons d'en savoir un peu plus pour décider de la suite des opérations. Et je mène parallèlement les recherches ici. Wen était une jeune instruite de Shanghai, envoyée il y a vingt ans dans le Fujian. Elle peut être revenue dans cette ville.

– Vous avez d'autres pistes ?

– Non, pas pour le moment. Je parlerai ce soir à l'inspecteur Yu et à d'autres personnes. (Il essaya d'arborer un sourire rassurant.) Ne vous inquiétez pas, inspecteur Rohn. Wen veut rejoindre son mari, il faudra donc bien qu'elle essaie de le contacter.

– En admettant qu'elle puisse le faire. Mais Feng n'est pas autorisé à révéler où il se trouve. Pas même un numéro de téléphone, sous peine d'être exclu du programme de protection des témoins. C'est la règle. Elle ne dispose d'aucun moyen de le joindre directement, tout ce qu'elle peut faire est téléphoner au service et demander à ce qu'on lui transmette un message.

– Feng sait peut-être où elle se cache. Si elle a été enlevée, ses ravisseurs devront le contacter. Alors voilà ce que je suggère : appelez votre service, et demandez à vos collègues de surveiller toutes les communications téléphoniques de Feng, dans les deux sens. Peut-être pourrons-nous la repérer ainsi.

– C'est possible, mais vous savez à quel point le temps presse. Nous ne pouvons pas faire comme ce paysan du proverbe chinois qui attend qu'un lapin s'assomme tout seul contre un vieil arbre.

– Votre connaissance de la culture chinoise est impressionnante, inspecteur Rohn. Le temps presse, c'est vrai. Notre gouvernement le comprend très bien, sinon je ne serais pas ici avec vous aujourd'hui.

– Si votre gouvernement avait collaboré plus tôt, je ne serais pas ici avec vous, inspecteur en chef Chen.

– Que voulez-vous dire ?

– Je n'arrive pas à comprendre pourquoi il a fallu tant de temps à Wen pour obtenir son passeport. Elle a fait sa demande en janvier. Nous sommes mi-avril. En fait, elle devrait être aux États-Unis depuis longtemps.

– En janvier ? (Il n'avait pas la date en mémoire.) Je ne connais pas tous les détails, inspecteur Rohn, je n'ai été chargé de l'affaire qu'hier après-midi. Mais je vais m'informer et je vous donnerai la réponse. Maintenant je dois partir, pour être chez moi quand l'inspecteur Yu me téléphonera.

– Pourquoi ne pas l'appeler d'ici ?

– Il est arrivé au Fujian ce matin et a immédiatement commencé à travailler avec la police locale. Il n'est pas encore installé à l'hôtel, c'est pourquoi il faut que j'attende son appel chez moi. (Il se leva.) Ah oui, j'ai autre chose pour vous, des renseignements sur le couple Feng. Ce qui concerne Feng n'est sans doute pas nouveau pour vous, mais le dossier de Wen peut vous intéresser. J'en ai traduit une partie en anglais.

– Merci, inspecteur principal Chen.

– Je reviendrai demain matin. J'espère que vous dormirez bien pour votre première nuit à Shanghai, inspecteur Rohn.

Malgré les fausses notes prévisibles dans leur conversation, elle le raccompagna jusqu'à l'ascenseur par le couloir à moquette cramoisie.

– Ne vous couchez pas trop tard. Nous aurons beaucoup à faire demain, inspecteur Rohn.

Elle glissa une mèche de cheveux blonds derrière son oreille.

– Bonne nuit, inspecteur principal Chen !

6

Les aiguilles de la pendulette posée sur la table de nuit indiquaient l'approche d'une nouvelle journée, mais en dépit de la fatigue du voyage, Catherine Rohn n'arrivait pas à trouver le sommeil.

Elle finit par repousser son drap, se lever et aller à la fenêtre. Les lumières du Bund semblèrent monter à sa rencontre.

Shanghai... le Bund... le fleuve Huangpu... l'*Hôtel de la Paix*... Le choix de cet établissement par la police criminelle de Shanghai était une bonne surprise. Elle n'était toutefois pas d'humeur à s'extasier sur le paysage. Sa mission en Chine se trouvait radicalement modifiée. Au départ, ce devait être tout simple : accompagner Wen au bureau des passeports, remplir les formulaires du consulat des États-Unis, revenir avec elle. Dès que possible. Selon Ed Spencer, son supérieur à Washington, son travail consistait juste à maintenir la pression sur les Chinois, et à ne pas les laisser oublier qu'un officier de la police fédérale américaine s'était déplacé pour leur faire hâter les formalités. Ce devait être l'affaire de cinq à six jours, tout au plus. Ed avait même dit qu'il comptait bien l'inviter à déjeuner durant le week-end à Washington.

Devait-elle croire à cette nouvelle de la disparition soudaine de Wen ? Cela pouvait très bien être un mensonge car les Chinois n'avaient guère montré d'enthousiasme pour envoyer Wen rejoindre son mari aux États-Unis. Si Jia Xinhzi, le chef de la filière d'immigration clandestine était condamné, l'affaire ferait grand bruit dans les médias occidentaux. Ses sordides détails n'amélioreraient pas l'image de marque du gouvernement chinois. Certains responsables de province risquaient d'être mis en cause dans ce trafic d'êtres humains. Comment, dans un pays si bien quadrillé par la police, une opération d'une telle ampleur avait-elle pu être mise sur pied, et fonctionner, sans que les autorités la remarquent ? Un des rapports lus dans l'avion faisait état de centaines de clandestins transportés en camions militaires de Fuzhou à leur port d'embarquement. Il n'était pas à exclure que le gouvernement chinois, anxieux de dissimuler sa complicité et désireux de retarder au maximum le jugement, cherche à empêcher par tous les moyens l'épouse de Feng de quitter le pays. Il y avait d'abord eu cet inexplicable délai dans la délivrance du passeport, maintenant c'était cette non moins inexplicable disparition de Wen. S'agissait-il d'une tentative de dernière minute de la part des Chinois pour ne pas tenir leurs engagements ?

« Dans ce cas, c'est Mission Impossible ! » Elle gratta une piqûre de moustique à son bras.

Elle ne se sentait pas tellement d'atomes crochus avec l'inspecteur principal Chen. Pourtant le fait qu'il ait été envoyé pour travailler avec elle suggérait que les Chinois essayaient sincèrement d'honorer leurs accords. Ce n'était pas seulement à cause de son grade. L'homme lui avait paru sincère. Mais il n'était pas impossible qu'il ait été justement choisi pour son aptitude à inspirer confiance. En fait, il n'était peut-être même pas inspecteur principal de la brigade des affaires spéciales, mais un agent secret ayant pour mission de lui faire prendre des vessies pour des lanternes.

Elle téléphona à Washington. Ed Spencer n'était pas dans

son bureau. Elle laissa un message avec son numéro de téléphone à l'hôtel. Puis elle raccrocha et se mit à lire le dossier laissé par Chen.

Les pages concernant Feng ne lui apprenaient pas grand-chose mais la partie consacrée à Wen contenait de nombreux renseignements clairement présentés. Il lui fallut presque une heure pour tout lire. Plusieurs termes chinois que, malgré sa connaissance de la langue, elle avait du mal à bien comprendre, revenaient souvent. Elle les souligna avec l'intention d'en chercher ultérieurement le sens précis dans un gros dictionnaire. Puis elle commença à ébaucher un premier rapport. Qu'y avait-il à faire pour elle dans ce pays, maintenant ?

Première possibilité : attendre, comme le lui suggérait l'inspecteur principal Chen. Deuxième possibilité : offrir de collaborer à l'enquête. Aux yeux de la police américaine, c'était une affaire importante. Le témoignage de Feng était indispensable et pour l'obtenir, il fallait tout faire pour qu'il récupère sa femme… si elle était encore en vie.

Le mieux serait de participer à l'enquête. Les Chinois n'avaient aucune raison de s'y opposer, à moins qu'ils ne cherchent à cacher quelque chose. Si Wen avait été tuée, Dieu seul savait quelle serait la conséquence de sa mort sur la décision de Feng.

Le statut de spécialiste du chinois ne lui avait jusqu'alors pas servi. Participer à l'enquête lui permettrait de démontrer que son diplôme de chinois pouvait, dans son métier, être un *plus*. Et ce serait aussi l'occasion d'apprendre à connaître les Chinois de Chine.

Elle commença donc à rédiger un fax à l'adresse d'Ed Spencer. Après l'avoir informé de ce développement inattendu, elle lui suggéra de chercher un enregistrement de la communication téléphonique de Feng le 5 avril et d'être particulièrement aux aguets d'un message codé. Puis elle lui demanda l'autorisation de se joindre à l'équipe enquêtant sur la disparition de Wen et termina par une demande de renseignements sur l'inspecteur principal Chen.

Avant de descendre à la salle des communications de l'hôtel, elle ajouta une phrase le priant de lui faxer sa réponse aux alentours de dix heures du matin, heure locale de Shanghai. Elle serait sur place pour la récupérer immédiatement. Même si le fax était en anglais, elle ne tenait pas à ce qu'il soit lu par d'autres yeux que les siens.

Une fois son fax parti, elle se rendit à la salle à manger pour un repas rapide et prit une autre douche. Elle n'avait toujours pas envie de dormir. Enroulée dans son drap de bain, elle alla de nouveau contempler le paysage illuminé du fleuve. Elle aperçut un bateau sur lequel flottait la bannière étoilée mais il était trop loin pour qu'elle pût en distinguer le nom. Sans doute un bateau de croisière qui avait jeté l'ancre pour la nuit sur le fleuve Huangpu.

Vers quatre heures du matin, elle avala deux comprimés de Dramamine, apportés en cas de mal des transports. L'effet secondaire soporifique du remède était exactement ce qu'il lui fallait. Elle sortit aussi du réfrigérateur une canette de Budweiser. Le nom chinois de la bière était *Baiwei*, qui signifie «dix fois plus fort». La brasserie Anheuser-Busch avait à une époque monté une entreprise à capitaux mixtes avec les Chinois, dans le Wuhan.

En se détournant de la fenêtre, elle pensa à un poème de la dynastie des Song qu'elle avait étudié en classe. Il décrivait la solitude du voyageur, même devant le plus merveilleux des paysages. Elle s'endormit en essayant de se remémorer les vers.

La sonnerie du réveil la tira de son sommeil. Elle se frotta les yeux et se leva d'un bond, désorientée. Neuf heures quarante-cinq. Pas le temps de se doucher. Elle enfila un tee-shirt et un jeans, et quitta sa chambre chaussée des mules jetables fournies par l'hôtel, presque aussi fines que du papier et apparemment confectionnées dans le plastique transparent utilisé pour les imperméables. Elle descendit en hâte à la salle des communications, en profitant du miroir de l'ascenseur pour se coiffer sommairement avec son peigne de poche.

Le fax arriva à l'heure convenue. La réponse était plus longue qu'elle ne s'y attendait.

Premièrement, l'appel téléphonique effectué par Feng le 5 avril était confirmé. Il avait été enregistré et Ed était en train d'en faire traduire la bande. En tant que témoin potentiel, Feng n'avait pas le droit de divulguer quoi que ce soit sur les mesures prises pour sa protection. Ed n'avait aucune idée de ce qu'il avait pu dire ayant entraîné la disparition de sa femme. Deuxièmement, sa proposition de se joindre aux enquêteurs était acceptée.

Elle avait aussi une réponse partielle à sa demande d'informations sur Chen. «J'ai contacté la CIA, ils vont vous faire parvenir ce qu'ils ont sur l'inspecteur principal Chen Cao. D'après ce que j'ai compris, c'est quelqu'un sur qui il faut garder l'œil. Il est du côté des réformateurs libéraux du Parti et membre de l'Association chinoise des écrivains. Il est étiqueté comme un cadre ambitieux du Parti, en pleine ascension.»

En sortant de la pièce son fax à la main, elle aperçut Chen dans le hall. Il feuilletait un magazine en anglais et un bouquet de fleurs était posé sur une chaise à côté de lui.

– Bonjour inspecteur Rohn.

Chen se leva. Il était plus grand que les autres Chinois dans le hall. Avec son grand front, ses yeux perçants, son expression intelligente et son complet noir, il ressemblait plus à un érudit qu'à un policier. Impression que confirmait ce qu'elle venait de lire.

– Bonjour inspecteur principal Chen.

– C'est pour vous! (Il lui tend les fleurs.) Il s'est passé tant de choses au bureau hier que j'ai oublié de vous préparer un bouquet de bienvenue avant d'aller vous attendre à l'aéroport. Ce sera pour égayer votre première matinée à Shanghai.

– Merci. Il est magnifique.

– J'ai appelé votre chambre. Comme il n'y avait pas de

réponse, j'ai préféré vous attendre ici, j'espère que ça ne vous ennuie pas.

Ça ne l'ennuyait pas. Les fleurs étaient une surprise agréable, mais elle était en pantoufles, à peine coiffée et cette courtoisie formelle la gêna. Sans compter qu'elle n'appréciait pas trop cette façon détournée de lui rappeler qu'elle n'était « qu'une femme ».

– Montons parler dans ma chambre.

En entrant dans la pièce, elle lui fit signe de s'asseoir et prit un vase sur un coin de table.

– Je vais mettre les fleurs dans l'eau.

– Vous avez passé une bonne nuit?

Son regard fit le tour de la chambre.

– Pas vraiment, mais ça devrait suffire.

Elle refusa d'être embarrassée par le désordre de sa chambre. Le lit n'était pas fait, ses bas gisaient sur le tapis, des comprimés étaient éparpillés sur la table de nuit, et son tailleur chiffonné était négligemment abandonné sur un dossier de chaise.

– Je vous demande pardon, j'ai été obligée de descendre chercher un fax, s'excusa-t-elle brièvement.

– C'est à moi de vous prier de m'excuser, j'aurais dû vous avertir.

– Vous êtes très poli, camarade inspecteur principal Chen. (Elle s'obligea à ne pas avoir un ton sarcastique.) Vous vous êtes couché tard vous aussi, j'imagine.

– Après vous avoir quitté hier soir, j'ai discuté de l'affaire avec le commissaire Hong, de la police du Fujian. Nous avons longuement parlé. L'inspecteur Yu, mon adjoint, m'a téléphoné tôt ce matin. Il m'a expliqué qu'à son hôtel le seul poste téléphonique est à la réception. À vingt-trois heures, le patron ferme l'accès au téléphone et va se coucher.

– Pourquoi fermer l'accès au téléphone?

– Un téléphone est une rareté à la campagne, ce n'est pas comme à Shanghai.

– Y a-t-il du nouveau?

– J'ai une réponse à votre question concernant le long délai depuis la demande de passeport. Wen aurait reçu son passeport il y a des semaines si elle avait fourni un certificat de mariage. Ou tout document légal prouvant qu'elle était l'épouse de Feng. Elle est allée vivre avec lui en 1971 et à l'époque, tous les bureaux de l'administration étaient fermés.

– Pourquoi ça?

– Mao avait étiqueté beaucoup de cadres «suppôts du capitalisme». Liu Shaoqi, le chef de la République populaire a été jeté en prison sans jugement et toutes les administrations ont été fermées. Les comités révolutionnaires détenaient tous les pouvoirs.

– J'ai lu pas mal de choses sur la Révolution culturelle, mais je ne m'étais pas rendue compte de ça.

– C'est pourquoi notre service des passeports a dû faire des recherches dans les archives communales. Cela a pris du temps et explique ce long délai.

– Sans doute, oui… (Elle pencha un peu la tête.) Si je comprends bien, les procédures doivent être strictement suivies, même dans un cas exceptionnel.

– Je vous donne les informations dont je dispose. De plus, Wen n'a demandé son passeport qu'à la mi-février, pas en janvier. Mais même dans ce cas, la délivrance du document a pris du temps. Il se peut qu'il y ait une autre raison. Au Fujian, Wen n'a pas de *guanxi*. On pourrait traduire ce mot par «relations utiles», mais le sens est bien plus large, il ne s'agit pas tant des personnes que vous connaissez mais de celles qui pourraient vous aider à obtenir ce que vous voulez.

– L'huile qui aide les rouages à tourner…

– Si vous voulez. Comme dans tout pays, les rouages administratifs tournent lentement, à moins que les bureaucrates n'emploient un lubrifiant. C'est à ça que sert un *guanxi*.

La franchise de son interlocuteur la surprit. Il n'essayait pas d'enjoliver la façon dont marchait le système. Étonnant, chez un «cadre du Parti en pleine ascension».

– Oh, j'ai appris autre chose encore : selon l'un des voisins de Wen, un inconnu était à sa recherche, l'après-midi du 6 avril.

– Qui pouvait-il être, selon vous ?

– Son identité reste à découvrir, mais ce n'était pas quelqu'un du pays. Et de votre côté, quelles nouvelles, inspecteur Rohn ?

– Feng a bel et bien téléphoné à son épouse le 5 avril. Nous sommes en train de traduire et d'analyser l'enregistrement. Dès que j'en saurai plus, je vous en ferai part.

– Cet appel téléphonique pourrait effectivement éclaircir le mystère de la disparition de Wen. (Il regarda sa montre.) Dites-moi, quels sont vos projets pour la matinée ?

– Je n'en ai pas.

– Vous avez pris votre petit déjeuner ?

– Pas encore.

– Alors c'est parfait ! Commençons par un bon petit déjeuner. Je suis parti aussitôt après avoir parlé à l'inspecteur Yu, ce matin, je n'ai pas pris le temps de manger.

– On peut descendre à la salle à manger, si vous voulez…

– Oh, il y a mieux qu'une banale salle à manger d'hôtel. Laissez-moi vous emmener ailleurs, nourriture authentiquement chinoise et ambiance typique de Shanghai. Ce n'est qu'à quelques minutes de marche.

Catherine Rohn chercha en vain dans sa tête des raisons de refuser. Et puis, ce serait plus facile de demander de participer à l'enquête au cours d'un petit déjeuner sympathique.

– Vous êtes vraiment un personnage surprenant, inspecteur principal Chen. Flic, poète, traducteur, et maintenant je découvre que vous êtes gourmet. Je vais me changer.

Elle ne mit que quelques minutes à se doucher, à enfiler une robe d'été blanche et à peigner ses cheveux rebelles. Avant de sortir, Chen lui tendit un portable.

– Ceci pourra vous être utile.

– Un Motorola !

– Vous savez comment on les appelle ici? Grand-frère ou Grande-sœur, selon que le propriétaire est un homme ou une femme. C'est le symbole de la réussite, dans la Chine actuelle.

– Ce sont des surnoms intéressants.

– Dans la littérature kung-fu, c'est aussi le surnom d'un chef de gang. De nos jours, les gens riches sont traités de monsieur Gros Sous. Grand-frère et Grande-sœur ont la même connotation. J'en ai un aussi, ce sera plus facile pour rester en contact.

Elle sourit.

– Grand-frère et Grande-sœur vont visiter Shanghai.

En suivant la rue de Nanjing, elle remarqua la circulation, embouteillée et anarchique. Piétons et cyclistes traversaient dans tous les sens, obligeant les automobilistes à piler sans cesse.

– La rue de Nanjing est devenue une sorte de grand centre commercial. Les autorités de la ville y ont sévèrement réglementé la circulation, déclara Chen de son ton de guide touristique. On parle d'en faire un quartier piéton.

En moins d'un quart d'heure, ils furent au carrefour de la rue de Nanjing et de la rue du Sichuan. Elle aperçut au coin un restaurant de type occidental, peint en blanc. Des jeunes gens y buvaient du café à une terrasse couverte séparée de la rue par des vitres teintées.

– Le *Delta*. Leur café est délicieux, mais on va au marché, derrière.

Elle leva les yeux: une enseigne à l'entrée d'une étroite ruelle indiquait *Marché central*. L'endroit n'était pas reluisant. De minuscules échoppes prolongées sur le trottoir par une table ou un petit comptoir offraient tout un assortiment de produits.

– Avant c'était un marché réservé aux objets de seconde main, pas chers, comme votre marché aux Puces. Il était très fréquenté, alors des endroits pour se restaurer sont apparus, des endroits pratiques, peu chers, comme on n'en rencontrait nulle part ailleurs.

Des petits bars avec deux ou trois hauts tabourets, des marchands ambulants avec des comptoirs sur roue proposant telle ou telle spécialité, des restaurants microscopiques semblaient en pleine effervescence. À la différence des établissements situés à proximité de l'*Hôtel de la Paix*, la plupart semblaient bon marché et populaires. Sur le trottoir, un vendeur de brochettes surveillait son gril, ajoutant de temps à autre une pincée d'épices. Sous un panneau de soie proclamant «repas médicinal», un herboriste desséché sortait des doses de médicaments traditionnels bouillant dans une rangée de marmites en terre.

Exactement l'endroit où Catherine Rohn avait envie d'être, un endroit bruyant et désordonné, en prise avec la réalité de la ville. Des poulpes, des tortues d'eau, des poissons vivants baignaient dans des bassines en bois ou en plastique. Des anguilles, des cailles, des cuisses de grenouille cuisaient dans des woks. Ils trouvèrent une table vide devant un petit bar, et Chen tendit à sa coéquipière un menu corné et graisseux. Après avoir lu la liste de mots inconnus, elle renonça.

– Choisissez pour moi. Je ne connais aucun de ces plats.

Chen commanda une portion de bouchées au porc haché, des beignets de crevettes à carapace transparente, des bâtonnets de tofu fermenté, de la bouillie de riz avec un œuf dit «de mille ans», du tofu frais saupoudré de ciboule. Le tout servi en petits plats individuels.

– On dirait un banquet, remarqua-t-elle.

– Et il coûte bien moins cher qu'un petit déjeuner continental à l'hôtel.

Le tofu fermenté arriva en premier, de petits cubes enfilés sur des brochettes en bambou, comme un chiche-kebab. Dès les premières bouchées, elle apprécia la saveur forte et exotique.

– La nourriture a toujours représenté une part importante de la culture chinoise, marmonna Chen, la bouche pleine. Comme dit Confucius: *Aimer chair et bonne chère est inhérent à l'homme.*

– Vraiment!

Elle le soupçonna d'inventer pour les besoins de la cause cette citation qu'elle n'avait jamais lue nulle part et qu'il énonça avec une pointe d'humour dans la voix.

Elle remarqua bientôt les regards curieux des autres convives devant cette Américaine mangeant de bon appétit en compagnie d'un Chinois. Un consommateur adipeux la salua en passant près de leur table avec une énorme boulette de riz.

– J'ai quelques questions à vous poser, inspecteur principal Chen. Vous croyez que c'est par dévotion aux principes du Grand Timonier que Wen a épousé Feng, un paysan ?

– Possible. Mais ça m'étonnerait que la politique soit la seule motivation de ce qui se passe entre un homme et une femme.

Elle grignota un autre morceau de tofu.

– Y a-t-il beaucoup de jeunes instruits qui sont restés à la campagne ?

– La plupart d'entre eux sont retournés en ville après la Révolution culturelle. L'inspecteur Yu et sa femme étaient de jeunes instruits au Yunnan, et ils sont revenus à Shanghai au début des années quatre-vingt.

– Votre conception du partage des tâches est fort intéressante, camarade inspecteur principal Chen. L'inspecteur Yu s'affaire au Fujian et vous restez à Shanghai savourer des mets délicieux avec votre hôte américain.

– En tant qu'inspecteur principal de la brigade des affaires spéciales, c'est à moi qu'incombe la responsabilité de vous accueillir lors de votre premier voyage en Chine, à l'occasion de la première opération conjointe de nos deux pays contre l'émigration clandestine. Le secrétaire du Parti Li a fort insisté sur ce point. Ses ordres sont de tout faire pour que votre séjour à Shanghai soit exempt de dangers et satisfaisant.

– Eh bien merci. (L'ironie de Chen vis-à-vis de sa mission était maintenant clairement perceptible.) Ce qui fait qu'en rentrant aux États-Unis, je suis censée vanter la bonne entente entre nos deux pays et la liberté de ton des articles politiques de vos journaux.

– Cela dépend de vous, inspecteur Rohn. L'hospitalité envers un hôte venu d'un pays lointain est une tradition chinoise.

– Qu'avez-vous prévu, en plus de me distraire ?

– J'ai fait une liste des personnes que Wen aurait pu contacter ici à Shanghai. Qian Jun, mon assistant dans cette affaire, est en train de s'arranger pour que je les interroge cet après-midi ou demain matin. Je continuerai de vous tenir informée.

– Et moi? Je suis censée rester à l'hôtel toute la journée, à attendre que le téléphone sonne, comme une standardiste?

– Mais non, pas du tout. C'est la première fois que vous venez en Chine, visitez la ville. Le Bund, la rue de Nanjing. Pendant le week-end je serai à votre disposition pour vous accompagner.

– Je préférerais participer à votre travail.

– Je n'y vois pas d'obstacle, à part le fait que la plupart des gens d'ici parlent le dialecte de Shanghai.

Réponse diplomatique, mais dérobade quand même.

– Je n'ai eu aucun problème pour bavarder avec mes compagnons de voyage, dans l'avion. Ils m'ont tous parlé en mandarin. Ne pourriez-vous pas demander aux personnes que vous interrogerez d'en faire autant?

– Je peux essayer, mais pensez-vous que ces personnes parleront librement devant un policier américain?

– Ils vous prendront davantage au sérieux s'ils se trouvent devant une équipe composée d'un policier chinois et d'un policier américain, inspecteur principal Chen.

– C'est un bon argument. J'en parlerai au secrétaire du Parti Li.

– Cela fait-il partie de votre culture politique de ne jamais donner une réponse nette?

– Non. Je vous donnerai une réponse nette mais il me faut demander la permission. Je suis sûr qu'il y a aussi certaines procédures à suivre, dans la police américaine.

– Vous avez raison, inspecteur principal Chen. Alors que voulez-vous que je fasse maintenant, en attendant cette autorisation?

– Si la disparition de Wen a été provoquée par une communication téléphonique de son mari, vous pourriez peut-être faire vérifier qu'il n'y a pas eu de fuites de votre côté.

– J'en parlerai à mon supérieur.

Elle s'était attendue à ce qu'il en arrive là.

– J'ai demandé à l'hôtel d'installer un fax dans votre chambre. Si vous avez besoin d'autre chose, n'hésitez pas à me le faire savoir.

– Merci beaucoup… Juste une dernière question, ajouta-t-elle impulsivement. Hier soir, en regardant le Bund, j'ai pensé à un poème chinois de l'époque classique, dont j'avais étudié la traduction anglaise, il y a quelques années, au cours de mes études. Il parle du regret qu'éprouve le poète de ne pouvoir partager la contemplation d'un merveilleux paysage avec son amie. Je ne suis pas arrivée à me souvenir exactement des vers. Vous ne connaîtriez pas ce poème, par hasard?

– Euh… (Il la regarda avec surprise.) Je crois que c'est un poème de Liu Yong, un poète de la dynastie des Song.

Où, cette nuit, m'éveillerai-je après l'ivresse?
Près de la berge aux saules,
Sous la brise de l'aube et la lune au déclin.
Pendant l'année d'absence,
Les jours sereins et les beaux paysages viendront s'offrir en vain.
Même si je sentais mille ardeurs m'inspirer
à qui me confierais-je?

– C'est ça, oui!

La soudaine métamorphose de son interlocuteur la stupéfia. Son visage s'était illuminé en récitant les vers. Les informations de la CIA devaient être exactes, il était inspecteur principal de la police criminelle, mais aussi poète. Ou du moins, il connaissait et Liu Yong et T.S. Eliot. Elle en fut intriguée.

– Liu est l'un de mes poètes favoris de l'époque pré-Eliot, dit-il.

– Pourquoi appréciez-vous tant Eliot?

– Car il ne peut décider s'il doit avouer son amour à l'objet de sa flamme. Du moins dans *Le Chant d'amour de J. Alfred Prufrock*.

– Il aurait dû faire comme Liu.

– Et moi je devrais aller voir le secrétaire du Parti Li!

Il se leva en souriant.

Au coin de la rue du Sichuan, ils furent obligés de descendre sur la chaussée, car le trottoir était encombré de bicyclettes garées en stationnement interdit. Ils se serraient la main, prêts à partir chacun de leur côté, quand un motocycliste en jeans et tee-shirt, le visage caché par un casque intégral, fonça sur elle. Sans la réaction de Chen, elle aurait reçu de plein fouet le choc du puissant engin. Il lui agrippa la main, la tira violemment sur le trottoir, et se jeta devant elle. En même temps, sa jambe droite pivota comme dans un film de kung-fu, et il la lança en arrière. Le motard l'évita d'un cheveu, la moto oscilla mais ne tomba pas. Dans un crissement de pneus, il accéléra, faisant monter la poussière, et disparut dans la rue de Nanjing.

Tout fut terminé en quelques secondes. Le motard se perdit dans la circulation, quelques piétons s'arrêtèrent pour regarder, puis continuèrent leur chemin. L'inspecteur principal Chen lâcha la main de la jeune femme.

– Je vous demande pardon, inspecteur Rohn. Ces motocyclistes inconscients sont de véritables dangers publics.

– Merci, inspecteur principal Chen.

Et chacun d'eux continua son chemin.

7

En allant voir le secrétaire du Parti Li, Chen passa jeter un coup d'œil aux fax. Plusieurs d'entre eux lui étaient destinés, envoyés par la police du Fujian, avec des informations complémentaires sur les Haches volantes. Il remarqua avec plaisir sur la première page un numéro de portable lui permettant de joindre l'inspecteur Yu. Le commissaire Hong avait tenu parole. Il trouva aussi une photographie d'une maison décrépite. «Maison de Wen au village de Changle», avait écrit Yu en légende.

Qian, large sourire sur le visage et grande enveloppe à la main, s'approcha de lui.

– J'ai fait diffuser une demande de recherche concernant Wen, inspecteur principal Chen. Et j'ai parlé avec le docteur Xia de l'affaire du parc du Bund. Le rapport officiel d'autopsie arrivera plus tard, mais voici un premier résumé.

– Bon travail, Qian.

Chen entra dans le cagibi qui lui servait de bureau. Le résumé était imprimé. Qian savait parfaitement se servir de Twinbridge, un logiciel de traitement de texte chinois, mais n'était pas très versé en terminologie médicale.

Le cadavre du parc du Bund.

1. Date et heure estimées du décès: aux alentours de 1 heure du matin le 8 avril.

2. Cause du décès: blessure à la tête ayant entraîné des fractures du crâne. Graves dommages au cerveau. Saignements dûs à de nombreuses autres blessures, dix-sept ou dix-huit en tout. Le coup fatal porté à la tête est peut-être antérieur aux blessures corporelles. L'absence d'hématomes sur les membres montre que la victime ne s'est pas débattue.

3. Le corps. La victime, de sexe masculin, était âgée d'une quarantaine d'années. Taille: 1 m 80, poids: 80 kg. Homme solidement charpenté, jambes et bras musclés. Mains soignées. Dents en bon état, sauf trois couronnes en or. Cicatrices assez anciennes au visage.

4. La victime a eu des relations sexuelles peu de temps avant sa mort. Traces de sperme et de fluide vaginal sur l'organe sexuel. Profonde coupure, longue de cinq centimètres, au-dessus du pénis.

5. Marques de piqûres d'aiguille au bras, pouvant indiquer un usage régulier de drogues. Également traces d'une substance inconnue dans le corps.

6. Vêtements: pyjama de soie d'excellente qualité. Étiquettes absentes mais tissu vraisemblablement importé, avec un motif en forme de V dans le tissage.

Ce rapport corroborait l'hypothèse de l'implication d'une triade, en particulier à cause de la découverte d'une substance inconnue dans le cadavre.

Un autre détail attira son attention. Si la victime avait été assassinée chez elle, juste après des rapports sexuels, on aurait dû trouver deux cadavres dans le parc, le sien et celui de sa femme. Mais s'il avait été en compagnie d'une autre partenaire et que celle-ci soit partie aussitôt après, il y avait de fortes chances pour que le meurtre ait eu lieu dans un hôtel.

Chen se prépara une tasse de thé et appela le poste de Qian.

— Faites parvenir à tous les hôtels et comités de quartier une description détaillée de la victime, accompagnée d'une photographie.

À ce stade, Qian ne pouvait rien faire de plus. Chen avait bien une idée, mais il préférait trouver quelqu'un d'autre pour cette tâche. Il ne savait pas pourquoi, mais il se méfiait de Qian. Un simple caprice peut-être, un préjugé personnel.

Son portable sonna et l'écran afficha le numéro de l'inspecteur Rohn. Il prit la communication.

— Tout va bien, inspecteur Rohn?

— Très bien, grâce à votre excellent numéro de kung-fu, ce matin. Le contenu de la conversation téléphonique de Feng a été traduit. C'était très bref. Selon notre traducteur, son message était: «Il y a des gens qui savent. Sauve-toi. Préviens-moi quand tu seras en sécurité.»

— Qu'est-ce que ça signifie?

— Nous lui avons posé la même question. Il a juste répété le message. Il a fini par avouer à mon patron qu'un mot d'avertissement avait été glissé dans son sac de provisions juste avant qu'il téléphone à sa femme. «N'oubliez pas votre épouse enceinte en Chine.»

— Il faut que votre chef enquête là-dessus. Si Feng est si bien caché, comment a-t-on pu le trouver?

— C'est ce qu'il cherche à découvrir.

— Ces sociétés secrètes ont le bras long. Même aux États-Unis.

— Exact. Où en êtes-vous de votre côté?

– J'étais sur le point d'aller voir le secrétaire du Parti Li. Je vous rappelle après.

L'inspecteur principal Chen n'était pas certain de la réaction du secrétaire du Parti à la suggestion de l'inspecteur Rohn. Mais interroger toutes les personnes susceptibles d'avoir été contactées par Wen ne manquerait pas d'être fastidieux, et la compagnie d'une coéquipière américaine lui fournirait au moins l'occasion de parler anglais.

– Alors, comment avance votre enquête, camarade inspecteur principal Chen ? demanda Li en se levant.

– Chercher cette femme est comme chercher une aiguille dans une botte de foin.

– Je suis certain que vous faites de votre mieux. (Li lui versa une tasse de thé au jasmin.) Et comment se passe le séjour de l'inspecteur Rohn à Shanghai ?

– Très bien. Elle se montre tout à fait coopérative.

– Vous êtes exactement la personne qu'il faut pour vous occuper d'elle, inspecteur principal Chen. Aucune piste jusqu'alors ?

– L'inspecteur Yu a trouvé quelque chose. Wen a reçu un appel téléphonique de Feng le 5 avril. C'est à cause de cet appel qu'elle a disparu de la circulation.

– C'est un fait extrêmement important ! Et une très bonne nouvelle ! J'en ferai part dès aujourd'hui aux camarades dirigeants de Pékin. (Li ne cherchait pas à dissimuler son enthousiasme.) Vous avez fait de l'excellent travail, camarade inspecteur principal Chen.

– En quoi ? Je n'ai rien fait jusque-là.

– Mais si ! Cette découverte prouve que la disparition de Wen est la conséquence de l'insouciance des Américains. Ils n'auraient pas dû permettre à quiconque d'approcher Feng d'assez près pour le menacer, ils n'auraient jamais dû l'autoriser à téléphoner. (Il se frotta les mains.) Ce sont eux les responsables, bien sûr !

– Je n'ai pas discuté du problème de la responsabilité avec l'inspecteur Rohn, elle a dit que la police américaine enquêtait.

– Très bien, très bien… Il doit y avoir des fuites de leur côté, c'est certainement ainsi que les gangs ont pu découvrir le statut de Feng et l'endroit où il était.

– C'est possible. (Chen pensait à ce que lui avait dit son adjoint: la police du Fujian ne semblait pas être un parangon d'efficacité.) Les fuites peuvent aussi provenir de chez nous.

– L'inspecteur Rohn vous a-t-elle appris autre chose?

– Non. Les Américains tiennent à ce que le procès s'ouvre à la date prévue. Ils sont impatients de nous voir avancer mais l'inspecteur Yu se trouve confronté à une tâche extrêmement difficile. Les Haches volantes semblent une triade bien implantée dans la population, la police locale n'est pas de taille. Les policiers n'ont aucun indice et ne semblent pas très pressés de s'en prendre aux gangsters. Alors que peut faire Yu, à part du porte-à-porte et être à chaque fois mal reçu?

– Les triades ont toujours été bien vues dans cette région. Vous avez bien fait d'y envoyer l'inspecteur Yu.

– Pour en revenir à notre tâche ici, j'ai l'intention d'interroger toutes les personnes avec lesquelles Wen aurait pu entrer en contact. L'inspecteur Rohn désire se joindre à moi. Qu'en pensez-vous, camarade secrétaire du Parti Li?

– Je ne pense pas que ça fasse partie de sa mission ici.

– Elle dit avoir obtenu l'autorisation de ses supérieurs.

– Wen est citoyenne chinoise, c'est à la police chinoise de la rechercher. Je ne vois aucune nécessité à une collaboration avec un officier de police américain.

– Je peux lui donner cette réponse, mais les Américains vont nous soupçonner de chercher à leur cacher quelque chose. Si nous la tenons à l'écart de l'enquête, nous risquons de rendre la situation plus tendue.

– Les Américains se méfient toujours des autres, comme s'il n'y avait qu'eux dans le monde comme policiers.

– C'est exact. Mais si l'inspecteur Rohn n'a aucun travail à effectuer ici, elle va insister pour se rendre au Fujian.

– Hmm… C'est un argument valable. Ne pouvez-vous

l'occuper par des activités touristiques en laissant Qian enquêter ?

– Dans ce cas, elle insistera pour se joindre à lui. Et il ne parle pas anglais.

– Eh bien… je ne pense pas que cela puisse faire grand mal de l'inviter à assister avec vous à quelques interrogatoires. Je n'ai pas à répéter que la priorité des priorités est sa sécurité, n'est-ce pas ?

– Donc vous pensez qu'elle peut collaborer avec moi ?

– Combien de fois faudra-t-il vous dire que c'est à vous de décider, inspecteur principal Chen ?

– Merci, secrétaire du Parti Li. Passons à l'autre affaire… Le cadavre du parc. J'ai l'intention d'effectuer quelques recherches sur des personnes liées aux triades ici à Shanghai. Elles peuvent savoir si Wen est ici.

– Ça m'étonnerait. Et si vous commencez à poser des questions, les Haches volantes le sauront. Vous ne ferez que réveiller le serpent endormi.

– On ne peut pas laisser tomber l'affaire du parc, secrétaire du Parti Li.

– Oh, rien ne presse. L'inspecteur Yu sera de retour dans quelques jours, il pourra s'en occuper à ce moment-là. Pour l'instant, avec la présence de l'inspecteur Rohn parmi nous, ce n'est pas le moment de faire quoi que ce soit pour réveiller ce nid de frelons.

La réponse n'étonna pas Chen. Le secrétaire du Parti n'avait jamais montré beaucoup d'enthousiasme pour l'affaire du parc. Li avait toujours de bonnes raisons, politiques bien sûr, pour faire ou ne pas faire les choses. Sa réaction à la communication téléphonique de Feng était logique : à ses yeux, il était beaucoup plus important de rendre les Américains responsables de la disparition de Wen que de la retrouver. Le secrétaire du Parti n'était pas un policier mais un politicien.

Après sa conversation avec Li, Chen sortit en hâte du bureau pour son rendez-vous avec le Vieux chasseur, le père de Yu. Le vieil homme lui avait téléphoné au début de la matinée, pour suggérer de prendre le thé ensemble. Non pas à *La Maison de thé du milieu du lac*, où ils s'étaient déjà plusieurs fois retrouvés, mais à la *Brise de Lune*, un autre établissement plus proche du quartier où le policier à la retraite exerçait son activité de conseiller honoraire du service de régulation de la circulation métropolitaine de Shanghai. Il était fort peu payé, mais était ravi de son titre ronflant et de son brassard rouge. Chaque fois qu'il arrêtait un cycliste avec un enfant à califourchon sur le porte-bagages ou un taxi privé à la patente périmée, il s'imaginait rendre un grand service à la nation.

La *Brise de Lune* était une nouvelle maison de thé. Les habitants de Shanghai semblaient reprendre goût au thé, et Chen remarqua quelques jeunes dégustant leur breuvage avec les gestes mis à la mode par des films récents. Le Vieux chasseur était assis, tout voûté, dans un coin. Le fond sonore n'était pas l'habituelle musique chinoise, mais une valse. Les mesures du *Beau Danube bleu* résonnaient, incongrues, dans la maison de thé.

L'établissement visait une clientèle de jeunes qui, sans être encore prêts à adopter le café à l'occidentale, avaient néanmoins besoin d'un endroit où s'asseoir ensemble et parler. À la table voisine se déroulait un tournoi de mah-jong et joueurs et spectateurs s'exclamaient et bavardaient de concert.

– C'est la première fois que je viens ici, ce n'est pas du tout comme le *Milieu du Lac*, remarqua un peu tristement Vieux chasseur.

Une jeune serveuse s'avança vers eux d'un pas léger. Elle portait un *cheong-sam* rouge, dont les fentes généreuses révélaient ses cuisses couleur d'ivoire.

– Vous désirez un salon particulier? demanda-t-elle en s'inclinant devant Chen à la japonaise.

Celui-ci acquiesça. Autant profiter des avantages d'une maison de thé moderne, en dépit de leur finalité douteuse.

– C'est aux frais du service, murmura-t-il en entrant.

La maigre retraite de son compagnon n'aurait jamais pu lui permettre une telle dépense. Être inspecteur principal doté d'un budget spécial assurait quelques privilèges.

Le salon particulier était meublé de façon assez ordinaire, mais les fauteuils d'acajou avaient d'épais coussins confortables, et un canapé de cuir rouge foncé s'assortissait au reste de la pièce. La serveuse déposa le menu sur la table, et annonça fièrement que la maison servait le célèbre thé à bulles.

– C'est très populaire à Hong Kong, vous allez certainement l'aimer, monsieur, ajouta-t-elle d'un air mystérieux.

– Très bien… un thé à bulles pour moi et d'une Brume de Montagne pour mon invité. Alors, comment allez-vous, Oncle Yu, demanda-t-il quand elle fut sortie.

– Comme tout vieillard. J'essaie de me rendre utile, comme un morceau de charbon qui finit de brûler en dégageant encore un peu de chaleur.

Chen sourit. Il avait déjà entendu cette comparaison, dans un film des années soixante-dix. Les temps avaient changé mais l'état d'esprit du vieil homme était resté le même.

– Ne vous surmenez pas, Oncle Yu.

Le Vieux chasseur commença par une de ses habituelles questions rhétoriques.

– Vous savez pourquoi j'ai voulu vous voir aujourd'hui, camarade inspecteur principal Chen ? J'ai remonté les bretelles à Yu, avant son départ pour le Fujian.

– Pour quelle raison ?

Chen ne voulait pas le laisser s'égarer. Un autre sobriquet du vieil homme était « le chanteur d'opéra de Suzhou », et faisait référence à un opéra chanté en dialecte dans le sud du pays. L'œuvre était célèbre pour sa boursouflure dramatique, ses interminables digressions et ses citations pléthoriques.

– Il a émis pas mal de réserves quant à cette mission. En des circonstances normales, lui ai-je dit, je te conseillerais d'éviter comme la peste de participer à une enquête sur les triades.

Mais si l'inspecteur principal Chen a décidé de mener ce combat, c'est ton devoir de le suivre dans la glace et le feu. Il a davantage à perdre que toi, n'est-ce pas ? C'est une honte pour nous tous qu'un cadavre d'une victime de triades ait été découvert dans le parc du Bund. Si nous avions un peu plus de cadres honnêtes décidés à œuvrer pour le Parti, la situation ne se serait pas dégradée à ce point.

– Yu et moi nous entendons très bien. Il est plus pragmatique que moi, son esprit est plus pratique et je ne peux pas me passer de lui. Avec lui au Fujian, j'ai du mal à m'en sortir seul.

– Tout se délite ! Le serpent de la corruption étouffe le pays, et les gens de bien manquent de conviction. Pour accomplir quoi que ce soit, de nos jours, il n'y a que deux chemins, la voie sombre et la voie claire. Je patrouillais dans les marchés, autrefois, mais maintenant ce sont les méthodes sombres, celles des gangsters, qui règnent partout. Vous vous souvenez de Jiao, la vendeuse de beignets, qui transportait sa cuisine miniature sur ses épaules ?

– Oui, bien sûr. Elle vendait ses beignets aux alentours de la ruelle de Quinghe. Elle nous a souvent aidés. Que lui est-il arrivé ?

– Elle disposait d'un excellent emplacement. On a voulu l'en chasser et un soir sa cuisine a été détruite. La police du quartier n'a rien pu faire, ils ont prétendu que les coupables n'avaient laissé aucun indice. Dans certaines entreprises récentes, les gangsters se gênent encore moins. Par exemple dans ces bars à karaoké, avec filles et salons particuliers. Des affaires qui rapportent gros. Cinq cents yuans de l'heure en fin de soirée, le meilleur moment. Sans compter les pourboires et autres petits bénéfices. Les propriétaires de ces établissements prennent soin d'établir de bonnes relations avec nous, mais ils s'entendent encore mieux avec les triades, car celles-ci sont capables de leur rendre la vie impossible. Endommager les locaux... poignarder les filles... enlever les patrons, par exemple.

La conférence du Vieux chasseur fut interrompue par l'entrée de la serveuse portant un plateau en laque avec une théière et une tasse en porcelaine blanche d'une exquise finesse. Le thé à bulles arriva dans un haut gobelet de carton muni d'un couvercle d'où sortait une grosse paille. D'après sa couleur verte dans la tasse blanche, le thé Brume de Montagne devait être exquis. Chen aspira par la paille une gorgée de thé à bulles. Effectivement, il sentit sur sa langue une petite bulle collante au riche goût de lait, molle, glissante, presque caressante. Mais où était le thé là-dedans?

Il était presque aussi dépassé que le Vieux chasseur qui cracha un fragment de feuille de thé dans sa tasse avant de continuer.

– Comment en est-on arrivé là? La réponse est simple: quelques-uns de nos cadres de haut rang ont des cœurs de pierre. Ils empochent l'argent des gangsters et les protègent en échange. C'est comme l'histoire du beau-frère du secrétaire du Parti Li. Il possède un bar rue de Henshan, le coin en or de la ville. Un splendide établissement. Comment il a obtenu la patente et le bail, personne ne l'a jamais su ni même demandé. Un jour un client s'est enivré, a cassé une table et a giflé le patron. Le lendemain cet inconnu est revenu, s'est agenouillé par terre et s'est administré cent gifles. Pourquoi? C'est la Triade bleue qui est derrière ce bar. Dans cette ville, cette triade est plus puissante que le gouvernement. Si l'ivrogne n'avait pas fait ça, toute sa famille aurait été exécutée. Après cet épisode, plus personne n'a jamais créé le moindre incident dans ce bar.

– Ça pourrait être un geste destiné à Li? Sans que celui-ci en personne ait quoi que ce soit à y voir?

Chen hésitait un peu, car il savait que le Vieux chasseur ne portait pas le secrétaire du Parti dans son cœur. Les deux hommes étaient entrés dans la police à peu près en même temps. L'un s'était consacré à son travail de policier, l'autre à la politique. Après trente ans, la différence de situation entre les deux était gigantesque.

– Ce n'est pas impossible, admit le Vieux chasseur. Mais on ne sait jamais… Tout part dans tous les sens, continua-t-il en mâchant avec indignation une feuille de thé. Regardez ce cadavre dans le parc du Bund! C'est quand même inadmissible. Si c'était arrivé dans une de ces régions côtières proches de Hong Kong, ou bien dans le Yunnan où les trafiquants franchissent continuellement la frontière, ça ne m'aurait pas étonné. Mais depuis que le président Jiang est maire de Shanghai, les gangsters s'y tiennent à carreau. Ils n'ont pas envie d'aller taquiner la moustache du tigre. C'est la première fois que j'entends parler à Shanghai d'un meurtre qui est de toute évidence le fait d'une triade.

– Il a pu être commis par un groupe extérieur à la ville. (Chen but une longue gorgée de thé à bulles.) Peut-être pour envoyer un message à des gens d'ici.

– C'est pourquoi je vous suggère de faire parvenir un second communiqué à la presse, avec une description réaliste des blessures résultant des coups de hache. Juste pour voir si ça ne fera pas sortir un serpent de son trou. Si vous devez affronter ces malfrats, inspecteur principal Chen, vous ne pouvez le faire en suivant la voie claire. Il va falloir vous adapter et vous aurez besoin d'aide. Disons, celle de quelqu'un qui connaît et la voie sombre et la voie claire, et a aussi des relations parmi les gens des rues.

Chen comprit: le vieil homme lui offrait son aide, celle d'un flic à la retraite, avec beaucoup d'expérience et des contacts un peu partout.

– Je suis tout à fait d'accord avec vous. En fait, j'avais l'intention de vous demander de m'aider, Oncle Yu. Pour tout dire, j'ai deux affaires sur les bras. Elles sont complètement distinctes l'une de l'autre, mais chacune d'elles peut avoir un rapport avec la voie sombre comme avec la voie claire. Je doute que Qian ait assez d'expérience pour ce travail, et le secrétaire du Parti Lì, comme vous le savez, refuse de s'y trouver mêlé. Pour des raisons on ne peut plus politiquement correctes.

– Ne pensons plus au secrétaire du Parti Li. Donnez-moi tous les détails.

– Tout d'abord en ce qui concerne la victime du parc. Nous ne l'avons pas encore identifiée, mais le premier rapport du docteur Xia confirme nos hypothèses. (Il tendit une copie du rapport au Vieux chasseur.) L'homme a été assassiné peu de temps après avoir eu des rapports sexuels. Il était encore en pyjama, donc il a sans doute été tué chez lui ou à l'hôtel. Si c'est le cas, ça m'étonnerait que le crime ait eu lieu dans un hôtel d'État cinq étoiles, ils auraient été obligés de nous avertir. Mais les établissements privés, salons de massage et autres, ne manquent pas dans cette ville.

– Sans compter les bordels clandestins, inspecteur principal Chen. Et ce n'est pas dans les fichiers de vos services que vous trouverez des renseignements sur eux !

– Deuxièmement, il y a l'affaire Wen. C'est là-dessus que Yu travaille au Fujian. Wen faisait partie des jeunes instruits, il se peut qu'elle soit revenue à Shanghai. (Il lui montra une photographie de la jeune femme.) Si elle n'habite pas chez un parent, elle peut loger dans un de ces hôtels bon marché sans patente.

– Bien. Je vais vérifier tous les endroits possibles. Je ne suis plus tout jeune, mais je peux quand même me rendre utile !… Ne sous-estimez pas ces gangsters, ajouta-t-il gravement. Ils sont capables de vous pister comme des démons, et de vous attendre dans un coin sombre pour vous sauter dessus au moment où vous vous y attendez le moins. Un ancien collègue a disparu l'an dernier au cours d'une enquête sur une triade. Son corps n'a jamais été retrouvé.

– Je suis désolé de vous mêler à ça, Oncle Yu.

– Mais non, ne dites pas ça, inspecteur principal Chen. Je suis heureux de me rendre utile. Je n'ai pas à m'inquiéter, un vieux sac d'os comme moi. Quoi qu'il m'arrive, ce n'est pas bien grave, à mon âge. Vous êtes jeune, vous, et il vous reste du chemin à parcourir. On n'est jamais trop prudent quand on a affaire aux triades.

– Merci. Je ferai très attention.

Après avoir quitté le Vieux chasseur devant la *Brise de Lune*, Chen appela l'inspecteur Rohn.

– On va aller interroger Wen Lihua, le frère aîné de Wen Liping, demain matin.

– Alors la réponse est oui?

– Comme dit Confucius, *L'homme incapable de tenir ses promesses n'est pas digne de se tenir debout.*

Elle rit.

– *Dès qu'on dit que vous êtes gros, vous vous sentez essoufflé.*

– Oh, vous connaissez cette expression chinoise!

Cette phrase, il ne l'avait entendue qu'une fois, dans la bouche de vieillards, à Pékin. L'inspecteur Rohn avait décidément une connaissance exceptionnelle des proverbes chinois.

– Départ à quelle heure? Je vous attendrai devant l'hôtel.

– Non, ce n'est pas la peine, on ne sait jamais comment sera la circulation. Disons vers huit heures, mais je vous appellerai d'en bas.

En raccrochant, il repensa à ce qu'il venait de dire. La circulation... À cause de la circulation très dense autour de l'*Hôtel de la Paix* et des limitations de vitesse extrêmement strictes, les véhicules roulaient au pas dans le quartier. Et c'était à cet endroit, au coin de la rue de Nanjing et de la rue du Sichuan, qu'un motard surgi de nulle part avait foncé sur la jeune femme. Il y avait peu de motos dans la rue du Sichuan, et il lui semblait avoir entendu une pétarade de moteurs pendant qu'ils échangeaient quelques mots au coin de la rue. La moto qui avait failli l'écraser avait dû démarrer tout près d'eux, ce qui rendait l'incident encore plus suspect. Si le motard venait de démarrer, pour quelle raison avait-il accéléré à ce point?

L'inspecteur Rohn venait d'arriver à Shanghai, et seules trois personnes connaissaient sa mission. Était-il possible que la triade du Fujian ait frappé si vite? Qu'allait-il avoir à affronter dans sa recherche de Wen? Pour la première fois, il pensa à cette enquête avec appréhension. Était-ce à cause de l'insistance du secrétaire de Parti Li au sujet de la sécurité de l'inspecteur Rohn? Ou du petit couplet du Vieux chasseur sur la voie sombre?

Il était troublé par le souvenir de la façon dont il avait empoigné la jeune femme pour la mettre hors de portée du motard fou. S'il ne s'agissait pas d'un accident, quels dangers pouvaient encore menacer la vie de l'inspecteur Rohn?

8

Debout à côté d'une Mercedes, Chen vit Catherine Rohn sortir par la porte à tambour de l'hôtel. Sa robe blanche faisait penser à un pommier en fleurs par un matin d'avril. Elle avait l'air reposée et lui fit un large sourire en l'apercevant.

— Voici le camarade Zhou Jing, un des chauffeurs du service. Il est à notre disposition pour la journée.

— Je suis heureuse de faire votre connaissance, camarade Zhou, dit-elle en chinois.

— Bienvenue à Shanghai, inspecteur Rohn, répondit Zhou en lui adressant par-dessus son épaule un chaleureux sourire. Tout le monde m'appelle Petit Zhou.

— Moi, c'est Catherine.

Chen s'assit à côté de la jeune femme.

— Petit Zhou est le meilleur chauffeur du service.

— Et je conduis le meilleur véhicule, renchérit Zhou. On fait de notre mieux, inspecteur Rohn, c'est pourquoi vous faites équipe avec l'inspecteur principal Chen. C'est l'as du service, l'étoile montante de la police criminelle, vous savez.

— Je m'en suis aperçue.

— Allons, Petit Zhou, intervint Chen, cesse d'exagérer, et regarde la route.

— Ne vous en faites pas, je connais ce quartier comme ma poche. Je vais prendre un raccourci.

– Rien de neuf, de votre côté ? demanda Chen en anglais.

– Ed Spencer, mon patron, a enquêté à l'épicerie où Feng fait ses courses. Feng ne conduit pas et n'a aucun ami à Washington. Il va à pied jusqu'à une boutique chinoise du quartier, c'est à peu près tout. C'est un vieux magasin, qui n'a jamais été signalé comme étant en rapport avec une quelconque société secrète. Le ticket de caisse montre que Feng y a fait quelques emplettes le jour où il a téléphoné à son épouse de s'enfuir. Il a acheté des nouilles et il a loué plusieurs cassettes vidéo chinoises. Sur le chemin du retour, il s'est arrêté dans deux autres magasins chinois, un herboriste qui fait aussi bazar, et un coiffeur. L'avertissement a aussi pu être glissé dans son sac à provisions dans ces endroits-là.

– J'ai discuté de ce nouveau développement avec le secrétaire du Parti Li. Nous pensons qu'il est indispensable de découvrir comment les gangsters ont pu le retrouver.

– Nous n'en avons aucune idée. Il n'y a qu'Ed et moi qui nous occupons de cette affaire. Plus le traducteur, Shao, mais il appartient à la CIA depuis longtemps. Je ne vois pas comment des fuites pourraient provenir de notre côté.

– La décision de laisser Wen rejoindre son mari aux États-Unis a été prise à un très haut niveau, contre-attaqua Chen. Ni le secrétaire du Parti Li, ni moi-même n'avions entendu parler de Feng ni de Wen avant la veille de votre arrivée.

– La confiance de Feng en notre programme de protection a été ébranlée. Il a téléphoné à son épouse sans nous en avertir. Ed va le déplacer.

– Puis-je émettre une suggestion, inspecteur Rohn ? Laissez-le où il est et renforcez les mesures de protection. Le gang peut essayer à nouveau de le joindre.

– Ça risque d'être dangereux pour lui.

– Si on avait voulu le tuer, on l'aurait fait au lieu de commencer par l'avertir. À mon avis, on veut juste l'empêcher de témoigner contre Jia. Ils ne s'en prendront à sa vie que s'ils n'ont pas d'autres choix.

– Vous avez peut-être raison, inspecteur principal Chen. J'en parlerai à mon patron.

Grâce au raccourci de Zhou, ils furent bientôt rue de Shandong, où Wen Lihua, le frère de Wen Liping, demeurait avec sa famille. C'était une petite rue bordée de vieilles maisons décrépites construites au début du siècle. Cette rue du quartier de Huangpu avait autrefois fait partie de la concession française. Des bâtiments récents l'entouraient complètement et elle n'était plus qu'une succession de taudis. Son entrée était encombrée de motocyclettes, d'automobiles garées en stationnement interdit, de vieilles ferrailles et de pièces détachées entreposées là par une usine du voisinage. Petit Zhou eut du mal à faire un créneau pour se garer devant une masure à étage, dont le numéro se lisait à peine sur la porte fendue et décolorée.

L'escalier sombre, raide, étroit, poussiéreux était sinistre même en plein jour. Des planches grinçaient sous leurs pieds, signalant des marches en mauvais état. Catherine Rohn monta prudemment mais trébucha sur ses talons hauts.

– Pardon ! dit Chen en lui saisissant le coude.

– Vous n'y êtes pour rien, inspecteur principal Chen.

En arrivant au premier étage, il remarqua qu'elle s'essuyait les mains à son mouchoir. Ils trouvèrent une longue pièce où s'entassaient chaises en osier cassées, vieux poêles à bois, une table ayant perdu un pied, un meuble ancien devant servir de buffet, et dans un angle, une table de salle à manger avec plusieurs tabourets.

– C'est un débarras ? demanda l'Américaine.

– Non. C'était autrefois une salle à manger, mais c'est maintenant une salle commune partagée par les quatre ou cinq familles habitant l'étage. Chacun a droit à une portion de l'espace disponible.

Plusieurs portes s'alignaient d'un côté de la salle commune. Chen frappa à la première. Une vieille femme vint leur ouvrir en traînant ses pieds bandés.

– Vous cherchez Lihua ? La pièce du bout.

On avait entendu leurs pas et la dernière porte s'ouvrit devant eux. Un homme d'une quarantaine d'années, grand et dégingandé, au crâne dégarni mais avec une moustache et des sourcils fournis était devant eux. Il portait un tee-shirt blanc, un short kaki, et des sandales à semelles de caoutchouc. Il avait un petit sparadrap sur le front. C'était Wen Lihua.

La pièce dans laquelle il les fit entrer devait mesurer quinze à seize mètres carrés et trahissait la pauvreté de ses occupants. Un vieux lit à la mode d'autrefois, dont la tête en métal bleu était ornée d'une affiche en papier plastifié représentant le président Mao saluant la foule du haut de la porte de Tiananmen. Le décor d'origine du lit n'était plus reconnaissable. Au milieu de la pièce se dressait une table en bois peinte en rouge, sur laquelle étaient posés un porte-plume en plastique et un étui plein de baguettes de bambou. L'unique table, servant à tout. Il y avait aussi deux fauteuils élimés. Le seul objet relativement neuf était un cadre argenté renfermant une photographie d'un homme, une femme et deux enfants, souriant tous quatre du même sourire. Le cliché devait remonter à plusieurs années, à l'époque où Lihua avait encore sur le front des cheveux gominés de séducteur.

Chen lui tendit sa carte.

– Vous savez pourquoi nous sommes ici aujourd'hui, camarade Wen Lihua?

– Oui… Enfin je sais seulement qu'il s'agit de ma sœur. Mon patron m'a dit de prendre la journée de congé pour vous attendre.

Il leur fit signe de s'asseoir à la table et apporta des tasses de thé.

– Qu'a-t-elle fait?

– Votre sœur n'a rien fait de répréhensible. Elle a demandé un passeport pour rejoindre son mari aux États-Unis, répondit Catherine Rohn en chinois en lui montrant sa carte d'identité.

Wen Lihua se gratta le crâne.

– Feng est aux États-Unis?… Oh, vous parlez chinois?

– Pas tellement bien. C'est le camarade inspecteur principal Chen qui mènera l'entretien. Ne faites pas attention à moi.

– L'inspecteur Rohn est ici pour m'aider, expliqua Chen. Votre sœur a disparu. Nous nous demandions si elle n'a pas essayé de vous joindre. Même si vous n'avez pas eu de nouvelles depuis longtemps, tout ce que vous pourrez nous apprendre sur elle risque de nous être utile.

Chen sortit un petit magnétophone à cassette.

– Croyez-le ou non, camarade inspecteur principal Chen, ma sœur et moi ne nous sommes pas parlés depuis des années. (Il soupira, le nez dans sa tasse.) Et je n'ai qu'elle, comme sœur.

Chen lui offrit une cigarette.

– Continuez, je vous prie…

– Par quoi voulez-vous que je commence?

– Par où vous voulez.

– Bon… Nos parents n'avaient que deux enfants, ma sœur et moi. Ma mère est décédée jeune, et c'est Père qui nous a élevés, dans cette même pièce. Je suis un homme ordinaire, moi, rien de remarquable, ni autrefois ni maintenant. Mais Wen était différente. Très jolie et très douée. Tous ses professeurs lui prédisaient un brillant avenir dans la Chine socialiste. Elle chantait comme un rossignol et dansait comme un papillon. On disait qu'elle avait dû naître sous un pêcher.

– Naître sous un pêcher? demanda Catherine Rohn.

– On dit ça d'une jeune fille aussi belle qu'une fleur de pêcher, expliqua Chen. Car la croyance veut qu'un bébé né sous un pêcher soit très beau en grandissant.

– Qu'elle soit ou non née sous un pêcher, continua Lihua avec un autre soupir exhalé au milieu de la fumée de cigarette, elle est née la mauvaise année. Quand la Révolution culturelle a commencé, elle était en classe terminale. Elle est devenue cadre des gardes rouges, et vedette de l'ensemble de chant et danse du quartier. Des écoles et des entreprises l'invitaient à venir chanter des chants révolutionnaires et à danser la danse de l'idéogramme Loyal.

– Pardon, de vous interrompre encore une fois. Qu'est-ce que la danse de l'idéogramme Loyal?

– Durant ces années, toute danse était interdite en Chine, expliqua Chen, sauf une, danser en tenant un découpage représentant le caractère signifiant Loyal. Ou bien en tenant un cœur rouge sur lequel était dessiné ce caractère. Toute la chorégraphie était censée signifier: «Loyauté envers le président Mao».

– Puis, continua Lihua, ce fut l'envoi des jeunes instruits à la campagne. Comme tous les autres, elle a répondu avec enthousiasme à l'appel de Mao. Elle n'avait que seize ans, Père se faisait du souci. Il a insisté pour qu'au lieu de partir avec ses camarades de classe, elle aille dans un village de la province du Fujian où nous avions un parent éloigné qui, nous l'espérions, veillerait sur elle. Au début, ça ne s'est pas trop mal passé. Elle écrivait régulièrement, parlait de la nécessité de se rééduquer par le labeur, en repiquant des plants dans la rizière, en coupant du bois dans les collines, en labourant avec un bœuf sous la pluie. À cette époque, beaucoup de jeunes croyaient en Mao comme s'il était un dieu.

– Qu'est-il arrivé alors?

– Elle a soudain cessé d'écrire. Il était impossible de lui téléphoner. Nous avons écrit à notre parent qui nous a vaguement répondu qu'elle allait bien. Plusieurs mois plus tard, nous avons reçu une lettre d'elle, annonçant qu'elle était mariée avec Feng Dexiang et attendait un bébé. Père est allé la voir. C'était un long et difficile voyage. Quand il est revenu, c'était un autre homme, une loque désespérée. Ses cheveux étaient devenus tout blancs. Il ne m'a pas dit grand-chose. Il avait fondé de grands espoirs sur elle.

Lihua se frotta le front violemment, comme pour réveiller sa mémoire.

– À partir de là, nous n'avons pratiquement plus eu de nouvelles. Père se faisait des reproches. Si elle était restée avec ses condisciples, elle aurait sans doute fini par revenir à la maison. Ce regret l'a conduit à sa tombe. Et c'est la seule fois où ma sœur est revenue à Shanghai, pour assister aux obsèques.

– Elle ne vous a rien dit à ce moment-là?

– Rien de personnel. C'était une autre femme. Je me demandais si Père l'aurait reconnue, avec son grossier vêtement noir et son capuchon de tissu éponge. Comment le Ciel a-t-il pu se montrer si injuste envers elle? Elle pleurait toutes les larmes de son corps, mais elle n'a parlé pratiquement à personne. Ni à moi ni même à Zhu Xiaoying, qui était sa meilleure amie à l'école secondaire. Zhu est venue aux obsèques et a offert un couvre-pieds.

Chen vit Catherine prendre des notes.

– Ensuite elle a encore moins écrit, continua Lihua d'une voix monocorde. On a appris qu'elle avait trouvé un emploi à l'usine de la commune populaire, mais ce n'était pas le Pérou. Puis elle a perdu son fils dans un accident. Un malheur de plus. Sa dernière lettre doit dater d'environ deux ans.

– Y a-t-il d'autres personnes à Shanghai qui ont eu des nouvelles?

– Non, je ne pense pas.

– Comment pouvez-vous en être sûr?

– Ses camarades de classe ont tenu une réunion l'an dernier. Une grande fête à l'*Hôtel du fleuve Jing*, organisée et payée par un nouveau riche. Il a fait envoyer une invitation à tous ses condisciples en ajoutant que si l'on ne pouvait pas assister à la fête, on pouvait envoyer à la place un membre de sa famille. Zhu a donc insisté pour que j'y aille. C'était la première fois que je mettais les pieds dans un hôtel cinq étoiles, alors j'ai accepté. Durant le repas, plusieurs ex-camarades de classe de ma sœur m'ont demandé ce qu'elle était devenue. Ça ne m'a pas étonné. Vous auriez dû la voir quand elle était à l'école secondaire, presque tous les garçons en pinçaient pour elle!

– Elle avait un petit ami, à l'époque?

– Oh non! À l'époque, ça ne se faisait pas. Et en tant que cadre des gardes rouges elle était bien trop occupée par ses activités révolutionnaires. Beaucoup, certainement, l'admiraient en secret, mais elle n'avait personne.

– Parlons de ces admirateurs, alors. Pourriez-vous me donner quelques noms ?

– Il y en avait un certain nombre. Quelques-uns étaient présents à la fête. Certains de ses camarades de classe n'ont pas eu de chance. Comme Shu Shengyi, il n'a pas un sou. Mais autrefois il était aussi cadre des gardes rouges et venait souvent chez nous. Il a assisté à la fête pour le repas gratuit, comme moi. Après quelques verres, il m'a avoué les larmes aux yeux combien il avait admiré ma sœur. J'ai vu Qiao Xiaodong, aussi, il est déjà désigné pour une mise à la retraite d'office, il est tout gris et complètement découragé. Il jouait le personnage de Li Yuhe dans *Le Conte de la lanterne rouge*. Wen et lui appartenaient au même ensemble de chant et danse. Comme les choses changent !

– Et ce nouveau riche qui avait offert la fête ?

– Liu Qing. Il est entré à l'université en 1978 et est devenu journaliste au *Wenhui*. C'est aussi un poète, ses œuvres ont été publiées. Puis il a monté sa propre affaire. Il est millionnaire maintenant, il possède des entreprises à Shanghai et Suzhou.

– Liu aussi admirait votre sœur en secret ?

– Non, je ne crois pas. Il ne m'a pas parlé, il était trop occupé à lever son verre en l'honneur des autres anciens élèves. Zhu m'a dit qu'à l'école secondaire, on le considérait comme un minus. Un garçon toujours fourré dans ses livres, qui sortait d'une famille douteuse. Il n'aurait jamais osé se poser en admirateur de Wen, ça aurait été comme un vilain crapaud bavant à la vue d'un cygne. Vraiment, comme la roue tourne ! Elle ne met pas soixante ans.

– Un autre proverbe chinois, expliqua Chen. *La roue de la chance tourne tous les soixante ans.*

Catherine hocha la tête.

– À seize ans, ma pauvre sœur avait déjà eu toute sa ration de bonheur… Elle était trop fière pour venir assister à la réunion.

– Elle a trop souffert, surtout, corrigea Catherine. Il y a des gens qui se referment après un choc émotionnel. Mais tant qu'il y a de la vie, il y a de l'espoir. Vous ne voyez personne d'autre qu'elle ait pu contacter à Shanghai ?

– Personne, sauf peut-être Zhu Xiaoying.

– Vous avez son adresse ? demanda Chen. Et les adresses de ses autres camarades de classe, comme Su Shengyi et Qiao Xiaodong ?

Lihua sortit un carnet d'adresses et griffonna quelques lignes sur un papier.

– J'ai cinq adresses ici. Je ne suis pas certain de celle de Bai Bing, c'était une adresse temporaire. Il déménage souvent, il vend des contrefaçons à Shanghai et ailleurs. Et je n'ai pas celle de Liu Qing, mais elle n'est pas difficile à trouver.

– Une dernière question… pourquoi n'a-t-elle pas essayé de revenir à Shanghai après la Révolution culturelle ?

– Elle n'en a jamais parlé dans ses lettres, répondit-il avec une légère hésitation dans la voix. (Il se frotta la bouche.) Zhu pourra peut-être vous en dire davantage. Elle aussi est revenue au début des années quatre-vingt.

Ils se levèrent. Lihua hésita avant de parler.

– Il y a quelque chose que je ne comprends pas, camarade inspecteur principal Chen…

– Oui ? Que désirez-vous savoir ?

– Tout le monde va à l'étranger de nos jours, clandestinement ou non. Particulièrement les gens du Fujian. J'en ai pas mal entendu parler. Qu'y a-t-il de si grave concernant ma sœur ?

– C'est une situation compliquée, répondit Chen en ajoutant son numéro de portable à sa carte professionnelle. Tout ce que je peux vous dire c'est qu'il est de l'intérêt de la Chine comme des États-Unis qu'elle arrive là-bas. Il se peut qu'une triade du Fujian la recherche également. Vous pouvez imaginer ce qu'ils feront s'ils la trouvent. Alors si elle entre en contact avec vous, surtout prévenez-nous immédiatement.

– Je n'y manquerai pas, inspecteur principal Chen.

9

L'inspecteur Yu était maintenant depuis trois jours au Fujian. Il n'avait guère avancé, mais il avait réfléchi. La découverte du coup de téléphone de Feng suggérait de nouvelles hypothèses. Après les interrogatoires des voisins de Wen, il trouvait peu probable qu'elle soit cachée dans la région. La jeune femme n'avait ni amis ni parents sur place, et ceux de Feng avaient depuis longtemps rompu toute relation avec lui. Quelques villageois s'étaient montrés ouvertement hostiles, au point de refuser de parler de Feng. Il était difficile d'imaginer que Wen ait pu trouver refuge parmi eux depuis plusieurs jours.

L'éventualité qu'elle ait quitté la région semblait tout aussi douteuse. Un seul autocar était passé au village, ce soir-là, et elle ne l'avait pas emprunté, ni aucun de ceux qui avaient circulé dans un rayon de soixante-dix kilomètres. Yu avait mené une enquête méticuleuse au service des Transports. Aucun taxi ne pouvait venir au village sans avoir été commandé plusieurs heures à l'avance et il n'y avait aucune trace d'un appel de ce genre.

Une autre hypothèse semblait alors logique: Wen avait certes quitté le village, mais elle avait été enlevée avant d'avoir pu monter dans l'autobus. Dans ce cas, inutile de se leurrer, elle ne serait pas retrouvée à temps. Si elle l'était jamais... À moins bien sûr que la police locale ne se décide à agir contre les malfaiteurs.

L'inspecteur Yu avait demandé au commissaire divisionnaire Hong ce que l'on pouvait faire contre la triade locale. Le commissaire lui avait tendu une liste des principaux chefs locaux. Ils étaient tous hors d'atteinte, soit parce qu'ils vivaient dans la clandestinité, soit parce qu'ils avaient quitté la région. Yu suggéra d'arrêter quelques sous-fifres, mais Hong prétendit que seuls les caïds pourraient leur fournir les renseignements néces-saires. D'ailleurs, ajouta-t-il, c'était à la police du Fujian de déci-der de la conduite à tenir face aux gangsters de la province. Du point de vue hiérarchique, le commissaire divisionnaire Hong était d'un rang plus élevé que l'inspecteur principal Chen. L'inspecteur Yu dut donc se contenter d'une liste de noms totalement inutile, et eut l'impression que la police locale n'avait aucune intention d'intervenir de manière efficace, sur-tout pour faire plaisir à un flic de Shanghai. Quels que fussent ses soupçons, il ne lui restait plus qu'à continuer à se livrer à cet exercice futile consistant à interroger des gens qui n'avaient rien à lui apprendre. Exactement ce que faisait l'inspecteur principal Chen à Shanghai.

Sur la liste des interrogatoires de la journée figurait le nom du camarade Pan, directeur de l'usine de la commune popu-laire. Yu avait rendez-vous avec lui en fin d'après-midi, mais celui-ci l'appela aux alentours de neuf heures du matin.

– J'ai un rendez-vous d'affaires cet après-midi. Peut-on avan-cer notre entretien ?

– Quelle heure vous conviendrait le mieux ?

– Entre onze heures trente et douze heures. Je passerai à votre hôtel dès que j'en aurai terminé ici.

– Parfait.

Yu pensa prévenir le sergent Zhao de ce changement de programme, puis se ravisa. Ces derniers jours, Zhao lui avait été de peu d'utilité, Yu avait même l'impression que c'était à cause de sa présence que les personnes interrogées se taisaient. Il téléphona à Zhao pour lui dire que Pan ne viendrait pas cet après-midi-là, et que lui-même resterait à l'hôtel pour écrire à sa famille, laver son linge et commencer à travailler à son rap-port. Zhao accepta de bonne grâce. Yu avait entendu dire qu'il possédait quelques petits à-côtés rentables, peut-être était-il content de disposer d'un peu de temps pour s'en occuper.

Yu considérait que donner son linge à laver à l'hôtel, alors qu'il pouvait très bien le faire lui-même et économiser deux yuans, était du gaspillage. En savonnant son linge sur la planche à laver appuyée contre un évier de ciment, il réfléchit à toutes ces années qui venaient de passer comme de l'eau glissant entre les doigts.

Étant enfant, il avait, en écoutant son père raconter comment il avait résolu sa dernière affaire, rêvé de faire carrière dans la police. Quelques années après être lui-même devenu flic, il ne lui restait guère d'illusions sur ses perspectives d'avenir. Malgré ses années d'expérience et sa qualité de fidèle membre du Parti, le Vieux chasseur, son père, avait terminé sergent, avec une retraite trop maigre pour s'offrir de temps en temps une théière de Puits du Dragon. Il fallait voir les choses en face : l'inspecteur Yu, sans diplôme et sans relations, n'avait aucune raison d'espérer faire carrière. Il resterait un flic ordinaire, payé au salaire minimum, sans influence dans le service, et éternellement en queue de la liste d'attente du comité du logement.

C'était une autre raison de son peu d'enthousiasme pour cette affaire. Une réunion du comité du logement du service était prévue pour la fin du mois. Yu était sur la liste d'attente et s'il se trouvait sur place à ce moment-là, peut-être arriverait-il à influencer d'une façon ou d'une autre quelques membres de la commission. Par exemple, comme il l'avait vu dans un film récent, en dormant au bureau en signe de protestation. Il avait, pensait-il, toutes les raisons de se plaindre. Il était toujours hébergé par son père, bien qu'il fût marié depuis plus de dix ans. C'était un scandale qu'à l'approche de la quarantaine, il n'ait pas de foyer à lui. Même Peiqin s'en plaignait, de temps en temps.

Certes, il voulait bien admettre qu'à Shanghai, une crise aiguë du logement existait depuis toujours, sans avoir jamais été résolue. Dans ce domaine, la tâche des unités de travail du peuple, usines, entreprises, écoles et administrations, n'était pas facile. Le service du Logement leur attribuait un quota annuel d'appartements, qu'elles redistribuaient en fonction de différents critères, parmi lesquels l'ancienneté des candidats. À la police criminelle de Shanghai, qui comptait beaucoup de flics y ayant exercé toute leur vie, le problème était particulièrement épineux.

Cette situation n'empêchait pas l'inspecteur Yu de prendre son travail très au sérieux. Il était sincèrement convaincu qu'il avait un rôle utile à jouer vis-à-vis de ses concitoyens, et avait échafaudé une théorie sur ce que devait faire un bon flic. Le premier impératif consistait à savoir faire la différence entre ce qui pouvait être accompli et ce qui ne pouvait pas l'être. Dans bien des affaires, il était inutile de se donner du mal, car la conclusion en était prédéterminée par les autorités du Parti. Par exemple, ces affaires de lutte contre la corruption où, malgré tout le battage, le résultat final tenait plus d'une tape sur un moustique que de la mort du tigre. C'était du bluff, des gesticulations pour la galerie. Et son enquête présente, quoiqu'en dehors de toute campagne politique, semblait de pure forme. Il en était probablement de même pour l'affaire du parc. La seule action efficace serait d'éliminer les triades. Mais les autorités n'étaient pas prêtes à essayer.

Cependant, l'affaire Wen commençait à l'intéresser sérieusement. Il n'avait jamais imaginé qu'une jeune instruite puisse mener une vie aussi misérable. Ce qui était arrivé à Wen aurait tout aussi bien pu arriver à Peiqin. Ayant lui-même fait partie des jeunes instruits, il se sentait moralement tenu de tenter quelque chose pour cette pauvre femme. Il ne savait ni quoi ni comment.

Il venait juste de terminer sa lessive quand Pan arriva à l'hôtel. C'était un homme d'une quarantaine d'années, dont la haute taille et la maigreur faisaient ressembler à un bâton de bambou. Il avait un visage intelligent et portait des lunettes à monture invisible. Ce qu'il disait aussi était intelligent, concis, précis, sans détails inutiles.

L'entretien n'apprit rien de supplémentaire à Yu, mais lui apporta une vue assez claire de la vie de Wen durant ses années d'usine. Elle en était une des meilleures ouvrières, mais là-bas aussi, elle conservait sa réserve. Toutefois, d'après Pan, ce n'était pas parce qu'elle était étrangère au village ou parce que les autres la tenaient à l'écart, c'était par fierté.

– C'est intéressant, ça, remarqua le policier. Les gens qui ont du mal à concilier le passé et le présent réagissent parfois en rentrant dans leur coquille. A-t-elle tenté d'améliorer sa situation?

– Elle n'a vraiment pas eu de chance. Elle était si jeune quand elle est tombée dans les griffes de Feng. Et quand celui-ci a payé à son tour, c'était trop tard pour elle. (Pan se caressa le menton.) Vous savez bien: *Le ciel est trop haut et l'Empereur trop loin.* Qui se souciait d'une ex-jeune instruite, échouée dans ce village perdu? Pourtant vous auriez dû la voir quand elle est arrivée. Quelle beauté!

– Vous en pinciez pour elle...

– Non, pas moi. J'étais fils de propriétaire terrien. Au début des années soixante-dix, je n'aurais même pas osé rêver d'elle.

– Oui, je connais l'attitude vis-à-vis des antécédents fami-liaux pendant la Révolution culturelle, acquiesça Yu d'un air songeur.

Yu était un des rares à en avoir bénéficié. Lui-même était un homme ordinaire, d'une famille ordinaire, il avait été un élève ordinaire, un jeune instruit ordinaire et était maintenant un flic ordinaire. Ce n'était pas le cas de Peiqin. Aussi brillante et jolie que les héroïnes du *Rêve dans un pavillon rouge*, ils ne se seraient jamais rencontrés, si elle n'avait été issue d'une famille «douteuse», ce qui l'avait pour ainsi dire rabaissée au niveau de Yu. Il avait une fois abordé le sujet avec elle, mais elle l'avait interrompu en disant qu'elle n'aurait pu souhaiter meilleur mari.

– Quand j'ai été nommé à la tête de l'usine, en 1979, conti-nua Pan, Wen était littéralement devenue une paysanne moyenne-pauvre. Non seulement en statut social, mais aussi en apparence. Personne n'éprouvait la moindre compassion pour Feng. J'ai eu pitié d'elle, et je lui ai proposé de venir travailler à l'usine.

– Si je comprends, vous avez été le seul à lui tendre la main. C'est honorable de votre part. Vous a-t-elle parlé de sa vie?

– Le moins possible. Il y a des gens qui ressassent leurs malheurs, comme sœur Qiangling dans *Bénédiction*, le récit de Lu Xul, mais Wen n'est pas de ceux-là. Elle préférait se débrouiller seule.

– Vous n'avez pas essayé de faire davantage pour elle?

– Où voulez-vous en venir, camarade inspecteur Yu?

– Nulle part. Parlez-moi de ce travail qu'elle emportait chez elle.

– En théorie, ni les pièces ni les produits chimiques ne sont autorisés à quitter l'usine. Mais elle était si pauvre… quelques yuans de plus comptaient pour elle. Comme elle était ma meilleure ouvrière, j'ai fait une exception pour elle.

– Quand vous a-t-elle appris son projet de se rendre aux États-Unis?

– Il y a un mois, à peu près. Elle avait besoin d'une attestation de mariage pour sa demande de passeport. Quand je lui ai posé des questions sur ses projets, elle a craqué. Ce n'est qu'alors que j'ai appris qu'elle était enceinte, ajouta Pan après un bref silence. La rapidité de Feng m'étonnait, normalement il faut des années aux émigrés pour commencer les démarches afin de faire venir leur famille. Alors j'ai demandé au village, et j'ai appris qu'il avait conclu un marché, là-bas…

On frappa légèrement à la porte. L'inspecteur Yu se leva pour ouvrir. Il n'y avait personne à la porte, mais un plateau avait été posé sur le seuil, avec une carte: «Goûtez notre spécialité».

– Juste au bon moment! Cet hôtel n'est pas si mal, finalement. Partagez donc mon déjeuner, camarade directeur Pan, nous pourrons continuer à parler en mangeant.

– Eh bien, demain ce sera mon tour de vous inviter. Laissez-moi vous faire découvrir les nouilles à la Fujian cuites au wok.

Yu retira la cloche en papier recouvrant les mets: un grand

plat de riz sauté, bien chaud et garni d'œufs brouillés et de porc grillé, un pichet fermé, et deux hors-d'œuvre : des cacahuètes salées et une salade de tofu et de ciboules à l'huile de sésame. En retirant le papier recouvrant le pichet, il renifla une odeur d'alcool.

– Hmm, du crabe mariné dans le vin, dit Pan.

Il n'y avait sur le plateau qu'une paire de baguettes en plastique, mais Peiqin avait mis dans la valise de Yu plusieurs paires de baguettes jetables. Celui-ci en tendit une paire à son invité.

Pan prit avec ses doigts une pince de crabe détachée du corps.

– J'adore le crabe, dit Yu en haussant les épaules, mais je ne le mange pas cru.

– Vous n'avez rien à craindre, ça ne peut pas vous faire de mal, c'est mariné dans l'alcool.

– Je ne peux vraiment pas avaler le crabe cru.

Ce n'était pas tout à fait exact. Dans son enfance, son petit déjeuner favori était de la bouillie de riz accompagnée d'un morceau de crabe salé. Peiqin l'avait fait renoncer aux crustacés crus. Rançon d'avoir une épouse raisonnable.

Le riz avait une odeur appétissante, le porc une texture délicate et les hors-d'œuvre étaient savoureux. Yu ne regretta pas trop d'avoir refusé le crabe. Ils continuèrent à parler de Wen.

– Elle n'avait même pas de compte bancaire, Feng lui prenait tout son argent. Je lui ai suggéré d'en laisser une partie à l'usine, ce qu'elle a fait.

– Elle l'a emporté, quand elle s'est volatilisée ?

– Non. Je n'étais pas à l'usine le jour de sa disparition, mais je sais qu'elle n'a pas pris son argent. (Il savourait la glande digestive du crabe.) Elle a dû se décider brusquement.

– A-t-elle eu des visites, au village, au cours de toutes ces années ?

– Non, je ne crois pas. Feng était d'une jalousie maladive. Il n'était pas du genre à encourager les visites.

Pan avait retourné les boyaux du crabe dans le creux de sa main, on aurait dit un petit moine assis dans sa paume.

– Regardez, le vilain !

– Je connais. C'est dans *La Légende du serpent blanc*. Le moine trop curieux est obligé de se cacher dans les entrailles d'un crabe, et...

Il n'acheva pas sa phrase, interrompue par un faible gémissement de Pan. Celui-ci, plié en deux par la douleur, appuyait d'une main sur son estomac.

– Bon Dieu ! C'est comme un coup de couteau...

Des gouttes de transpiration perlaient sur son visage devenu livide. Il se remit à gémir, Yu bondit sur ses pieds.

– J'appelle une ambulance !

– Non... prenez le camion de l'usine, réussit à articuler Pan.

Le véhicule était garé devant l'hôtel. Yu et un portier y installèrent aussitôt le malade. L'hôpital se trouvait à plusieurs kilomètres. Yu fit asseoir le portier à côté de lui pour lui indiquer le chemin. Avant de démarrer, il remonta en courant à sa chambre et prit avec lui le pichet de crabe mariné dans du vin.

Trois heures plus tard, Yu était prêt à reprendre, seul, le chemin de l'hôtel. Pan devait rester sous surveillance, bien qu'il fût maintenant hors de danger.

– Intoxication alimentaire, avait diagnostiqué le médecin. Une heure de plus et nous n'aurions rien pu faire.

Le résultat de l'analyse révéla que le contenu du pichet était hautement suspect. Le crabe grouillait de bactéries, en quantité dépassant de beaucoup la limite admise. Le crustacé était mort depuis plusieurs jours.

– C'est curieux, remarqua l'infirmière, on ne mange jamais de crabe mort par ici.

« C'est plus que curieux », se dit Yu en revenant par de solitaires routes de campagne. Un hibou hululait dans les bois derrière lui et il cracha par terre pour détourner les esprits hostiles.

Dès qu'il arriva à l'hôtel, il alla questionner le personnel de cuisine.

– Mais non, on ne vous a rien monté, protesta le chef. On ne sert pas dans les chambres.

Yu trouva une brochure vantant l'hôtel, elle spécifiait bien qu'on n'y assurait pas le service à la chambre. Le chef de cuisine suggéra que le plateau venait peut-être d'un restaurant voisin.

– Non, personne ne nous a passé une telle commande, geignit le propriétaire au téléphone.

Il était possible qu'ils lui aient apporté le plateau par erreur et se refusent à l'avouer. Mais c'était peu probable, le livreur aurait réclamé un pourboire.

L'inspecteur Yu était certain que c'était lui qui avait été visé. S'il avait été tout seul dans sa chambre d'hôtel, et s'il avait consommé tout le repas, il se serait retrouvé au mieux à l'hôpital, au pire à la morgue. Personne n'aurait songé à faire analyser le reste du crabe, les malfrats auraient pu dormir sur leurs deux oreilles. Les intoxications alimentaires étaient banales. On n'aurait même pas prévenu la police locale. Mais l'auteur du complot ne pouvait pas savoir que Yu ne mangeait pas de crabe cru. Conclusion : il gênait quelqu'un, on voulait se débarrasser de lui.

Cette enquête devenait rude. Il était bien décidé à se battre, même si l'ennemi avait l'avantage de pouvoir rôder dans le noir, d'espionner, d'attendre l'occasion propice, comme ce repas…

La faiblesse de sa théorie lui sauta soudain aux yeux : si les gangsters l'avaient surveillé, ils auraient vu le directeur Pan entrer dans sa chambre et auraient su qu'il n'était pas seul. Ils auraient remis leur tentative à plus tard. Conclusion, ils avaient agi sur les indications de quelqu'un qui leur avait assuré que Yu serait seul dans sa chambre.

Le sergent Zhao était le seul à connaître les projets de Yu pour la journée. Et celui-ci lui avait dit qu'il serait seul. D'ailleurs le plateau avait été préparé avec une unique paire de baguettes.

10

En quittant l'appartement de Zhu Xiaoying, l'inspecteur Rohn commença à descendre à tâtons l'escalier, derrière l'inspecteur principal Chen. Ils venaient, en suivant la liste établie par le frère de Wen, d'interroger plusieurs ex-condisciples de la jeune femme.

Qiao Xiaodong à l'école secondaire de Jingling, Yang Hui à l'épicerie du *Drapeau rouge*, et enfin Zhu Xiaoying chez elle. Aucun n'avait apporté de renseignements nouveaux. Ils avaient sans doute été contents de se retrouver lors de la réunion de classe, mais ils étaient trop occupés par leur vie quotidienne pour s'intéresser vraiment au sort d'une camarade de classe sortie depuis longtemps de leur vie. Zhu était la seule à avoir fidèlement continué à envoyer chaque année une carte de vœux, mais elle n'avait pas reçu de nouvelles de son amie depuis des années. La seule bribe d'information intéressante était la raison donnée par Zhu pour expliquer que Wen ne fût pas retournée à Shanghai après la Révolution culturelle: son frère Lihua avait protesté à la perspective d'être obligé de l'héberger avec sa propre famille dans son unique petite pièce.

Soudain, Catherine posa le pied sur une marche qui s'effondra brutalement sous elle. Elle chancela, perdit l'équilibre, bascula en avant et heurta l'inspecteur principal Chen, qui, s'accrochant à la rampe, se raidit devant elle pour encaisser le choc. Appuyée contre lui, elle essayait de retrouver son équilibre. Pivotant sur lui-même, il la reçut dans ses bras.

– Ça va, inspecteur principal Rohn?

Elle se dégagea.

– Oui, merci. Je ne dois pas être tout à fait remise du décalage horaire.

Zhu descendit en courant, une torche électrique à la main.

– Oh, ces vieux escaliers sont tout pourris!

Une des marches était brisée. Était-ce la jeune femme qui avait trébuché sur elle, ou bien celle-ci s'était-elle inexplicablement émiettée sous son poids ? Chen commença une phrase puis se ravisa, et la termina en répétant machinalement qu'il était désolé. Elle remarqua son embarras.

– De quoi, inspecteur principal Chen ? J'aurais pu me faire très mal, si vous n'étiez pas intervenu cette fois encore.

Elle posa le pied par terre et chancela. Il passa un bras autour de sa taille et elle s'appuya de tout son poids sur lui pour descendre. Au pied de l'escalier, elle voulut lever sa jambe blessée et la regarder, mais une violente douleur à la cheville lui fit fermer les yeux.

– Il faut consulter un médecin.

– Non, ce n'est rien.

– Je n'aurais pas dû vous amener ici aujourd'hui. `

– C'est moi qui l'ai voulu, non ? rétorqua-t-elle un peu sèchement.

– Attendez, j'ai une idée. Allons voir un herboriste, les remèdes chinois du docteur Ma vont arranger ça.

L'herboristerie en question se trouvait dans la vieille ville. Au-dessus de la porte, une enseigne dorée affichait deux grands caractères chinois dessinés à la peinture noire : *Vieux Ma*, qui pouvait aussi se lire *Vieux cheval*.

– C'est un drôle de nom pour un herboriste, remarqua-t-elle.

– Nous avons un proverbe qui dit : « Un vieux cheval connaît toujours le chemin. » Monsieur Ma est âgé, et a beaucoup d'expérience, il sait ce qu'il fait, même s'il n'a pas de diplôme universitaire en médecine ou pharmacie.

Une femme âgée, en uniforme blanc, s'avança à leur rencontre et sourit en reconnaissant le policier.

– Comment allez-vous, camarade inspecteur principal Chen ?

– Très bien, madame Ma. Voici Catherine Rohn, une amie américaine.

Ils entrèrent dans une vaste pièce, le cabinet du docteur Ma. Les murs blancs étaient bordés de hauts placards de chêne dans lesquels s'encastraient de multiples petits tiroirs munis chacun d'une étiquette.

– Quel bon vent vous amène ici, Chen? demanda Ma en se levant pour les accueillir.

Le docteur Ma avait des cheveux blancs et une barbe blanche. Il portait des lunettes cerclées de métal et un long sautoir de perles de bois sculptées.

– Un vent venu de l'autre côté de l'océan, mon amie Catherine. Comment vont les affaires, docteur Ma?

– Pas mal, merci. Grâce à vous. Qu'est-il arrivé à votre amie?

– Elle s'est tordu la cheville.

– Faites-moi voir ça…

Catherine ôta sa chaussure et se laissa examiner la cheville. Le moindre contact était douloureux. Elle ne voyait pas comment, sans radio, le vieil homme pourrait trouver ce qu'elle avait.

– Rien en surface, mais on ne sait jamais. Je vais vous appliquer un onguent, à retirer dans deux ou trois heures. Si la blessure interne est remontée à la surface, vous n'avez pas à vous inquiéter.

Ma étala largement sur la partie douloureuse une pâte d'un jaune peu appétissant. Elle était fraîche sur la peau. Puis son épouse lui banda la cheville avec une gaze.

– Elle a aussi un peu la tête qui tourne, ajouta Chen. Elle vient de faire un long voyage et n'a pas arrêté de travailler depuis son arrivée. Vous n'auriez pas une tisane pour lui redonner un peu d'énergie?

– Montrez-moi votre langue…

Ma examina la langue de la jeune femme, et les yeux clos, comme en méditation, tâta son pouls pendant deux longues minutes.

– Rien de grave. Le yang est un peu haut, il y a peut-être trop de choses qui vous tracassent. Je vais vous prescrire des plantes pour vous rééquilibrer et pour la circulation du sang.

– Ce sera parfait, docteur Ma, approuva Chen.

À l'aide d'un pinceau en poils de putois, Ma traça d'un geste emphatique quelques caractères sur un papier en fibre de bambou et tendit l'ordonnance à son épouse.

– Choisis-lui nos plantes les plus fraîches.

– Tu n'as pas besoin de me le préciser, l'inspecteur principal Chen est notre ami.

Elle mesura la bonne quantité d'un assortiment de plantes sorties des petits tiroirs, depuis une pincée de poudre ressemblant à de la gelée blanche, jusqu'à une autre poudre de couleur différente apparemment faite de pétales séchés, en passant par de petites graines noires, comme de minuscules raisins secs.

– Où logez-vous, Catherine ? demanda-t-elle.

– À l'*Hôtel de la Paix*.

– Il n'est pas facile de préparer nos remèdes traditionnels dans une chambre d'hôtel. Il faut une marmite de terre et bien surveiller la cuisson. Je vais vous préparer le mélange et vous le faire parvenir par coursier.

Ma caressa sa barbe avec approbation.

– Très bonne idée, ma femme !

– Merci, dit Catherine, c'est très gentil de votre part.

– Merci beaucoup, monsieur Ma, renchérit le policier. J'ai autre chose à vous demander. vous n'auriez pas un ouvrage sur les triades et les sociétés secrètes chinoises ?

– Je vais voir…

Ma se leva et alla dans une pièce voisine, d'où il rapporta un gros volume.

– Oui, j'en ai un. Vous pouvez le garder, je ne suis plus libraire.

– Non, je vous le rapporterai. Vous m'évitez déjà d'aller à la bibliothèque municipale.

– Je suis content que mes livres poussiéreux puissent être utiles à quelqu'un, inspecteur principal Chen. Vous savez bien que je ferais tout pour vous, après…

– N'en parlez plus, Ma. Sinon je n'oserai plus revenir.

– Vous avez beaucoup de livres, monsieur Ma, remarqua Catherine. Et pas seulement des livres médicaux, à ce que je vois.

Cette conversation à mots couverts entre les deux hommes piquait sa curiosité.

– Vous comprenez, nous avions une librairie, autrefois. Mais grâce à la police criminelle de Shanghai, continua-t-il franchement sarcastique en tordant sa barbe entre ses doigts, nous sommes devenus herboristes.

– Oh, les affaires marchent bien, se hâta d'intervenir son épouse. Quelquefois cinquante patients par jour. De toutes les classes de la société. Nous n'avons pas à nous plaindre.

– Cinquante patients par jour! C'est énorme pour une herboristerie qui n'est pas couverte par l'assurance maladie. (Chen se tourna vers monsieur Ma.) Quelle sorte de patients voyez-vous?

– Oh, les gens viennent ici pour les raisons les plus diverses. Il y en a pour qui les hôpitaux d'État ne peuvent rien, et d'autres qui ne peuvent pas y aller. Ceux qui ont été blessés durant un règlement de comptes, par exemple. Un hôpital d'État les signalerait aussitôt à la police. Alors ils viennent ici. (Il leva les yeux vers Chen et sa voix se fit un peu défiante.) C'est votre travail d'attraper les criminels, inspecteur principal Chen, mais chez moi, ce sont des malades comme les autres et mon travail est de les soigner.

– Bien sûr, docteur Jivago!

– Ne m'appelez pas ainsi! (Il agita les mains comme pour chasser une mouche invisible.) *Celui qui a été mordu par un serpent a peur d'une corde enroulée.*

– Certains de ces patients doivent vous être reconnaissants.

– On ne peut pas savoir, avec eux… Mais c'est comme dans les romans de kung-fu, ils parlent toujours de payer leur dette, ajouta Ma en faisant rouler ses perles entre ses doigts. Et de nos jours, ils sont capables de tout, vous savez, ils ont le bras si long qu'ils peuvent toucher le ciel. Je suis bien obligé de faire ce que je peux pour eux, sinon je perdrais toute ma clientèle.

– Je comprends, camarade Ma, vous n'avez pas besoin de m'expliquer. Mais j'ai encore autre chose à vous demander.

– Tout ce que vous voudrez.

– Nous recherchons une femme, une femme enceinte venue du Fujian. Une triade de cette province, les Haches volantes, est peut-être également à sa recherche. Elle faisait partie des jeunes instruits de Shanghai, autrefois. Si par hasard vous entendez parler d'elle, faites-le moi savoir, s'il vous plaît.

– Les Haches volantes… Je ne crois pas avoir jamais eu affaire à aucun de ses membres. C'est le territoire de la Triade bleue, ici, vous savez. Mais je peux me renseigner.

– Votre collaboration nous serait très précieuse, docteur Ma. Où dois-je dire Jivago ?

Il se leva pour partir. Ma sourit.

– Dans ce cas, vous êtes le général, vous !

Catherine était de plus en plus intriguée par ce dialogue, particulièrement par la référence au docteur Jivago. Quand elle était petite, sa mère lui avait offert une boîte à musique qui jouait *La Chanson de Lara*. Depuis, cette tragique histoire d'un intellectuel honnête sous un régime totalitaire était l'un de ses romans préférés. L'URSS n'existait pratiquement plus, mais le régime chinois perdurait.

Il était presque six heures quand ils retournèrent à l'hôtel. Elle entendit Chen demander à Petit Zhou de partir.

– Ne m'attends pas, je reviendrai en taxi.

La femme de chambre avait préparé la chambre pour la nuit. Le couvre-lit était rabattu, la fenêtre fermée, les rideaux étaient tirés. À côté d'un cendrier de cristal sur la table de nuit était posé un paquet de cigarettes de tabac de Virginie, un luxe réservé à un hôte de marque.

– Merci beaucoup, inspecteur principal Chen, de tout ce que vous avez fait pour moi, dit-elle quand il l'aida à s'asseoir sur le sofa.

– N'en parlons plus. Comment vous sentez-vous ?

– Beaucoup mieux. Monsieur Ma est un bon médecin. (Elle

lui fit signe de s'asseoir sur le canapé.) Pourquoi l'avez-vous appelé docteur Jivago?

– Oh, c'est une longue histoire…

– Notre travail est fini pour aujourd'hui, n'est-ce pas? Alors racontez-la moi…

Il eut pitié d'elle et de son désarroi, seule à l'hôtel avec une entorse à la cheville et un yin et un yang en déséquilibre, dans une ville inconnue où, à part lui, elle n'avait personne à qui parler.

– D'accord. Mais alors vous vous installez confortablement.

Elle enleva ses chaussures, s'allongea sur le canapé, posa les pieds sur le coussin qu'il plaça au bout. Elle tira sur sa jupe et l'enroula décemment autour de ses mollets.

– Oh, j'ai oublié les recommandations de Ma! Laissez-moi jeter un coup d'œil à votre cheville.

– Elle va mieux.

– Il faut retirer l'onguent.

Quand la bande de gaze fut déroulée, la jeune femme fut étonnée de voir que sa cheville était tuméfiée.

– L'hématome ne se voyait pas, tout à l'heure.

– Cette pâte jaunâtre s'appelle du Huangzhizhi. Son rôle est de faire monter la blessure à la surface pour qu'elle guérisse plus vite.

Il alla chercher dans la salle de bains deux serviettes humides.

– L'onguent ne sert plus à rien. (Il s'agenouilla à côté du canapé pour retirer le reste de la pâte et lui sécher la cheville.) Ça fait mal?

– Non.

Elle secoua la tête et regarda Chen examiner l'hématome pour s'assurer qu'il ne restait pas d'onguent.

– Vous ne voulez pas boire quelque chose d'abord?

– Un verre de vin blanc ira très bien. Et vous?

– La même chose.

Il ouvrit le réfrigérateur, sortit une bouteille et revint avec deux verres.

Elle se souleva sur un coude et but lentement. Chen s'assit sur une chaise à côté du canapé et regarda son verre.

– Cela remonte au début des années soixante, commença-t-il. J'étais encore à l'école primaire à ce moment-là…

Au début des années soixante, Ma était propriétaire d'une petite librairie de livres d'occasion dont il s'occupait avec sa femme. Quand il était enfant, Chen allait y acheter des bandes dessinées. Les autorités de la ville avaient soudain déclaré la boutique « centre d'activités antisocialistes ». L'accusation reposait sur une édition anglaise du *Docteur Jivago*, trouvée dans ses rayons. Ma avait été jeté en prison, avec l'autorisation de n'emporter qu'un seul ouvrage, un dictionnaire médical. Vers la fin des années soixante, il avait été libéré et réhabilité. Le couple, maintenant âgé, ne voulut pas rouvrir sa librairie. Ma, qui pendant ses années de prison avait étudié la médecine, décida d'ouvrir une herboristerie. Sa demande de patente voyagea d'un guichet d'administration à un autre sans jamais aboutir. Chen était à l'époque un flic débutant et n'avait rien à voir avec le bureau de la Rectification des affaires erronées, mais il s'arrangea pour glisser un mot au secrétaire du Parti Li, et Ma reçut sa patente.

Plus tard, Chen parla par hasard à une journaliste du *Wenhui* du docteur Ma devenu par une ironie du sort médecin grâce à un roman. À sa surprise, elle écrivit sur le sujet un long article intitulé « À cause du *Docteur Jivago* », à la suite duquel la clientèle des Ma s'élargit considérablement.

– Ah, c'est pourquoi ils vous sont tous les deux si reconnaissants !

– Ce que j'ai fait est bien peu de chose par rapport à ce qu'ils ont subi.

– Vous vous sentez davantage responsable, maintenant que vous êtes inspecteur principal ?

– On se plaint beaucoup des dysfonctionnements de notre système, mais c'est important aussi de faire quelque chose pour des gens comme les Ma.

– Grâce à vos relations… (elle but une gorgée de vin) qui comprennent une journaliste du *Wenhui*.

– Qui comprenaient. Elle est au Japon, maintenant.

– Oh…

Le portable de Chen sonna.

– Allô ?… Vieux chasseur ?… Qu'est-ce qui se passe ? (Il écouta sans mot dire pendant quelques minutes.) Alors ce doit être important. Je vous rappelle plus tard, Oncle Yu ! (Il éteignit son portable.) C'était le Vieux chasseur, le père de l'inspecteur Yu.

– Son père travaille pour vous, lui aussi ?

– Non, il est à la retraite. Mais il m'aide pour une autre affaire. (Il se leva.) Il est temps que je parte.

Il ne pouvait pas rester plus longtemps. L'inspecteur Rohn n'était pas au courant de l'affaire du parc, et il n'avait pas l'intention de lui en parler. Ça ne la regardait pas.

Elle fit un mouvement pour se lever, mais il l'en empêcha en lui posant légèrement la main sur l'épaule.

– Reposez-vous, inspecteur Rohn. Il y a beaucoup de travail à faire demain. Bonne nuit.

Il ferma la porte derrière lui, et l'écho de ses pas diminua dans le couloir. Elle entendit l'ascenseur s'arrêter, puis amorcer lentement la descente.

Quelques doutes que pût entretenir l'inspecteur Rohn vis-à-vis de son coéquipier chinois et de son rôle dans une manigance quelconque, elle lui devait au moins d'avoir passé une bonne soirée.

11

Chen n'arriva pas à joindre le Vieux chasseur. Trop occupé à raconter l'histoire du docteur Jivago chinois à son auditoire américain d'une personne, il avait oublié de demander au vieil homme d'où il l'appelait. Il décida de rentrer chez lui à pied. Peut-être le téléphone sonnerait-il pendant qu'il était en chemin?

Son portable sonna effectivement au coin de la rue du Sichuan, mais c'était l'inspecteur Yu.

– C'est bien ce qu'on pensait, patron!

– Quoi?

Yu lui narra l'épisode de la tentative d'empoisonnement.

– Le gang a des antennes dans la police du Fujian.

– C'est bien possible... (Il n'ajouta pas son commentaire personnel: «Et si ce n'était que dans la police du Fujian!») Cette enquête est une opération conjointe avec la police de la province, mais tu n'es pas obligé de tout leur dire. Si tu veux faire quelque chose, tu le fais. Ne t'occupe pas de leur réaction, c'est moi le responsable de l'enquête et je te couvrirai.

– Très bien, inspecteur principal Chen.

– À partir de maintenant, ne me téléphone que chez moi ou sur mon portable. Envoie les fax chez moi. En cas d'urgence, essaie de joindre Petit Zhou. Et sois prudent.

– Faites attention, vous aussi.

La tentative d'empoisonnement le fit repenser à l'inspecteur Rohn. D'abord cette moto, et ensuite cet accident en descendant l'escalier. Et s'ils avaient été suivis? Il aurait été facile de saboter une marche de l'escalier pendant qu'ils parlaient avec Zhu. En temps normal, l'inspecteur principal Chen aurait considéré cette supposition comme tout droit sortie de *Liaozhai,* mais ils avaient affaire à une triade. Tout était possible. La triade pouvait avancer sur deux fronts, à Shanghai et au Fujian. Ses membres étaient plus ingénieux qu'il n'avait pensé. Et plus calculateurs. Les attentats, si attentats il y avait, étaient manigancés de façon à avoir l'air d'accidents, organisés de telle sorte qu'il n'y avait aucun moyen de remonter jusqu'aux coupables.

Il pensa à avertir l'inspecteur Rohn, puis se ravisa. Que lui dirait-il? L'omniprésence des gangsters ne contribuerait pas à

113

donner une image très positive de la Chine. Quelles que fussent les circonstances, il ne devait pas oublier qu'il travaillait dans l'intérêt de son pays. Il n'était pas souhaitable que l'Américaine se fasse une idée négative de la police chinoise ou de la Chine.

Il regarda sa montre : mieux valait téléphoner au secrétaire du Parti Li chez lui. Celui-ci l'invita à passer pour parler. Il habitait rue de Wuxing, dans un complexe résidentiel entouré de murs et réservé aux cadres de haut niveau. Le soldat qui montait la garde à l'entrée fit à Chen un raide salut militaire.

Le secrétaire du Parti Li l'attendait dans le vaste salon d'un appartement de trois chambres. La pièce était modestement meublée, mais on y aurait facilement logé en entier ce qui servait d'appartement à Lihua. Chen s'assit dans un fauteuil à côté d'un pot contenant d'exquises orchidées. Légèrement agitées par la brise venue de la fenêtre, elles donnaient à l'ensemble un cachet d'élégance distinguée. Sur le mur était accroché un long rouleau de soie sur lequel on pouvait lire deux vers en calligraphie *kai* :

Un vieux cheval se reposant à l'écurie
Aspire à galoper des milliers de kilomètres.

Citation tirée d'*En regardant la mer*, de Chao Cao, et subtile référence à la situation personnelle de Li. Avant le milieu des années quatre-vingt, le Parti autorisait ses cadres de haut rang à ne jamais partir à la retraite et à s'accrocher à leur position jusqu'à leurs derniers jours. Maintenant, les changements dans le système introduits par Deng Xiaoping les obligeaient eux aussi à quitter leur poste à l'âge de la retraite. Dans quelques années viendrait le tour de Li. Chen reconnut sous les vers le sceau rouge d'un calligraphe très connu, une seule de ses œuvres valait une fortune dans une vente internationale.

– Je vous prie de m'excuser de venir si tard, camarade secrétaire du Parti Li…

– Ça n'a pas d'importance. Je suis tout seul ce soir, mon épouse est chez notre fils.

– Votre fils a quitté votre appartement ?

Li avait un fils et une fille, tous deux âgés d'une bonne vingtaine d'années. Au début de l'année précédente, sa fille avait, en vertu du rang de son père, obtenu un des appartements réservés à la police. Un cadre de haut rang n'a-t-il pas droit à davantage d'espace dans lequel œuvrer pour l'intérêt de la nation ? Les gens avaient beau grogner derrière son dos, personne n'avait protesté lors de la réunion de la commission. Mais il était surprenant que son fils, qui venait juste de terminer ses études, ait aussi son propre appartement.

– Il a déménagé le mois dernier, mon épouse est partie l'aider à décorer, ce soir.

– Félicitations, secrétaire du Parti Li. C'est une grande occasion.

– Vous comprenez, son oncle a payé un acompte pour un petit appartement et l'a autorisé à s'y installer. Les réformes économiques ont apporté bien des changements dans notre ville.

– Certes !

Tel était le résultat de la réforme du logement. Pour compléter les attributions des différentes commissions, le gouvernement avait commencé à encourager les gens à acheter leur appartement. Mais peu d'entre eux pouvaient se permettre de payer de telles sommes. À part les nouveaux riches.

– Son oncle doit avoir bien réussi.

– Il possède un petit bar.

La précision rappela à Chen l'anecdote rapportée par le Vieux chasseur à propos de l'intouchable beau-frère de Li. La réussite de tous ces nouveaux riches n'était pas due à leur sens des affaires, mais à leur *guanxi*.

– Thé ou café ? proposa Li avec un sourire.

– Café.

– Je n'ai que de l'instantané.

Chen lui raconta la tentative d'intoxication alimentaire dont l'inspecteur Yu pensait avoir été victime.

– Ne soyez pas trop soupçonneux, camarade inspecteur

principal Chen. Il est possible que certains de nos collègues du Fujian ne voient pas d'un très bon œil la présence de l'inspecteur Yu. C'est compréhensible, le Fujian est leur domaine. Mais de là à les accuser de complicité avec une triade ! Vous ne disposez d'aucune preuve, inspecteur principal Chen.

– Je ne dis pas qu'ils sont tous complices, mais il en suffirait d'un pour faire beaucoup de dégâts.

– Calmez-vous, cessez donc de vous démener, camarade inspecteur principal Chen. Vous êtes surmenés, vous et Yu. Vous n'êtes pas en train de vous battre dans les monts Bagong en vous imaginant voir un soldat ennemi derrière chaque arbre et chaque buisson.

Li faisait allusion à une bataille ayant eu lieu pendant la dynastie des Jin, quand un général frappé de panique voyait dans tout ce qui l'entourait un ennemi à sa poursuite. Chen, lui, se demandait si ce n'était pas plutôt Li qui avait perdu de vue l'ennemi. Ce n'était pas le moment de se calmer. L'attitude de Li vis-à-vis de l'enquête semblait s'être un peu modifiée, et Chen le soupçonnait d'être allé plus loin que ne s'y était attendu le Parti. Il revint au sujet de sa collaboration avec l'inspecteur Rohn, principale préoccupation de Li.

– Les Américains poursuivent l'enquête parce que c'est leur intérêt, commenta Li. Il est donc normal que l'inspecteur Rohn se montre prête à coopérer. Du moment qu'ils sont persuadés que vous faisons notre possible, tout va bien. Inutile d'en faire plus.

– Inutile d'en faire plus ?

– Nous allons bien sûr essayer de retrouver Wen, mais ça risque d'être difficile dans le court laps de temps dont nous disposons. Ce n'est pas à nous de nous donner du mal à la place des Américains.

– C'est la première fois que je travaille sur une affaire internationale aussi sensible, secrétaire du Parti Li. Vous ne pourriez pas me donner des instructions plus précises ?

– Mais vous vous en sortez très bien ! Les Américains ne

peuvent pas ignorer que vous faites de votre mieux. C'est ce qui compte avant tout, vous savez bien, camarade inspecteur principal Chen.

– Merci, secrétaire du Parti Li.

Li avait l'habitude de préparer par des compliments les critiques qui allaient suivre.

– En tant que vieux cheval blanchi sous le harnais, j'aimerais toutefois vous faire quelques suggestions. Votre visite au Vieux Ma, par exemple, ne m'a pas semblé une démarche très judicieuse. Ma est un excellent docteur, ses capacités ne sont pas en cause et je n'ai pas oublié que vous l'avez aidé.

– Alors en quoi ma démarche n'a-t-elle pas été judicieuse, secrétaire du Parti Li?

Celui-ci fronça les sourcils.

– Les Ma ont quelque raison de se plaindre de notre système. Vous avez raconté à l'Américaine l'histoire de notre docteur Jivago chinois?

– Oui. Elle m'a posé la question.

– Vous comprenez, la Révolution culturelle a été une catastrophe nationale, un grand nombre de gens ont souffert. Ici nous le savons tous, mais pour une Américaine, ça peut être une révélation.

– Mais cette histoire s'est passée avant la Révolution culturelle.

– Eh bien, c'est comme lors d'une enquête. Le coupable peut ne pas être en train de commettre un délit, mais il reste tous ceux qu'il a commis auparavant.

Le reproche de Li surprit Chen, mais il n'était pas totalement absurde.

– Et je n'aime pas trop cet accident en sortant de chez Zhu. Ces vieilles maisons aux escaliers pourris… Heureusement, il ne s'est rien passé, sinon l'Américaine aurait pu soupçonner quelque chose d'autre. C'est pourquoi je tiens à insister sur la nécessité d'assurer un séjour plaisant et sans danger à l'inspecteur Rohn. Trouvez autre chose à faire, ce n'est pas la

117

première fois que vous escortez des Occidentaux. Une croisière sur le fleuve… un touriste ne peut pas manquer ça. Ni une visite à la vieille ville. J'ai l'intention de l'inviter à une représentation de l'Opéra de Pékin, je vous préviendrai dès que ce sera organisé.

En fait, même si le secrétaire du Parti ne le disait pas explicitement, il voulait que Chen abandonne son enquête. On lui avait confié cette mission pour qu'il fasse semblant d'enquêter, non pour qu'il obtienne des résultats. S'il voulait continuer à effectuer son travail, il faudrait que ce soit en solo.

Il essaya de se calmer en rentrant chez lui à pied, mais il était encore bouillant de rage en arrivant en vue de son immeuble. Il alluma, et la différence entre son banal appartement et celui dont il sortait lui sauta aux yeux. Ici, pas de délicieuses orchidées pour témoigner des goûts délicats du maître des lieux. Pas de rouleau de soie calligraphié par un célèbre érudit. *Une pièce est comme une femme, on ne peut pas en comparer deux.*

Il sortit la cassette, arrivée chez lui par courrier express, des interrogatoires menés par Yu dans le village de Changle. Les renseignements apportés par les voisins de Wen n'étaient pas vraiment nouveaux, mais sachant comment Feng s'était comporté pendant la Révolution culturelle, il était difficile de leur en vouloir de leur peu d'enthousiasme.

Chen pouvait jusqu'à un certain point concevoir l'isolement dans lequel s'était volontairement plongée Wen. Lors de ses débuts à la police criminelle, il s'était lui aussi écarté de ses amis d'antan. Ceux-ci avaient entamé des carrières universitaires ou d'interprètes au ministère des Affaires étrangères. Ni lui ni eux ne s'étaient attendus à ce qu'il se retrouve flic. Ironie du sort, c'était une des raisons pour lesquelles il était devenu traducteur et poète.

La bande se déroula lentement jusqu'à l'interrogatoire de Miao, la détentrice de l'unique téléphone privé du village. Elle expliqua que les villageois la payaient pour téléphoner à l'étranger et que les communications venant de l'étranger passaient aussi par chez elle.

« Quand quelqu'un téléphone de l'étranger, expliqua-t-elle, il peut y avoir une longue attente avant qu'un membre de la famille n'arrive. Comme les communications internationales sont très chères, certains émigrés téléphonent à heure fixe. Feng téléphonait toujours le mardi soir, vers vingt heures. Mais les deux ou trois dernières semaines, il téléphonait plus fréquemment. Une fois Wen n'était pas chez elle, et une autre fois elle a refusé de venir prendre la communication. Ils ne s'entendaient pas trop bien, vous savez. On ne peut pas le lui reprocher, avec un mari pareil ! Une fleur de printemps sur un tas de bouse, oui ! C'est surprenant qu'il téléphone toutes les semaines, ça m'étonnerait qu'il ait déjà gagné tant d'argent, ça ne fait que quelques mois qu'il est là-bas... »

Chen poussa le bouton, rembobina la bande, l'écouta de nouveau, l'arrêta, écrivit quelques mots dans son carnet, redémarra.

« Donc le mardi autour de vingt heures, Wen venait attendre près du téléphone. La dernière fois c'était une exception, je me souviens qu'il lui a téléphoné un vendredi. Il a dit que c'était urgent, alors j'ai été obligée de courir la chercher. Je ne sais rien de leur conversation mais elle m'a semblé bouleversée, après. Je ne peux pas vous dire grand-chose de plus, inspecteur Yu. »

La bande s'arrêta. Chen alluma une cigarette et essaya de se concentrer. En temps normal, lorsqu'on recherchait une personne disparue, il y avait plusieurs pistes possibles. Une fois celles-ci explorées, l'enquête arrivait à une impasse, à moins qu'on n'ait découvert un indice. Dans ce cas précis, quelques détails méritaient d'être examinés de plus près. Et en premier lieu, ce refus de Wen de venir prendre une coûteuse communication internationale. Même s'ils ne s'entendaient pas, ne souhaitait-elle pas malgré tout le rejoindre en Amérique ?

Il quitta ses chaussures, s'étendit sur le canapé et ouvrit le *Wenhui*. Un article décrivait comment médecins et infirmières acceptaient les «enveloppes rouges», des pots-de-vin que leur glissaient les patients. Peut-être était-ce une des raisons pour lesquelles les Ma avaient tant de clients. Les consultations à l'hôpital étaient payées par l'assurance, mais les sommes dans les «enveloppes rouges» pouvaient être exorbitantes. Selon les uns, c'était tout bonnement de la corruption, mais d'autres attribuaient cette habitude à la distribution par trop inégale de l'argent dans la société. Il repoussa le journal pour reposer quelques instants ses yeux et le sommeil l'emporta.

La sonnerie insistante du téléphone l'arracha à son rêve. C'était le Vieux chasseur.

– Pardon de vous téléphoner si tard, inspecteur principal Chen.

– Mais non, j'attendais votre appel. J'étais à l'hôtel avec l'inspecteur Rohn, tout à l'heure. S'il vous plaît, reprenez votre rapport dans le détail.

– Bon. Tout d'abord, le pyjama de la victime. Je vous en ai déjà parlé un peu. Pas d'étiquette mais il y a un motif finement tissé dans la soie, une sorte de V avec une ellipse. J'ai demandé à Tang Kaiyuan, un créateur de mode. Selon lui, le V représente Valentino, une marque étrangère très coûteuse. Aucun magasin n'en vend à Shanghai. Ce qui signifie que la victime était un homme riche. Peut-être venu d'une autre province. Ou de Hong Kong.

– Ça peut être une imitation bon marché.

– J'y ai pensé aussi, mais Tang Kaiyuan m'a répondu que c'était peu probable. Il n'a jamais vu d'imitations de pyjamas Valentino. Les imitations ici se fabriquent en grande quantité. Quel serait l'intérêt d'un ou deux exemplaires? Il y a un mois, au cours d'une descente dans un entrepôt, on a trouvé plus de trois cent mille tee-shirts de camelots avec le logo Polo. S'ils avaient atteint le marché, les véritables tee-shirts Polo, une marque chère aussi, seraient devenus invendables.

– Tang a raison.

– J'ai aussi vu le docteur Xia. C'est pourquoi je n'ai pas eu le temps de vous rappeler. Vous vous souvenez de la substance non identifiée trouvée dans le cadavre du parc ? En partant du fait que l'homme a eu des relations sexuelles peu de temps avant sa mort, le docteur s'est demandé si cette mystérieuse substance n'était pas un aphrodisiaque quelconque. Il a vérifié, et comme prévu, il a trouvé une drogue de ce genre, avec une structure moléculaire semblable. À l'époque de la publication de l'ouvrage qu'il a consulté, on ne pouvait la trouver qu'en Asie du Sud-Est, et à un prix exorbitant.

– La victime était donc en mesure de s'offrir un certain nombre de produits de luxe, comme ce pyjama ou cet aphro-disiaque. Pourtant, en apparence, j'ai le sentiment qu'il n'est pas l'un de ces nouveaux capitalistes.

– Je suis d'accord. Je continuerai mes recherches demain.

– Merci, Oncle Yu. Surtout pas un mot de votre découverte à quiconque de mon service.

– Je comprends, inspecteur principal Chen.

Il était presque minuit quand Chen raccrocha. Tout bien considéré, la journée ne s'était pas trop mal terminée, malgré son rêve interrompu.

Il ne lui restait en mémoire qu'un seul fragment de ce rêve : il se trouvait dans la Cité interdite, seul, et marchait sur un tapis craquant de feuilles dorées par l'automne en direction d'un très vieux pont enjambant des douves creusées pendant la dynastie des Qing.

Un poème de Zhang Bi, un poète de la dynastie des Tang, flotta dans sa mémoire.

Le rêve revient s'attarder au même endroit
La véranda qui borde la maison, la balustrade qui l'encercle
Rien de plus beau que la lune, brillant sur des pétales
Tombés sur le sol printanier pour le visiteur solitaire

Pour s'humecter le palais et chasser le rêve de son esprit, l'inspecteur principal Chen se prépara une tasse de café. Ce n'était pas le moment de se remémorer des poèmes. Il avait à réfléchir.

12

Le téléphone sonna avant le réveil. Catherine décrocha en se frottant les yeux. Elle reconnut au bout du fil la voix de son patron, claire, inchangée malgré les milliers de kilomètres les séparant.

– Excuse-moi de te réveiller, Catherine.

– Ce n'est pas grave.

– Comment ça se passe?

– Mal. La police du Fujian n'a pas avancé d'un pas. Ici à Shanghai on a interrogé toutes les personnes que Wen aurait pu joindre, mais ça ne nous a menés à rien.

– Tu connais la date du procès. Le service d'immigration nous harcèle.

– On ne pourrait pas le reculer?

– Tout le monde est contre, malheureusement.

– C'est encore la politique. Ici aussi, d'ailleurs. A-t-on des renseignements sur le gang qui a menacé Feng?

– Il n'en a plus entendu parler. On a suivi ta suggestion, on l'a laissé à la même place. Si Wen est entre leurs mains, ils lui enverront un message plus explicite.

– Les Chinois pensent que la triade la recherche mais ne l'a pas trouvée.

– Qu'est-ce que tu penses des Chinois?

– De la police criminelle de Shanghai ou de l'inspecteur principal Chen?

– Ben… les deux!

– La police prend bien soin de me traiter en hôte de marque. Je dois être reçue ce soir ou demain par le secrétaire du Parti Li. Quant à l'inspecteur principal Chen, je peux dire qu'il fait son travail très consciencieusement.

– Je suis heureux d'apprendre que tu es bien traitée et que

ton coéquipier est un homme correct. La CIA aimerait bien que tu rapportes quelques détails sur lui.

– Ils veulent que je l'espionne ?

– Ce n'est pas exactement le mot que j'emploierais, quand même ! Transmets-nous juste ce que tu sais de lui. Les affaires dont il est chargé, ce qu'il lit et écrit, ce genre de choses… La CIA a ses propres sources de renseignements, mais ils savent qu'ils peuvent se fier à toi.

Elle accepta, mais à contrecœur. Le téléphone sonna de nouveau et cette fois, c'était Chen.

– Comment allez-vous ce matin, inspecteur Rohn ?

– Beaucoup mieux.

– Et la cheville ?

– L'onguent a fait son effet, pas de problème ce matin.

Elle se frotta la cheville.

– Ouf ! Vous m'avez fait peur hier. Vous êtes suffisamment en forme pour un autre interrogatoire, aujourd'hui ?

– Bien sûr. Quand ?

– J'ai une réunion ce matin. Ça vous irait cet après-midi ?

– Tout à fait. Ça me permettra d'aller faire quelques recherches à la bibliothèque de la ville, ce matin.

– Sur les sociétés secrètes ?

– Tout juste.

Elle en profiterait aussi pour voir ce qu'elle pourrait glaner sur l'inspecteur principal Chen Cao. Et pas seulement pour la CIA.

– La bibliothèque est aussi rue de Nanjing. Un taxi vous y emmènera en moins de cinq minutes.

– Si c'est si près, j'irai à pied.

– Comme vous voulez. On pourrait se retrouver à midi dans un restaurant en face de la bibliothèque. Il y a juste à traverser la rue. Son nom est *Village du saule verdoyant*.

– À plus tard, alors !

Après une douche rapide, elle sortit de l'hôtel et suivit la rue de Nanjing, une artère entièrement commerciale. Non seulement chaque côté était bordé de boutiques, mais des rangées de petits vendeurs s'alignaient devant les magasins. Attirée par les vitrines, elle traversa et retraversa plusieurs fois la rue. Depuis son arrivée, elle n'était pas entrée dans un seul magasin.

Au coin de la rue de Zhejiang, elle résista à la tentation d'entrer dans un restaurant rouge vermillon, construit dans le style de l'ancienne architecture chinoise, avec des piliers sculptés soutenant un toit de céramique jaune. Refusant de se laisser attirer par les profonds saluts d'une serveuse en costume de la dynastie des Qing en faction devant la porte, elle acheta un gâteau de riz gluant à un des vendeurs installés sur le trottoir. Et elle le grignota en marchant, comme une vraie fille de Shanghai.

C'était une idée à la mode de déclarer que les Chinois étaient des capitalistes-nés qui ont tous la bosse des échanges et des affaires. Catherine interprétait plutôt l'activité commerciale débordante comme la libération d'énergie de tout un peuple qui, après tant d'années de dictature économique étatique, avait pour la première fois la possibilité de se prendre en charge.

On ne la regarda pas plus qu'on ne l'aurait fait dans les rues de Saint Louis, et il ne lui arriva rien de désagréable, mis à part devoir jouer des coudes pour entrer dans un grand magasin plein à craquer. Les incidents des deux derniers jours l'avaient troublée, mais peut-être devaient-ils être imputés à sa propre maladresse, résultant du décalage horaire. Elle se sentait bien reposée, ce matin.

Elle arriva bientôt devant la bibliothèque et donna, comme elle l'aurait fait à Saint Louis, des pièces de monnaie aux mendiants installés sur les marches.

En la voyant entrer, une employée s'approcha d'elle et lui parla en anglais. Catherine était à la recherche de documents sur deux sujets, les Haches volantes et Chen.

Il n'y avait pratiquement rien sur les triades, peut-être était-ce un sujet interdit dans la Chine moderne. En revanche, elle trouva plusieurs magazines renfermant poèmes et traductions de Chen. Et il avait aussi traduit plusieurs romans policiers dont elle avait lu quelques-uns en anglais. Le plus intéressant à ses yeux était la «préface du traducteur» au début de chaque roman. Construite à chaque fois de la même façon, elle commençait par quelques détails sur l'auteur, une brève analyse de l'histoire et l'incontournable conclusion alignant les habituels clichés politiques. *Étant donné les options idéologiques de l'auteur, il est inévitable que les valeurs décadentes de la société capitaliste apparaissent dans ce texte. Les lecteurs chinois doivent se tenir sur leurs gardes contre cette influence, etc.*

Absurde et hypocrite ! Cette hypocrisie expliquait peut-être la rapide ascension de Chen…

La bibliothécaire apporta un autre magazine.

– Il y a une interview récente de Chen Cao là-dedans.

Catherine trouva aussi une photographie de son coéquipier en complet noir et cravate sobre. Il avait tout à fait l'air d'un universitaire. Dans l'entretien, il s'appuyait sur l'exemple de T.S. Eliot pour défendre la position qu'on pouvait très bien écrire de la poésie sans être obligatoirement poète de métier. Il mentionnait Louis MacNeice, obligé de gagner sa vie en exerçant un autre métier. Il reconnaissait avoir été influencé par les œuvres de ces deux poètes et faisait allusion à un poème fort mélancolique, *Le Soleil sur le jardin*. Elle le trouva, le lut et en fit des photocopies. Les buts de la CIA étaient politiques, mais l'article de Chen pouvait les éclairer sur sa personnalité. La vie des deux poètes dont il parlait justifiait sa propre carrière. Elle rendit ensuite les documents à la bibliothécaire.

En sortant du bâtiment, elle vit Chen qui l'attendait devant le restaurant. En pantalon kaki et veste noire, il avait moins l'air d'un érudit que sur la photographie du magazine. Il traversa la moitié de la rue à sa rencontre, la rejoignit sur l'îlot central, et l'escorta dans le restaurant. Une hôtesse les conduisit à un salon privé du premier étage.

Catherine examina le menu bilingue, mais après en avoir lu quelques lignes, elle le tendit à Chen. Elle comprenait chacun des caractères, mais pas l'ensemble. Et la traduction, ou plutôt le mot à mot en anglais, ne l'aidait guère.

Un serveur apporta une bouilloire de cuivre à long bec et versa en un arc gracieux l'eau dans sa tasse. Au fond se trouvaient, outre les feuilles de thé vert, de minuscules fragments de plantes jaunes et rouges.

– Du thé des huit trésors, expliqua le policier, censé être bon pour renforcer l'énergie.

Elle l'écouta amusée discuter avec le serveur des spécialités de la maison. Il se tournait par moments vers elle, quêtant son approbation. Un compagnon on ne peut plus courtois, ce distingué représentant de la police de Shanghai.

– Le nom de ce restaurant vient d'un poème de la dynastie des Song, *Un foyer au plus profond des saules verdoyants*. J'ai oublié le nom de l'auteur.

– Mais pas celui du restaurant.

– C'est important, non? Comme dit Confucius, *Ne sois jamais trop difficile quand tu choisis ta nourriture*. C'est la première leçon, pour un sinologue.

– J'ai l'impression que vous êtes un habitué, ici.

– Je suis venu deux ou trois fois.

Il commanda de la soupe aux nids d'oiseaux des mers du Sud, des huîtres frites dans de la pâte épicée, un canard farci avec un mélange de riz gluant, de dattes et de graines de lotus, un poisson cuit vivant à la vapeur avec du gingembre frais, des ciboules et du piment sec, et enfin une spécialité dont elle ne comprit pas le nom.

Une fois que le serveur se fut retiré, elle le regarda.

– Je me demandais…

– Oui?

– Non, rien, ça n'a pas d'importance…

L'apparition des plats froids sur la table fournit une excuse pour ne pas continuer. En fait, elle aurait bien aimé savoir comment il avait fait pour devenir un tel fin gourmet. Un inspecteur de police chinois ordinaire n'aurait pu se permettre ce luxe. «Me voilà en train de faire le travail de la CIA!»

– Je me demandais, reprit-elle, si nos interrogatoires vont

nous mener quelque part. Wen semble s'être complètement coupée de son passé, je la vois mal revenant à Shanghai après tant d'années.

– On commence juste l'enquête. Pendant ce temps, Qian, mon assistant, questionne les hôtels et comités de voisinage… (Il prit un morceau de poulet entre ses baguettes.) On va peut-être apprendre quelque chose d'ici peu.

– Vous croyez que Wen aurait pu s'offrir une chambre d'hôtel?

– Non, vous avez raison, inspecteur Rohn. Feng n'a pas envoyé un sou à son épouse qui n'a même pas de compte en banque. C'est pourquoi j'ai demandé au Vieux chasseur d'enquêter aussi dans les hôtels bon marché, sans patente.

– Je croyais qu'il travaillait sur une autre affaire?

– C'est exact, mais je lui ai demandé de nous aider également pour celle-ci.

– Vous avez avancé, pour l'autre affaire?

– Pas beaucoup non plus. C'est un cadavre trouvé dans le parc du Bund. Le Vieux chasseur vient seulement d'identifier la marque de son pyjama, grâce à un V tissé dans la soie.

– Hmm, un Valentino. Dans l'affaire qui nous concerne, il y a un point qui me paraît troublant: autant que je sache, Wen n'a pas fait le moindre effort pour joindre son mari. Ça n'a pas de sens, Feng voulait qu'elle se cache momentanément. Elle connaît la date du procès; si elle ne peut pas le joindre directement, elle aurait dû appeler notre police. Chaque jour qui passe rend plus improbable sa réunion avec Feng avant l'ouverture du procès. Ça fait quand même sept jours qu'elle a disparu!

– C'est vrai. La situation est peut-être bien plus compliquée que nous ne l'avions imaginé.

– Que peut-on faire?

– Cet après-midi on va interroger Su Shengyi, un autre camarade d'école.

– L'admirateur secret de l'école secondaire. Un garde rouge, maintenant complètement fauché, c'est ça?

127

Elle ne pouvait s'empêcher d'avoir des soupçons, ça semblait une telle perte de temps.

– C'est ça. On n'oublie jamais son premier amour, il se peut qu'il sache quelque chose.

– Et après ça, quoi ? Je reste à l'hôtel et je joue mon rôle d'invitée de marque, je fais les magasins, je visite la ville et je déguste en votre compagnie ces merveilleux repas, c'est ça ?

– J'en parlerai au secrétaire du Parti Li.

– Encore une réponse directe ?

– À la vôtre !

Il leva sa tasse de thé et Catherine l'imita.

– À la vôtre !

Un minuscule fruit sec, une petite baie chinoise, monta à la surface de son thé. Son coéquipier accueillait avec calme ses sarcasmes, alors comment pouvait-elle l'influencer ? Et puis, c'était amusant de trinquer avec du thé.

Un autre plat arriva, bouillant dans une marmite de terre. C'était très différent d'une spécialité de restaurant chinois aux États-Unis. Sa sauce crémeuse avait un goût de bouillon de poulet mais la viande, un peu gélatineuse, n'avait aucun rapport avec de la chair de poulet.

– Qu'est-ce que c'est ?

– De la tortue d'eau à carapace molle.

– J'ai bien fait de ne pas demander avant ! (Elle aperçut un éclair d'amusement dans ses yeux.) Ce n'est pas mauvais.

– Pas mauvais ? C'est le plat le plus cher du menu !

– La tortue d'eau n'est-elle pas en Chine un aphrodisiaque réputé ?

– Ça dépend !

Il se servit une large portion.

– Voyons, inspecteur principal Chen ! dit-elle d'un air faussement scandalisé.

– Le plat du jour, annonça le serveur en déposant sur la table un saladier blanc contenant, semblait-il, de gros escargots plongés dans un jus brunâtre, et un saladier en verre rempli d'eau.

Chen plongea deux doigts dans le saladier en verre, les essuya à sa serviette et pêcha une des coquilles. Elle le regarda aspirer bruyamment la chair du mollusque.

– C'est délicieux. Des coquillages en spirale de rivière. Souvent traduit par «escargot d'eau douce». Ça se mange comme les escargots.

– Je n'ai jamais mangé d'escargot.

– C'est vrai ?

Il s'empara d'un pique de bambou, attrapa la chair d'un escargot et lui offrit. Elle aurait dû refuser, mais elle se pencha en avant pour qu'il puisse le lui mettre dans la bouche. Le goût était plaisant mais elle fut un peu gênée. Ce flic chinois devenait inquiétant, il semblait se prendre pour un séducteur.

– C'est meilleur si vous aspirez l'escargot à même la coquille.

Ce qu'elle fit. La chair sortit avec le jus, et comme il l'avait dit, c'était bien meilleur.

Quand l'addition arriva, elle voulut la payer, ou tout au moins sa part. Il refusa.

– Je ne peux pas laisser la police criminelle de Shanghai tout payer, protesta-t-elle.

– Ne vous en faites pas pour ça. (Il chiffonna le reçu.) Ne puis-je inviter à déjeuner ma séduisante coéquipière américaine ?

Les compliments venaient facilement à cet homme. C'était sa nature… ou bien avait-il des ordres ?

Il lui retirait sa chaise pour qu'elle se lève quand son portable sonna. Il l'écouta et son visage devint grave.

– J'y vais.

– Que se passe-t-il ?

– Il va falloir modifier nos projets. C'était Qian Jun, il appelait du bureau. L'avis de recherche que nous avons fait diffuser semble mener à une piste. Une femme enceinte a été signalée dans le comté de Qingpu, une banlieue de Shanghai. Elle travaille dans un restaurant. Elle semble venir du sud du pays, elle a un fort accent de cette région.

– Ça pourrait être Wen?

– Si elle est montée dans un train pour Shanghai, il est possible qu'elle ait changé d'avis et soit descendue là-bas, c'est à une ou deux gares de celle de Shanghai. Elle ne voulait peut-être pas causer d'ennuis à sa famille. Et elle a trouvé un emploi au lieu de s'installer à l'hôtel.

– Ça semble cohérent.

– Je vais dans le Qingpu. Les chances que ce soit elle sont minimes, il y a des milliers de gens qui viennent chercher du travail en ville, même dans la banlieue. Ça peut très bien être une fausse piste. Vous avez certainement un tas de choses plus intéressantes à faire ici, inspecteur Rohn.

– J'aimerais bien avoir des choses plus intéressantes à faire! (Elle posa ses baguettes.) Allons-y!

– Je vais au service prendre un véhicule. Ça vous dérange de m'attendre ici?

– Pas du tout.

Elle se posait quand même des questions. Faisait-il exprès de ne pas la laisser passer avec lui au bureau? Elle aurait aimé lui faire confiance…

Elle fut étonnée de voir Chen s'arrêter au volant d'une Shanghai de taille moyenne.

– C'est vous qui conduisez, aujourd'hui?

– Petit Zhou n'est pas de service. Et les autres chauffeurs sont occupés.

– Un cadre de haut rang comme vous? (Elle monta à côté de lui.) Je pensais que vous aviez toujours un chauffeur à votre disposition.

– Je ne suis pas un cadre de haut rang. Mais merci pour le compliment.

13

Chen avait caché à Catherine la véritable raison de sa décision de conduire lui-même. Il avait confiance en Petit Zhou, mais n'importe qui pourrait facilement connaître ses déplacements en se renseignant auprès des chauffeurs. Il avait donc pris le véhicule sans avertir quiconque.

C'était un long trajet jusqu'au comté de Qingpu, mais un petit vent agréable soufflait par les fenêtres. Comme par un accord tacite, ils évitèrent tous deux de parler boutique. Catherine regarda défiler le paysage, puis posa quelques questions sur les programmes d'échange linguistique des universités chinoises.

– Les établissements tels que Fudan, l'École normale de l'Est ou l'Institut des langues étrangères de Shanghai peuvent offrir des postes d'assistants à des étudiants en Études chinoises dont la langue maternelle est l'anglais. De préférence à ceux qui possèdent également des diplômes d'anglais.

– J'ai deux diplômes, dont l'un est l'anglais.

– Ces programmes d'échange ne sont pas très généreusement rémunérés. Correctement, par rapport au niveau de vie des Chinois, mais vous ne pourriez pas vous offrir l'*Hôtel de la Paix*.

– Je peux me passer d'hôtel de luxe. (Elle repoussa une mèche de cheveux lui retombant sur le front.) Ne vous en faites pas, inspecteur principal Chen, je vous demande ça par pure curiosité.

Bientôt le décor changea, devint plus rural. Des plantations de riz, des cultures vivrières avec ici et là quelques maisons neuves peintes de couleurs vives. Avec le «Enrichissez-vous!» prôné par Deng Xiaoping, de petites exploitations paysannes prospères poussaient comme des champignons.

– Tiens, du Qicai! Le printemps n'est pas en avance, par ici! s'exclama Chen en passant devant un champ verdoyant.

– Quoi?

– Du Quicai, ou «bourse de berger». J'ignore pourquoi on lui a donné ce nom, mais c'est délicieux.

– Intéressant, ça. Vous êtes botaniste, en plus?

– Pas du tout. Mais j'ai une fois essayé de traduire un poème de la dynastie des Song, dans lequel le poète savoure le goût délicieux de cette plante, d'abord sur la langue de sa maîtresse puis ensuite sur la sienne.

– Quel dommage de ne pas avoir le temps de nous arrêter pour en cueillir.

Vers quatorze heures, ils arrivèrent. C'était une pauvre gargote de marché villageois dont la porte était maintenue entrouverte par un banc de bois. À cette heure de la journée, il n'y avait aucun client. Chen appela.

– Il y a quelqu'un?

Une femme sortit de la cuisine à l'arrière et s'essuya les mains à un tablier graisseux.

Elle avait un visage mince, avec des yeux profondément enfoncés et des pommettes hautes. Ses cheveux striés de mèches grises étaient attachés en un chignon serré sur la nuque. Elle ne devait pas être très loin des quarante ans, et son ventre était nettement arrondi. Elle ne ressemblait en rien à la photographie du passeport. Chen lut dans les yeux de Catherine une déception égale à la sienne. Il tendit machinalement sa carte à la femme.

– Nous avons quelques questions à vous poser.

– Moi? Mais je n'ai rien fait de mal!

– Dans ce cas, vous n'avez pas à vous inquiéter. Quel est votre nom?

– Qiao Guozhen.

– Vous avez une pièce d'identité?

– La voici.

Chen l'examina méticuleusement. Elle avait été délivrée dans la province du Guangxi, et la photo était bien celle de la femme devant lui.

– Votre famille est encore là-bas?

– Oui, mon mari et mes deux filles sont là-bas.

– Comment se fait-il que vous soyez seule ici, alors que vous êtes enceinte? Ils doivent se faire du souci pour vous.

– Non, ils savent que je suis ici.

– Vous avez des problèmes de famille?

– Non, pas du tout.

– Vous ne croyez pas que vous feriez mieux de tout me dire? Vous risquez de gros ennuis sinon, bluffa-t-il.

En fait, ça ne le regardait pas vraiment, mais devant l'inspecteur Rohn, il se sentait obligé d'agir.

– Ne me renvoyez pas chez moi, camarade inspecteur principal, ils m'obligeraient à avorter!

Catherine parla pour la première fois.

– Quoi? Qui vous fera ça?

– Les cadres du village. Ils ont un quota limité de naissances à remplir.

– Allons, dites-nous tout, on ne vous causera pas d'ennuis.

Le regard de l'inspecteur principal Chen alla d'une femme à l'autre, l'une sanglotante et l'autre visiblement bouillante de colère. Et lui, il était entre elles deux, comme un idiot.

– Que s'est-il passé, camarade Qiao?

– Eh bien… Vous comprenez, on a déjà deux filles. Mon mari tient à avoir un garçon. Et je suis de nouveau enceinte. Nous avons payé une lourde amende à la naissance de notre seconde fille, et le comité de village a dit que cette fois une amende ne suffisait pas et qu'il fallait que j'avorte. Alors je me suis enfuie.

Catherine ne perdait pas une syllabe de la conversation.

– Mais pourquoi venir si loin?

– Mon mari voulait que j'aille chez sa cousine, mais elle a quitté la région. Heureusement, j'ai rencontré madame Yang, la propriétaire de ce restaurant, qui m'a embauchée.

– Alors vous travaillez en échange de votre pension?

– Elle me donne aussi deux cents yuans par mois. Et il y a des pourboires. (Elle posa la main sur son ventre.) Mais bientôt je ne pourrai plus servir aux tables, alors il faut que je gagne un maximum. Je vais mettre mon bébé au monde ici, et quand mon fils aura un ou deux mois, je retournerai chez moi.

– Et que feront les cadres du village?

– Une fois que le bébé est né, ils ne peuvent pas faire grand-chose. Une autre lourde amende, sans doute. Ce n'est pas ça qui nous tracasse. (Elle se tourna vers Chen.) Vous n'allez pas m'obliger à retourner chez moi? le supplia-t-elle d'une voix tremblante.

– Non. C'est une affaire entre vous et les cadres de votre village. Je n'ai rien à y voir. Je trouve seulement que ce n'est pas une bonne idée pour une femme enceinte d'être si loin de chez elle.

– Vous avez une meilleure suggestion? demanda Catherine d'un ton lourd de sarcasme.

Un homme entra dans le restaurant. En apercevant l'inspecteur principal et sa coéquipière, il tourna les talons et sortit sans un mot.

– Vous avez ma carte, camarade Qiao. (Chen se leva.) Si vous avez besoin d'aide, faites-le moi savoir.

Ils sortirent en silence. La tension entre eux ne diminua pas lorsqu'ils remontèrent en voiture. Chen fit grincer le démarreur en mettant le moteur en marche. L'air à l'intérieur du véhicule était chaud et moite.

« C'est une honte que les cadres du village aient exercé une telle pression sur Qiao Guozhen, et encore pire que l'inspecteur Rohn soit témoin de cette histoire. »

Il avait déjà entendu parler plusieurs fois de ces femmes enceintes qui disparaissaient dans la nature en attendant leur accouchement. Ce n'en était pas moins fort désagréable de l'entendre raconter directement.

Et évidemment, sa coéquipière pensait aux violations des droits de l'homme dont la Chine était si souvent accusée. La main de Chen effleura accidentellement le klaxon.

– Les cadres de son village ont certes exagéré, dit-il enfin, mais essayez de comprendre… Le gouvernement est bien obligé de limiter les naissances.

– Quels que soient les problèmes que rencontre un gouvernement, il n'empêche qu'une femme doit avoir le droit de décider d'avoir son bébé. Et chez elle.

– Vous ne pouvez pas imaginer combien cette question est épineuse, inspecteur Rohn. Prenez la famille de Qiao, ils ont déjà deux filles et vont continuer à en avoir jusqu'à ce qu'ils aient enfin un fils. Perpétuer le nom de la famille est ce qui compte le plus aux yeux de ces gens, vous l'avez sûrement appris au cours de vos études.

– C'est leur droit.

– Vous ne croyez pas que ça dépend du contexte ?

Le secrétaire du Parti Li l'avait averti : inutile de se donner trop de mal pour les Américains. Et maintenant voilà qu'une Américaine se mêlait de lui faire la morale !

– Notre pays ne dispose pas de tellement de terre arable. Moins de quatre-vingt-dix millions d'hectares, pour être précis. Vous croyez que dans une pauvre province comme le Guangxi, de simples fermiers comme les Qiao peuvent se permettre d'élever correctement cinq ou six gosses ?

– Ce sont les chiffres donnés par le *Quotidien du Peuple*.

– Ce sont les faits. Si vous étiez un Chinois ordinaire, vivant dans ce pays depuis plus de trente ans, vous verriez les choses d'un autre œil.

– C'est-à-dire ?

Pour la première fois depuis qu'ils étaient remontés en voiture, elle se tourna vers lui.

– Vous auriez vécu certaines choses. Trois générations vivant sous un seul toit, dans une seule pièce… des autobus bourrés à craquer de passagers entassés comme des sardines… des couples récemment mariés obligés de dormir dans leur bureau en signe de protestation contre les diktats de la Commission du logement… Prenez l'inspecteur Yu, il n'a même pas de logement à lui, la pièce où il vit avec sa famille était la salle à manger du Vieux chasseur. À neuf ans, Qinqin, son fils, dort toujours dans la même pièce que ses parents. Pourquoi ? À cause de la surpopulation. Nous manquons de logements, et même d'espace pour tout ce monde. Comment un gouvernement pourrait-il ne rien faire pour tenter d'y remédier ?

135

– Ça ne change rien au fait que l'être humain a des droits imprescriptibles.

– Le droit au bonheur, par exemple ?

L'irritation le gagnait.

– Justement, oui ! Si vous ne reconnaissez pas ce droit, inutile de continuer à discuter.

– Qu'en est-il alors de l'immigration clandestine ? Chaque être humain n'a-t-il pas le droit, d'après votre Constitution, de tenter d'améliorer sa condition ? Votre pays devrait accueillir à bras ouverts tous les immigrants. Dans ce cas, pourquoi cette enquête ? Pourquoi les gens en sont-ils réduits à payer pour entrer clandestinement dans votre pays ?

– Mais c'est différent ! L'être humain a aussi besoin d'ordre et de lois universellement reconnues.

– C'est exactement ce que je veux dire ! Les principes absolus n'existent pas, ils changent au gré des circonstances. Il y a deux ou trois siècles, chez vous, personne ne se plaignait de l'immigration clandestine.

– Depuis quand êtes-vous historien ?

– Je ne suis pas historien, répliqua-t-il en maîtrisant sa colère.

Il tourna sur une route bordée de bâtiments industriels.

– Mais vous aimeriez bien l'être, le porte-parole adulé du *Quotidien du Peuple*, rétorqua-t-elle, sarcastique. Mais vous ne pouvez nier les faits : de malheureuses femmes se voient refuser le droit d'avoir un bébé.

– Je ne dis pas que les cadres du village ne sont pas allés trop loin. Mais la Chine est bien obligée de faire quelque chose pour lutter contre la surpopulation.

– Cette brillante défense de la politique de votre pays ne me surprend pas. Un inspecteur principal de la police criminelle de Shanghai est bien obligé de s'identifier au système.

– Peut-être est-ce vrai, marmonna-t-il sombrement. Je ne peux pas m'en empêcher, de même que vous ne pouvez pas vous empêcher de porter sur la situation un regard influencé par l'idéologie de votre pays.

– Comme vous voudrez ! Et j'ai assez entendu de sermons politiques pour aujourd'hui !

Les yeux bleus de la jeune femme étaient profonds comme la mer, insondables, hostiles, et Chen en fut attristé. Catherine Rohn était séduisante, en dépit de ses a priori.

Deux vers d'un poète anonyme de la dynastie des Han de l'ouest lui vinrent à l'esprit.

Le cheval tartare s'ébroue au vent du nord
Au vent du sud, l'oiseau de Yueh fait son nid.

À lieux différents, priorités différentes. Peut-être le secrétaire du Parti avait-il raison, inutile de se donner tant de mal pour cette enquête.

14

Un malheur n'arrive jamais seul. Un bonheur non plus d'ailleurs.

Le téléphone de l'inspecteur principal Chen sonna.

– Où êtes-vous, inspecteur principal Chen ?

– Sur la route. Je reviens de Qingpu.

– Vous êtes seul ?

– Non, avec Catherine Rohn.

– Comment va-t-elle ?

– Beaucoup mieux. Votre onguent est miraculeux. Merci, docteur Ma.

– Je vous appelle au sujet des renseignements que vous vouliez, hier.

– Continuez, monsieur Ma.

– J'ai un homme pour vous. Il peut savoir quelque chose sur ce que vous cherchiez.

– Qui est-ce ?

– J'ai quelque chose à vous demander, inspecteur principal Chen…

– Oui?

– Si vous obtenez ce que vous voulez, ça n'ira pas plus loin, pour lui?

– Je vous en donne ma parole. Et je ne mentionnerai pas votre nom.

– Je ne suis pas un mouchard et fournir des renseignements au gouvernement est contraire à mes principes, expliqua gravement Ma. Il s'appelle Gu Haiguang, c'est un monsieur Gros Sous, il est propriétaire du club de karaoké *Dynastie*, rue de Shanxi. Il a des accointances dans les triades, mais je ne pense pas qu'il en soit lui-même membre. Dans son métier, il est obligé d'être en bons termes avec ceux de la voie sombre.

– Vous vous êtes donné bien du mal pour moi, je vous en suis très reconnaissant, monsieur Ma.

Il éteignit son téléphone. Il ne tenait pas à répéter immédiatement à Catherine ce qu'il venait d'apprendre, mais elle avait forcément entendu au moins une partie de la conversation.

– Vous ne voulez pas qu'on s'arrête un peu ici, inspecteur Rohn. Je meurs de soif.

– Je n'ai rien contre un jus de fruit.

Il s'arrêta devant un petit magasin et acheta des boissons, ainsi qu'un sachet de petits beignets. Au moment où il entrait dans le magasin, un véhicule passa lentement, s'arrêta, et alla se garer en marche arrière sur le parking.

– Servez-vous…

Il tendit à Catherine le sachet de petits beignets recouverts de ciboules hachées. Elle ne prit que la boisson.

– C'était monsieur Ma. Il a demandé de vos nouvelles.

– C'est très gentil de sa part, je vous ai entendu le remercier une ou deux fois.

– Il y avait autre chose : il a trouvé quelqu'un qui est en relation avec un gang et veut bien nous parler.

– Un membre des Haches volantes?

– Non, sans doute pas. Mais ça pourrait être intéressant de lui parler, si vous n'êtes plus fâchée.

138

– Bien sûr qu'il faut l'interroger. C'est notre travail, non ?

– Vous avez tout à fait raison, inspecteur Rohn. Je vous en prie, mangez quelques beignets. Je ne sais pas combien de temps va durer l'entretien. Après je vous offrirai un meilleur repas, digne d'une invitée de marque.

– Voilà que vous recommencez !

Elle prit un beignet à l'aide d'une des petites serviettes en papier.

– Et s'il vous plaît, inspecteur Rohn, quoi que vous m'entendiez dire durant notre conversation, n'en tirez pas de conclusions hâtives.

– Qu'est-ce que ça signifie ?

– Tout d'abord, le tuyau vient de monsieur Ma et je ne veux surtout pas lui attirer d'ennuis.

– Je comprends, vous voulez protéger vos sources, c'est tout à fait normal. (Elle mit le beignet dans sa bouche.) Et j'ai une dette envers monsieur Ma. Qui est cet homme mystérieux que nous allons voir ? Et quel sera mon rôle ?

– C'est le propriétaire du club de karaoké *Dynastie*. Un endroit à la mode chez les jeunes. Vous n'aurez pas besoin de faire quoi que ce soit, détendez-vous et amusez-vous, en bonne touriste américaine.

Ils reprirent la route. Chen surveillait son rétroviseur. Une demi-heure plus tard, ils arrivèrent au croisement de la rue de Shanxi et de la rue de Julu. Il tourna brusquement à droite et s'arrêta devant la grille entrouverte d'une vieille maison entourée de murs. Un panneau vertical annonçait *Union des écrivains de Shanghai*. Le portier le reconnut et vint ouvrir grand la grille.

– Vous nous amenez une invitée américaine, camarade inspecteur principal Chen ?

– Oui, pour une brève visite…

Elle le regarda avec étonnement, mais ne dit rien. Il suivit l'allée et se gara à côté d'un autre véhicule.

– Vous voulez d'abord me montrer l'Union des écrivains ?

– Il n'y a pas d'endroit pour se garer près du *Dynastie*. On va laisser la voiture ici et prendre un raccourci par derrière. Juste une ou deux minutes à pied.

Chen avait d'autres raisons pour laisser son véhicule à cet endroit. Il ne voulait pas garer la voiture de service, repérable à sa plaque minéralogique, devant le club. Et surtout, il ne pouvait se débarrasser de l'impression d'être suivi. Surprenant, pourtant, qu'une bande du Fujian puisse se montrer si efficace si loin de son territoire. Il avait attentivement surveillé son rétroviseur en conduisant, mais dans une circulation aussi dense, il était difficile de repérer qui que ce soit.

Il conduisit Catherine dans un couloir menant à une porte à l'arrière du bâtiment, et ils se retrouvèrent face à l'immeuble de cinq étages abritant le club de karaoké *Dynastie*. Ils entrèrent dans une vaste salle dont le sol de marbre brillait comme un miroir. À une extrémité se dressait une scène où jouait un orchestre, sous un gigantesque écran passant des vidéo-clips avec les paroles des chansons s'inscrivant en sous-titres.

Une trentaine de tables étaient occupées par des clients installés devant leurs consommations, tandis que d'autres dansaient sur la piste. À l'autre extrémité de la salle, un escalier de marbre montait vers le premier étage.

Un jeune homme en tee-shirt blanc et jeans noirs apparut sur la scène et fit signe à l'orchestre. Celui-ci commença à jouer un air de jazz adapté d'un opéra de Pékin moderne, *La Prise de la montagne du tigre*. Cette œuvre, extrêmement populaire au début des années soixante-dix, racontait l'exploit d'un petit détachement de soldats de l'Armée populaire chinoise combattant les troupes nationalistes. Chen n'avait jamais imaginé qu'une mélodie sur des soldats de l'Armée populaire chinoise aux prises, en pleine tempête de neige, avec des tigres et des malfrats, puisse si facilement être adaptée pour la danse.

Les mots du président Mao me réchauffent le cœur
En apportant le printemps qui fera fondre la neige.

Combien de fois avait-il entendu ce refrain au cinéma, avec ses camarades de classe ? Pendant une fraction de seconde le passé et le présent se mélangèrent en un kaléidoscope d'images… couples de danseurs sur leur trente et un… soldats en uniforme défilant comme des pantins en folie devant ses yeux… jeunes gens à la page exécutant des pas exotiques et compliqués. Puis un gros homme mal rasé s'avança au milieu de la piste et claqua des doigts, sous les cris enthousiastes des spectateurs. Il ressemblait trait pour trait au camarade Yang Zirong, vedette de l'Opéra de Pékin lors de sa création.

Chen appela une jeune hôtesse en robe de velours violet. Elle s'approcha et s'inclina.

– Puis-je vous aider?

– Nous voulons un salon particulier. Le meilleur.

– Certainement. Il n'en reste qu'un de libre.

Elle les conduisit à l'étage, le long d'un couloir bordé de salons particuliers, et les fit entrer dans une pièce richement décorée, avec une télévision à écran plat incorporée dans la cloison. À côté se trouvaient une chaîne stéréo haut de gamme, et plusieurs haut-parleurs. Une télécommande et deux micros étaient posés sur une table basse en marbre, devant un sofa à coussins de cuir noir.

L'hôtesse leur présenta un menu.

– Une corbeille de fruits. Un thé vert pour madame et un café noir pour moi. (Il se tourna vers Catherine.) On ne mange pas mal ici, mais nous irons plutôt dîner à l'*Hôtel du fleuve Jing*, c'est un cinq étoiles.

– Comme vous voudrez.

Elle était intriguée. Comment savait-il ce que valait la nourriture ici, s'il venait pour la première fois?

Le décor de la pièce était adapté à un lieu de rendez-vous galant. Un bouquet d'œillets trempait dans un vase de cristal posé sur une petite table. Une épaisse moquette recouvrait le sol, un placard en verre accroché au mur renfermait du cognac Napoléon et du Mao Tai. Un variateur permettait de moduler l'intensité de l'éclairage, et les murs tapissés de papier à fleurs étaient isolés. Une fois la porte refermée, aucun bruit extérieur n'était audible. Pourtant les salons voisins étaient tous occupés par des chanteurs de karaoké.

«Pas étonnant que les affaires marchent, même à deux cents yuans l'heure», pensa Chen. Et ce n'était pas l'heure de pointe; de sept heures du soir à deux heures du matin, le tarif horaire pouvait, selon le Vieux chasseur, atteindre cinq cents yuans.

L'hôtesse leur apporta une autre liste que celle des plats: celle des chansons, aux titres chinois et anglais. En face de chaque titre se trouvait un numéro.

– Choisissez la chanson que vous voulez, Catherine. Il suffit d'appuyer sur le numéro correspondant de la télécommande et de chanter les paroles qui apparaissent sur l'écran.

– Je ne savais pas le karaoké si populaire ici.

Cette distraction avait été importée du Japon au milieu des années quatre-vingt. À l'origine, il n'y en avait que dans les grands restaurants. Puis, flairant la bonne affaire, certains patrons de restaurants avaient transformé leur établissement en salle de karaoké. Les salons particuliers étaient ensuite devenus à la mode, et les grandes salles avaient été divisées en petites pièces. Bientôt, le karaoké lui-même cessa d'être leur unique attrait: les hôtels exigeant des pièces d'identité et des certificats de mariage, les salons de karaoké, avec leurs portes fermant à clef, répondaient à un besoin inavoué mais bien réel, dans cette ville souffrant d'une crise du logement aiguë. Point besoin de se sentir gêné, on ne faisait que chanter, après tout.

Puis les filles de karaoké, surnommées «filles K», firent leur apparition. En principe, elles n'étaient là que pour chanter avec un client venu seul. On peut imaginer ce qui se passait, une fois la clef tournée dans la serrure.

Cet après midi-là, Chen n'aperçut pas une seule fille K. Peut-être n'était-ce pas l'heure, à moins que ce ne soit parce qu'il était déjà avec quelqu'un. Quoi qu'il en soit, il s'abstint d'expliquer tout ça à l'inspecteur Rohn.

– Qui est votre patron? demanda-t-il à l'hôtesse quand elle revint avec leur commande.

– Le directeur Gu.

– Dites-lui de venir me voir.

La fille le regarda avec surprise.

– Qu'est-ce que je dois lui dire exactement?

Chen jeta un coup d'œil à Catherine.

– J'aimerais discuter d'une proposition d'affaire à l'échelle internationale.

Un homme d'âge moyen les rejoignit presque aussitôt. Lunettes à montures noires, ventre de buveur de bière, et diamant au doigt. Il tendit sa carte à Chen.

– Gu Haiguang.

Chen lui tendit la sienne à son tour. Gu sursauta mais se reprit immédiatement et fit signe à l'hôtesse de quitter la pièce.

– Je suis ici pour faire votre connaissance, directeur Gu. Voici mon amie Catherine à qui je désirais montrer le meilleur club de karaoké de la ville. Nous pouvons faire beaucoup l'un pour l'autre, directeur Gu. Comme dit le proverbe: *La montagne est haute, et la rivière est longue.*

– Certes, l'avenir offre de nombreuses possibilités. Je suis immensément honoré de faire votre connaissance, ainsi que celle de votre charmante amie américaine. Vous ne m'êtes pas inconnu, inspecteur principal Chen, votre nom a souvent été mentionné dans la presse. Votre honorable présence illumine notre humble établissement. C'est une joie pour nous de vous offrir un moment de détente.

Le temps passé au *Dynastie* ne représenterait pas une mince somme. Deux heures dans un salon particulier, plus la nourriture et les boissons, l'addition s'élèverait facilement à un mois de salaire. Les clients devaient être des nouveaux riches, ou bien des officiels dépensant l'argent de l'État.

– Vous êtes réellement très aimable, mais là n'est pas la raison pour laquelle je désire faire votre connaissance.

– Le sergent Cai, qui patrouille dans le secteur, est un de nos habitués.

Chen avait entendu dire que les flics acceptaient des

pots-de-vin sous forme d'accès gratuit dans les clubs. Après tout, un flic a le droit de chanter, lui aussi… Mais un des inconvénients des pots-de-vin est qu'ils font facilement boule de neige.

– En tant qu'inspecteur principal, mon intention est de faire du bon travail… (Il fit une pause, but lentement une gorgée de café.) Mais sans assistance, cela s'avère souvent difficile…

– Il en est de même dans notre métier, camarade inspecteur principal Chen. Comme dit notre proverbe, *Chez soi on dépend de ses parents et au dehors on compte sur ses amis.* Je suis réellement content de faire votre connaissance aujourd'hui. Votre appui nous sera précieux.

– Maintenant que nous avons fait connaissance, j'aimerais vous poser quelques questions.

– Je dirai avec plaisir tout ce que je sais, inspecteur principal Chen.

– Avez-vous été contacté par une bande appelée les Haches volantes?

Le regard de Gu s'aiguisa.

– Les Haches volantes? Oh non, inspecteur principal Chen. Je suis un homme d'affaires honnête, moi. Mais évidemment, un club de karaoké a des clients appartenant à tous les milieux. Des membres des sociétés secrètes viennent parfois ici, comme n'importe quel client, chanter, danser, passer un bon moment.

– C'est vrai, votre établissement est équipé d'un grand nombre de salons privés, et il offre certainement des services personnalisés. (Il remua son café d'un air songeur.) Vous êtes un homme intelligent, directeur Gu. Nous pouvons parler franchement, tout ce que vous me direz sous le sceau de l'amitié restera entre nous.

Gu essayait de gagner du temps.

– Je suis très honoré que vous me considériez comme un ami… ma gratitude est immense…

– Laissez-moi vous expliquer quelque chose, directeur Gu. Lu Tonghao, le propriétaire du *Faubourg de Moscou* est un de mes vieux copains. Quand il a ouvert son établissement, j'ai été en mesure de l'aider à obtenir l'emprunt dont il avait besoin.

– Le *Faubourg de Moscou*! Ah oui, j'y suis allé. Pour réussir dans la société moderne, on est obligé de compter sur ses amis, n'est-ce pas? Particulièrement des amis comme vous. Je ne m'étonne plus que son restaurant rencontre un tel succès.

L'inspecteur principal Chen savait bien que l'inspecteur Rohn écoutait leur conversation avec la plus grande attention. Il continua.

– Lu emploie une équipe de filles russes en minijupes. Personne ne lui crée le moindre ennui. Il est si facile d'avoir des problèmes, comme vous le savez, dans un restaurant ou un club de karaoké.

– Certes. Heureusement, nous n'en avons pas ici, répondit lentement Gu... sauf pour le parking à l'arrière de l'établissement.

– Le parking?

– Il y a un terrain vide, derrière notre immeuble, et pour nous c'est une bénédiction. C'est si commode pour nos clients de s'y garer! Or les employés du bureau de Régulation de la circulation métropolitaine sont venus à plusieurs reprises signaler que le stationnement n'est pas autorisé à cet endroit.

– Si c'est une question d'autorisation de stationnement, je peux leur téléphoner. Peut-être savez-vous que l'an dernier je me suis trouvé diriger par intérim le bureau de Régulation de la circulation métropolitaine.

– C'est vrai, inspecteur principal Chen?

– Maintenant, à propos de ce gang... il vient du Fujian. (Chen posa sa tasse et regarda Gu dans les yeux.) Ça ne vous rappelle vraiment rien?

– Une triade du Fujian... je ne vois pas. Mais je me souviens de quelque chose... Quelqu'un est venu me voir hier, non pas du Fujian, mais de Hong Kong. Un certain monsieur Diao. Il m'a demandé si je n'avais pas récemment embauché une employée venue du Fujian, une femme de trente-cinq ans, enceinte de trois ou quatre mois. Comme si je risquais de faire ça! La plupart des jeunes femmes qui travaillent ici ont moins

145

de vingt-cinq ans, et nous avons plus de candidates de plaisante apparence que nous n'en pouvons embaucher. Alors une femme de trente-cinq ans, enceinte qui plus est !

– Monsieur Diao vous a-t-il décrit la femme qu'il recherche ?

– Laissez-moi réfléchir… Pas particulièrement jolie, les joues creuses, le visage marqué, les yeux tristes, une paysanne du Fujian, quoi !

– Vous êtes certain que monsieur Diao n'est pas un gangster ?

– Je ne crois pas. Il aurait précisé son rang et l'organisation à laquelle il appartenait. D'ailleurs il ne serait pas venu me voir s'il avait été un gangster, ajouta-t-il un peu tardivement.

– Mais votre club n'est pas un endroit où trouver une femme comme celle qu'il cherche. Pourquoi s'est-il adressé à vous ?

– Je l'ignore… Peut-être était-il désespéré et essayait-il au hasard, comme une mouche qui cherche la sortie.

– Savez-vous où il réside ?

– Il n'a laissé ni adresse ni numéro de téléphone. Il a dit qu'il repasserait sans doute.

– S'il le fait, pourriez-vous savoir où il loge et m'en informer ? Mon numéro de portable est au dos de ma carte. N'importe quand.

– Je le ferai, inspecteur principal Chen. Y a-t-il autre chose ?

– Oui, il y a autre chose…

Le directeur Gu semblait plein de bonne volonté, maintenant qu'il avait un espoir pour son parking, et Chen décida de tenter le coup.

– Il y a quelques jours, on a découvert un cadavre dans le parc du Bund, continua-t-il. Probablement un meurtre de triade, le corps avait été frappé de plusieurs coups de hache. Vous n'en auriez pas entendu parler ?

– Je crois que j'ai lu quelque chose à ce sujet dans le *Journal du soir de Xinming*.

– Nous pensons que la victime a été assassinée dans une chambre d'hôtel, ou bien dans un établissement comme le vôtre.

– Vous plaisantez, camarade inspecteur principal Chen !

– Je ne dis pas que c'est arrivé ici, directeur Gu. Je n'accuse personne. Mais vous êtes un homme bien informé et vous fréquentez le bon milieu. Le *Dynastie* est le meilleur club de karaoké de la ville. (Il lui tapota l'épaule.) Certains établissements restent ouverts toute la nuit… Tout le monde ne dirige pas comme vous un établissement convenable. La victime était en pyjama et venait d'avoir des relations sexuelles. Vous voyez, je ne vous cache aucun détail. Sous le sceau du secret, bien entendu.

– Je suis flatté de votre confiance, inspecteur principal Chen. Je ferai de mon mieux pour découvrir ce que je peux.

– Merci infiniment, directeur Gu. Comme on dit, *Certains ne peuvent jamais comprendre, même quand ils ont des cheveux blancs. Et d'autres comprennent à l'instant où ils quittent leur chapeau.*

Chen se leva.

– Je suis très heureux d'avoir fait votre connaissance, directeur Gu. Il faut que je parte, maintenant. Mon addition, je vous prie.

– Voyons, inspecteur principal Chen ! Si vous me considérez comme votre ami, ne parlez pas de payer ! Je ne pourrais supporter de perdre la face de cette façon !

– Allons, inspecteur principal Chen, protesta Catherine, vous ne pouvez faire ça à votre ami !

– Voici deux cartes de membre du club *Dynastie*, une pour vous et une pour votre charmante amie américaine. Il faudra revenir.

– Certainement, répondit Catherine avec son plus chaleureux sourire.

Elle prit le bras de Chen avant de sortir. Un message soigneusement calculé et destiné à Gu : l'inspecteur principal Chen a ses petites faiblesses. Elle ne le lâcha que lorsqu'ils se furent fondus dans la foule et ils ne se parlèrent pas avant d'être remontés en voiture. Les Haches volantes cherchaient Wen non seulement dans le Fujian mais partout et désespérément, « comme une mouche qui cherche la sortie ».

Mais si le 24 avril Wen n'avait pas été retrouvée, la triade aurait gagné.

15

Ils étaient en vue de l'hôtel quand il se souvint :

– Oh, et ce dîner que je vous ai promis ! J'ai complètement oublié, inspecteur Rohn.

– Il est à peine cinq heures, je n'ai pas encore faim.

– Si on allait au *Deda* ? C'est tout près de votre hôtel. On pourra parler…

Le *Deda* était un restaurant d'un étage, situé au coin de la rue de Nankin et de la rue du Sichuan. Sa façade de style européen contrastait fortement avec le Marché central, juste à côté.

– Durant la Révolution culturelle, il s'appelait le *Restaurant des ouvriers, des paysans et des soldats,* expliqua Chen. Il a repris son nom d'origine, *Deda,* qui veut dire « Grand Allemand ».

Au rez-de-chaussée, un grand nombre de jeunes clients fumaient, bavardaient, remuaient désirs et souvenirs en même temps que leur café. Chen mena la jeune femme au premier étage où l'on servait à manger. Ils choisirent une table près de la fenêtre ouvrant sur la rue de Nankin. Catherine Rohn commanda un verre de vin blanc, et Chen un café avec une part de tarte au citron. Sur la recommandation de son compagnon, elle demanda aussi la spécialité du *Deda,* un gâteau à la crème de marrons.

– Vous avez toujours une idée derrière la tête, inspecteur principal Chen. Au *Dynastie,* vous étiez aussi à l'aise qu'un poisson dans les eaux fangeuses de la triade.

– Il y a une chose que nous ne pouvons nous permettre de gaspiller, c'est le temps. Alors j'ai essayé une approche différente.

– Votre numéro était impressionnant. Protestations d'amitié… échange de services…

– Je vais vous avouer un secret: un de mes genres littéraires favoris est le roman de kung-fu.

– C'est comme les westerns, on sait que c'est complètement irréel mais on les regarde avec plaisir.

– On pourrait dire que le milieu des triades modernes est une mauvaise copie de celui, plus extrême, des romans de kung-fu. Il y a bien sûr des différences, mais ils affichent les mêmes valeurs. En premier lieu le *yi qui*, un code éthique de fraternité, de loyauté et d'obligation de rendre tout service accepté. Mais le concept n'est pas forcément négatif. Mon père était un érudit confucéen, et je n'ai pas oublié une des maximes qu'il m'a enseignées: *Si quelqu'un t'aide en te donnant une goutte d'eau, tu dois le lui rendre en lui creusant un puits.*

– Vous avez bien étudié la manœuvre, observa-t-elle en buvant une petite gorgée de vin.

– Gu est un homme d'affaires avisé. Son *yi qui* ne vient pas de nulle part, s'il peut tirer un profit, il sera plus susceptible de coopérer. Il ne risque pas grand-chose à parler un peu, dans un salon privé, à un inspecteur principal. Je n'en demande pas plus.

– Oh, Gu en sait davantage qu'il ne le dit, je pense. Monsieur Diao, son visiteur de Hong Kong, peut ne pas avoir laissé de numéro de téléphone, mais Gu sait où le trouver. Cela dépend de l'importance qu'il attache à son parking.

– Vous avez raison! J'en toucherai deux mots à mon ex-secrétaire au service de Régulation de la circulation métropolitaine.

– Son visiteur pourrait faire partie des Haches volantes. Celles-ci pourraient avoir une filiale à Hong Kong.

– À notre connaissance, ce n'est pas le cas. Et un accent du Fujian serait difficile à cacher. En outre, je ne vois pas pourquoi il aurait voulu dissimuler son identité à Gu.

– Pourquoi ça, inspecteur principal Chen?

– C'est une règle des gangs: *Déclarer la porte menant à la montagne.* Quand on a affaire à des non-membres, on doit annoncer son appartenance à une triade et son rang.

149

– C'est effectivement un argument. Mais s'il n'est pas un membre des Haches volantes, que peut-il être ?

– Je n'ai pas de réponse.

– Vous avez mentionné devant Gu votre autre affaire, celle du cadavre mutilé à coups de hache. Vous pensez qu'il puisse y avoir un rapport entre cet assassinat et la disparition de Wen ?

– C'est sans doute une coïncidence. Beaucoup de gangs se servent de haches.

– Les triades n'utilisent pas d'armes à feu ?

– Quelques-unes. Mais dans les combats entre gangs, ils préfèrent les couteaux et les haches. La possession d'armes à feu est sévèrement réglementée en Chine.

– Exact. Votre gouvernement a refusé ma demande de permis de port d'armes.

Le serveur s'approcha avec une table roulante chargée de desserts.

– Dans la tradition des romans de kung-fu, reprit Chen dès qu'il se fut éloigné, on doit s'excuser par un banquet. Ceci est loin d'être un banquet, mais je vous présente sincèrement mes excuses.

– De quoi vous excusez-vous ?

– Inspecteur Rohn, je veux que vous sachiez que je regrette de m'être mis en colère à Qingpu. Je n'aurais pas dû défendre la politique de limitation des naissances de mon gouvernement en attaquant les mesures prises par les États-Unis contre l'immigration clandestine. Je n'avais pas l'intention de vous offenser.

– Oublions ça, vous vous êtes trop vigoureusement défendu et moi je suis allée trop loin. On a eu tort tous les deux.

En fait, sa méfiance envers lui avait diminué, depuis cette querelle. S'il avait perdu son sang-froid, c'est qu'il ne jouait pas la comédie.

– Et vous avez vraiment fait du bon travail avec Gu cet après-midi. Ça peut faire avancer l'enquête.

– Sans votre entorse, on ne serait pas allés voir monsieur

Ma, et on n'aurait pas su, pour Gu. C'est vraiment le hasard, un enchaînement de coïncidences.

– Et si monsieur Ma n'avait pas autrefois eu un exemplaire en anglais du *Docteur Jivago* dans ses rayons, et n'était pas, à cause de ce livre, devenu docteur, ou même avant, si vous n'étiez pas entré dans sa librairie pour des bandes dessinées… on peut remonter loin comme ça !

Malgré leur réconciliation, elle ne l'invita pas à l'accompagner à l'hôtel. Ils se serrèrent la main devant le café, debout sur le trottoir encombré de bicyclettes en stationnement interdit. Il resta quelques instants à la regarder traverser la rue du Sichuan, toujours aussi embouteillée. Son sac noir en bandoulière, ses cheveux longs effleurant ses épaules, la mince silhouette émergea du flot de vélos, paraissant bien loin déjà. Pas d'incident, cette fois. Il poussa un soupir de soulagement.

Il téléphona à Meiling, au service de Régulation de la circulation métropolitaine.

– Que se passe-t-il, directeur Chen ?

– Ne m'appelez pas comme ça, Meiling, je n'ai été directeur que par intérim, quand le directeur Wei était hospitalisé.

Le directeur Wei avait repris ses fonctions, mais sa santé restait précaire, et des rumeurs couraient selon lesquelles Chen allait bientôt le remplacer. Une proposition à laquelle il avait l'intention de résister de toutes ses forces.

– Pour moi vous restez le patron ! Que puis-je faire pour vous, aujourd'hui ?

– Il y a rue de Shanxi un club de karaoké appelé le *Dynastie*. Votre service a protesté auprès du propriétaire qui utilise comme parking un terrain situé derrière. Si c'est un cas limite on ne pourrait pas fermer les yeux ?

– Pas de problème, si c'est ce que vous voulez.

– Ce n'est pas urgent. Ce que je veux, c'est qu'avant de faire quoi que ce soit, vous appeliez Gu pour lui dire que je vous ai parlé de son cas et que le service étudie la question. Ne promettez pas une autorisation immédiate ni quoi que ce soit.

– Je vois… Je demanderai au directeur Wei de lui téléphoner. Il a une très haute opinion de vous.

– Non, ne vous donnez pas ce mal, Meiling. Si vous pouvez lui téléphoner demain matin, ce sera amplement suffisant.

– Je m'en occuperai dès mon arrivée. Monsieur Gu aura ce que vous déciderez qu'il ait.

– Autre chose… J'aurais besoin de l'aide du Vieux chasseur pendant quelques jours. Je travaille sur une affaire importante, et je suis obligé d'avoir recours aux personnes à qui je peux me fier. Comme vous et le Vieux chasseur.

– Vous me faites plaisir en m'associant à lui, directeur Chen. En tant que conseiller, rien ne l'oblige à venir au rapport tous les jours. Il a tout à fait le droit de travailler seul sur le terrain pendant une semaine. J'avertirai le directeur Wei.

– Merci Meiling, je vous dois une fière chandelle. Quand cette affaire sera terminée, je vous emmènerai passer une soirée karaoké au club *Dynastie*, j'ai une carte de membre.

– Ça ne presse pas, camarade directeur Chen. Et prenez garde à vous.

Chen téléphona ensuite au Vieux chasseur.

– J'ai encore un service à vous demander, Oncle Yu. J'ai besoin de faire étroitement surveiller le club de karaoké *Dynastie*, rue de Shanxi. Le nom du propriétaire est Gu Haiguang. Mettez-le sur écoute vingt-quatre heures sur vingt-quatre. Enquêtez sur son passé. Mais essayez de faire tout ça sans que le service le sache.

– Vous avez raison d'être prudent, inspecteur principal Chen, on ne sait jamais quelles relations peut avoir un monsieur Gros Sous. C'est un travail qui convient parfaitement à un vieux chasseur, j'ai encore le nez fin et de bonnes oreilles. Mais qu'est-ce que je fais pour le service de Régulation de la circulation ?

– J'ai parlé à Meiling. Vous n'êtes pas obligé de vous y présenter la semaine prochaine.

– Parfait. Alors je vais prendre position devant le club toute la journée et envoyer quelqu'un à l'intérieur comme client…

non, attendez, j'ai une meilleure idée, je vais y entrer moi-même, il y a pas mal de personnes de mon âge qui vont écouter de vieilles chansons. Je n'ai pas besoin d'un salon privé ou quoi que ce soit, moi ! Et je vais demander à mon vieux copain Yang Guozhuang de bricoler la ligne téléphonique. C'est un flic à la retraite, comme moi, il a longtemps été en poste au Tibet. C'est moi qui l'ai aidé à obtenir un permis de résidence pour revenir en ville. En tant que « droitier », comme on disait, il a vraiment beaucoup souffert pendant les Cent Fleurs. Et vous savez pourquoi ? Pour une simple phrase notée dans son journal.

– Merci beaucoup, Oncle Yu. (Chen savait qu'il valait mieux interrompre le vieil homme, sinon il allait avoir droit à une longue digression sur les souffrances de Yang durant les mouvements « anti-droitiers ».) Une dernière chose... Si vous avez besoin d'un salon privé prenez-en un. Ne vous inquiétez pas pour la dépense, j'ai un fonds spécial.

– Gu est en rapport avec les sociétés secrètes ?

– Certainement. Il faudra faire bien attention, Oncle Yu...

– Ça concerne le cadavre du parc ou bien l'autre affaire ?

– Les deux, peut-être, répondit Chen avant de raccrocher.

Le téléphone sonna de nouveau. Cette fois, c'était le secrétaire du Parti Li.

16

Catherine retourna seule à son hôtel. Une fois dans sa chambre, elle quitta ses chaussures et se massa quelques instants la cheville, puis elle regarda l'épais dossier posé sur le bureau. Elle voulait discuter avec Chen de la nouvelle orientation à donner à leur enquête, après cette visite au club *Dynastie*. Ce visiteur venu de Hong Kong était éminemment suspect.

Elle désirait aussi montrer à son coéquipier qu'elle ne partageait pas les préjugés occidentaux, et que malgré leurs divergences sur certains points, ils poursuivaient le même but. Les rapports sur les avortements forcés n'avaient hélas rien de nouveau pour elle. Et Chen était un flic chinois, obligé de défendre le système.

Wen avait probablement quitté le Fujian. Les Haches volantes avaient dû arriver à la même conclusion. À quoi ce travail avec Chen à Shanghai pouvait-il aboutir ? Il avait évoqué la tradition du *yi qui* à propos de Gu. « Espérons que cette nouvelle approche nous mène quelque part… Et vite ! »

Elle commença à noter quelques mots sur un bloc-notes, puis les biffa. Le fax gazouilla et se mit à cracher du papier. Un message de Washington. Le dossier s'intitulait :

INFORMATIONS SUR CHEN, TRANSMISES PAR LA CIA

L'inspecteur principal Chen est un cadre du Parti à l'avenir prometteur, largement considéré comme le successeur potentiel dans la police criminelle de Shanghai du commissaire Zhao ou du secrétaire du Parti Li. On dit qu'il était l'an dernier en tête de liste pour le poste de délégué à la Propagande pour la ville de Shanghai. Il a aussi été directeur par intérim du service de Régulation de la circulation métropolitaine et a pris part au Séminaire de l'Institut du Parti central. Sa présence à cette manifestation est considérée comme le signe infaillible d'une prochaine promotion à l'intérieur du Parti.

Sur le plan professionnel, Chen a été récemment chargé de plusieurs affaires à résonance politique, entre autres l'enquête sur la mort d'une « héroïne rouge » l'an dernier. Et il y a peu de temps, d'une affaire impliquant le vice-maire de Pékin.

Chen Cao est titulaire d'un diplôme de littérature anglaise obtenu à la fin des années soixante-dix mais a été affecté, pour une raison inconnue, à la police. Son nom figure sur la liste, établie par l'Agence de presse américaine, des écrivains devant être invités aux États-Unis.

Âgé d'environ trente-cinq ans, il est célibataire. Un appartement dans un quartier central lui a été attribué. Comme tous les cadres dans sa position, il reste très discret sur sa vie personnelle. Le bruit court que le père de sa (son ex-?) petite amie est un membre influent du Bureau politique.

Catherine rangea le fax et se prépara une tasse de café. Un homme difficile à cerner, ce Chen. La phrase sur une liaison avec la fille d'un membre du Bureau politique l'intriguait. Une fille de cadre supérieur… Elle avait lu des articles sur ces jeunes gens issus de familles puissantes, enviés, riches, corrompus. Chen et cette femme se voyaient-ils encore ? Quelle sorte d'épouse serait pour lui cette enfant gâtée ? Et s'il épousait une ECS[1], ferait-il lui aussi parti de cette caste ?

Elle se morigéna intérieurement : l'inspecteur principal Chen n'était que son coéquipier, avec qui elle travaillerait le temps de son séjour à Shanghai. Et sa vie était l'affaire de la CIA, pas la sienne. Les renseignements sur lui ne l'intéressaient pas, en revanche il lui fallait un indice sur l'endroit où se trouvait Wen. Et ça, elle ne l'avait pas.

La sonnerie du téléphone l'arracha à ses pensées. C'était Chen, sur fond sonore de bruyante circulation.

– Où êtes-vous, inspecteur principal Chen ?

– Je rentre chez moi. Le secrétaire du Parti Li vient de me téléphoner pour nous inviter à une représentation de l'Opéra de Pékin, ce soir.

– Il veut parler de l'affaire Wen avec moi ?

– Je n'en sais rien. Cette invitation est avant tout une preuve de l'attention que le service porte à cette affaire et une marque de considération envers notre distinguée invitée américaine.

– Ça ne suffit pas de vous avoir chargé de travailler avec moi ?

– En Chine, une invitation de Li donne de la face.

– Donne de la face ? Je n'ai entendu parler que de perdre la face…

– Si vous êtes une personnalité, vous pouvez donner de la face à quelqu'un par un geste amical.

– Je vois… Comme votre visite à Gu. Donc je n'ai pas le choix d'accepter ou non ?

---

1. ECS : Enfant de cadre supérieur.

– Si vous refusez son invitation, le secrétaire du Parti Li perdra la face, ainsi que tout le service, moi compris.

– Oh non! S'il y a quelqu'un à qui je ne veux absolument pas faire perdre la face, c'est vous! (Elle rit.) Comment s'habille-t-on pour une représentation de l'Opéra de Pékin?

– Ce n'est pas comme un opéra occidental, on n'est pas obligé de s'habiller élégamment. Mais si vous le faites...

– Je donne encore plus de la face.

– Vous avez tout compris! Vous voulez que je passe vous prendre à l'hôtel?

– Où a lieu la représentation?

– Pas très loin de votre hôtel. À l'Auditorium national de la ville. Au coin des rues de Fuzhou et de Henan.

– Ce n'est pas la peine de passer me chercher, je viendrai en taxi. À plus tard alors!

– Oh... À propos... Je n'ai pas mentionné devant Li notre visite de cette après-midi.

Cette dernière phrase était un avertissement: sur le *Dynastie*, motus et bouche cousue devant Li.

Elle commença à s'habiller et sortit son tailleur-pantalon, mais après une journée si bien remplie et surtout après cette querelle à Qingpu, elle avait envie d'avoir l'air féminine, et choisit finalement une robe décolletée noire.

En arrivant devant l'Auditorium national, elle lut la surprise dans les yeux de Chen, avant d'apercevoir à côté de lui le secrétaire du Parti Li. Un homme replet d'une soixantaine d'années, au visage ridé, avec des valises sous les yeux. Ils furent introduits dans un élégant salon de réception, aux murs ornés d'un grand nombre de photographies représentant des officiels de haut rang serrant la main de personnalités étrangères ou du monde du spectacle.

– Au nom du service de la Police criminelle de Shanghai, permettez-moi de vous souhaiter la bienvenue, inspecteur Rohn, déclara Li d'un raide ton officiel qui contrastait avec son visage souriant.

– Je vous remercie infiniment, monsieur le secrétaire du Parti Li. C'est un grand honneur pour moi de faire votre connaissance.

– C'est la première fois que nos deux pays travaillent ensemble sur une affaire d'immigration clandestine. C'est un cas absolument prioritaire aux yeux de notre service, de notre Parti et de notre gouvernement.

– J'apprécie la collaboration de la police criminelle de Shanghai, bien que jusqu'alors, nous n'ayons guère avancé.

– Ne vous inquiétez pas, inspecteur Rohn. Nous faisons l'impossible, aussi bien ici que dans le Fujian. Vous ramènerez Wen Liping à temps aux États-Unis. (Il changea brusquement de sujet.) J'ai entendu dire que c'est votre première visite à Shanghai. Que pensez-vous de notre ville ?

– Splendide… Shanghai est une ville encore plus magnifique que je ne l'imaginais.

– Et votre hôtel ?

– Merveilleux. L'inspecteur principal Chen leur a dit de me traiter en hôte de marque.

Li opina vigoureusement du chef.

– Mais c'est tout à fait normal, voyons ! Et que pensez-vous de votre coéquipier chinois ?

– Je ne pourrais souhaiter collègue plus efficace.

– Oui, il est notre meilleur inspecteur. Et un poète romantique jusqu'à la moelle. C'est pourquoi nous l'avons chargé de travailler avec vous.

– Je l'appelle aussi poète romantique, plaisanta-t-elle, mais il se qualifie lui-même de poète moderniste.

Li s'adressa à Chen.

– Vous voyez bien, l'inspecteur Rohn est de mon avis, le modernisme n'est pas la bonne voie. Soyez romantique, romantique et révolutionnaire, inspecteur principal Chen.

– Romantique… romantique et révolutionnaire, secrétaire du Parti Li ? Le président Mao n'a-t-il pas utilisé cette expression en 1944 à la conférence de Yen'an ?

Il était clair que le secrétaire du Parti Li ne connaissait pas grand-chose à la terminologie littéraire. Chen paraissait s'adresser amicalement, presque familièrement, à son patron. Était-ce à cause de ses appuis à l'intérieur du Parti?

On les conduisit à des places réservées, elle s'assit entre les deux hommes. Un orchestre composé d'instruments de musique traditionnels commença à jouer, et les spectateurs applaudirent frénétiquement.

– Pourquoi applaudissent-ils maintenant?

– L'Opéra de Pékin est un art aux multiples facettes, expliqua Chen, il comprend du chant, du mime, des arts martiaux, de la musique. Un virtuose d'un instrument chinois traditionnel comme le *erhu* peut faire une énorme différence. Les spectateurs applaudissent la musique, et...

– Mais non, ce n'est pas du tout ça, interrompit Li. Notre inspecteur principal sait tout sur la littérature, mais pas sur l'Opéra de Pékin. Une célèbre actrice va faire son entrée en scène, alors on l'applaudit d'avance, c'est la coutume.

– C'est vrai, notre secrétaire du Parti est un expert sur l'Opéra de Pékin. Moi je n'en sais que ce que j'ai lu dans le guide touristique.

Au lever de rideau, des cymbales précédèrent les voix chantantes des acteurs et des actrices. Le thème du spectacle était un épisode du *Serpent blanc*, l'histoire romanesque de la métamorphose de l'esprit du serpent blanc en femme amoureuse. Le serpent blanc fait appel aux soldats-tortues, aux guerriers-crabes, aux chevaliers-poissons, et à tous les autres animaux de la rivière, mais malgré son combat héroïque pour libérer son amant retenu prisonnier par un moine hostile dans le temple de la montagne d'or, la femme amoureuse est finalement vaincue.

Catherine prit beaucoup de plaisir à cette représentation, avec ses spectaculaires numéros d'arts martiaux, ses costumes scintillants, et sa musique traditionnelle. Nul besoin de comprendre les mots pour apprécier. La dame serpent blanc exécuta une série de sauts périlleux sur la scène.

– C'est pour symboliser l'intensité intérieure et extérieure du personnage, expliqua Chen. Les bannières dans ses mains représentent les vagues d'assaillants lors de la bataille. Tout est suggéré par les mouvements du corps et le jeu des mains.

Le rideau tomba au milieu des applaudissements frénétiques des spectateurs. Le secrétaire du Parti Li offrit de raccompagner l'inspecteur Rohn en automobile à son hôtel, mais elle refusa en disant qu'elle préférait revenir à pied le long du Bund.

– Magnifique ! Vous connaissez déjà votre chemin dans Shanghai ! (Il se tourna vers Chen.) Inspecteur principal Chen, accompagnez donc l'inspecteur Rohn !

17

Le Bund s'étirait le long du fleuve comme un foulard déroulé. Catherine était encore sous le charme du spectacle auquel elle venait d'assister.

– Alors, quelle est la morale de l'histoire ?

– C'est une morale ambiguë. D'un point de vue orthodoxe, toute relation amoureuse entre un humain et un esprit animal est interdite. En fait, avec l'institution du mariage arrangé, qui était la norme dans la société traditionnelle, toute relation amoureuse prénuptiale était interdite. Pourtant cette histoire d'amour a toujours été très populaire.

– Donc, le *Serpent blanc* est une métaphore. C'est comme *Hamlet*, on n'a pas besoin de croire aux fantômes pour aimer cette pièce.

– Non. Et l'intrigue amoureuse n'est pas obligatoirement entre un humain et un esprit animal. Regardez les couples d'amoureux du Bund. Ils restent là des heures, comme s'ils ne pouvaient s'en aller. Dans ma période moderniste pure et dure, je les ai une fois comparés à des escargots collés à un mur. Mais

159

ce poème n'a jamais été publié… Mon ancienne école secondaire est tout près d'ici, ajouta-t-il en sautant du coq à l'âne. Au coin de la rue du Sichuan et de la rue de Yen'an. Quand j'étais élève, je me promenais fréquemment sur le Bund.

– Ce doit être un de vos endroits préférés.

– Oui. Et je travaille tout près, aussi. J'aime bien venir ici avant ou après une journée de travail.

Ils entrèrent dans le parc, gravirent un escalier de fer forgé en colimaçon, et arrivèrent à une grande terrasse en bois de cèdre dominant le fleuve. Ils s'assirent à une table couverte d'une nappe blanche et commandèrent, Chen un café et Catherine un jus d'orange. La vue était grandiose. La terrasse était toute proche de l'endroit où avait été trouvé le cadavre, le jour où le policier avait été chargé de l'affaire Wen.

Il but une gorgée de café et se tourna vers la jeune femme. Elle buvait son jus de fruit à la bouteille. La bougie sur la table projetait sur son visage une lumière dorée.

– Ce soir vous ressemblez à une fille de Shanghai à la page. Personne ne pourrait imaginer que vous êtes officier de la police fédérale américaine.

– C'est un compliment?

– On a dû vous poser beaucoup de questions sur votre choix de carrière, non?

– La plupart étaient passablement stupides, répondit-elle d'un air songeur. Mais c'est tout simple, en fait: je n'ai pas trouvé d'autre carrière où utiliser ma connaissance du chinois.

– C'est étonnant, il y a tant d'entreprises à capitaux mixtes auxquelles votre maîtrise du chinois serait utile.

– Un grand nombre d'entreprises envoient effectivement du personnel en Chine, mais ce sont toujours des commerciaux. Et ils embauchent un traducteur sur place, cela leur revient bien moins cher. Une petite brasserie m'a proposé un emploi de responsable du bar. Une Américaine vêtue de l'uniforme destiné à plaire aux clients chinois: dos nu et minishort.

– Alors vous êtes entrée dans la police fédérale?

– J'ai un oncle dans la police fédérale. Ce que vous appelez *guanxi*. Il m'a plus ou moins présentée. Il a fallu que je suive une formation, bien sûr. J'ai été promue au bout de quelques années. Il y a beaucoup de travail au bureau de Saint Louis, mais je vais parfois à New York ou Washington pour des affaires en rapport avec la Chine. Dès mes débuts, mon supérieur m'a promis de m'envoyer un jour en Chine. Et voilà, j'y suis enfin !

– Les Chinois ne sont pas habitués à un policier américain du sexe féminin. Il y a eu Lily McCall, si je me souviens bien, dans *The Hunter*, un feuilleton de télévision américain qui passait au début des années soixante-dix. Le lieutenant McCall a remporté un énorme succès, ici. Dans un des épisodes, McCall décide de se marier et envoie sa lettre de démission. Les passionnés du feuilleton ont été si déçus qu'ils ont écrit en masse aux journaux pour demander à ce qu'elle continue à être flic, même si elle était mariée. Remarquez, certains doutaient que ce soit possible, ils y voyaient une insoluble contradiction.

Elle posa sa canette.

– Peut-être les Chinois et les Américains ne sont-ils pas si différents, après tout. Quand on est à la fois flic et femme, il est difficile de vivre avec un homme, à moins qu'il ne soit lui-même flic. Les femmes démissionnent souvent, dans la police fédérale… À vous, maintenant.

– À moi quoi ?

– On a assez parlé de ma carrière, il est juste que vous parliez un peu de la vôtre, inspecteur principal Chen.

Il n'avait pas l'air d'y tenir.

– Je suis diplômé en littérature anglaise et américaine. Un mois avant la cérémonie de remise des diplômes, on m'a informé que le ministère des Affaires étrangères avait demandé mon dossier. Au début des années quatre-vingt, le gouvernement nommait tous les diplômés de l'enseignement supérieur. Une carrière diplomatique était considérée comme idéale pour un diplômé d'anglais, mais à la dernière minute, lors de l'habituelle enquête sur les antécédents familiaux, on a découvert

qu'un de mes oncles était un «contre-révolutionnaire» exécuté dans les années cinquante. Je ne l'avais jamais vu, mais
l'existence de ce parent m'a disqualifié pour la diplomatie. Et
j'ai été envoyé à la police criminelle de Shanghai. Je n'avais
aucune qualification pour un tel emploi, mais il fallait bien
m'en trouver un… Les soi-disant avantages du régime socialiste,
à l'époque. Aucun souci pour avoir du travail à la fin de nos
études. Les existentialistes parlent de liberté de choix, mais les
choix sont souvent plus faits pour nous que par nous.

– Ça ne vous a pas empêché de faire une brillante carrière,
inspecteur principal Chen.

– Ça, c'est une autre histoire. Je préfère vous épargner les
sordides dessous politiques du service. Disons que jusqu'à maintenant j'ai eu de la chance.

– On peut établir un parallèle entre nous deux: deux flics
dans le parc du Bund, et ni l'un ni l'autre n'a, à l'origine, choisi
cette carrière. Comme vous l'avez dit, c'est une suite d'événements imprévisibles, un enchaînement sans logique apparente.

– Un autre exemple: le jour où l'on m'a chargé de l'affaire
Wen, juste quelques heures plus tôt, j'ai eu à examiner un
cadavre dans ce parc. Pure coïncidence. Je me trouvais avoir
reçu des ci, envoyés par un ami, alors je suis venu au parc tôt
le matin pour en lire quelques pages.

La tasse de café à la main, il lui expliqua l'affaire du parc.

– Il n'est pas impossible que la victime ait, d'une façon ou
d'une autre, un rapport avec l'affaire Wen, remarqua-t-elle
quand il se tut.

– Je ne vois pas comment. De plus, si c'était les Haches
volantes qui l'avaient assassiné, ils n'auraient pas laissé tant de
traces de hache sur le corps. On aurait dit une signature.

– Je ne sais pas, mais ça me rappelle quelque chose que j'ai
lu sur la mafia italienne. Ils avaient commis un meurtre selon
les méthodes d'une autre organisation criminelle afin de
brouiller les pistes. Pour désorienter la police.

Il posa sa tasse. Il n'était pas impossible, en effet, que la vic-

time du parc ait été assassinée par un meurtrier imitant délibérément le mode opératoire des Haches volantes.

– Dans ce cas, il doit y avoir une raison.

– Pourquoi pas un troisième partenaire, qui y trouverait un
intérêt quelconque ?

Il n'avait pas envisagé cette hypothèse. Que gagnerait-on à
apporter dans le parc un corps tailladé de multiples coups de
hache ? Des idées lui venaient, élusives et peu claires encore.

La bougie posée sur la table était presque consumée, sa
flamme vacillait. Catherine finit son jus de fruit.

– Si seulement j'étais en vacances ! soupira-t-elle.

Mais ce n'était pas le cas, et ils avaient un travail à faire. Tant
de questions restaient sans réponses. Ils se levèrent sans hâte et
quittèrent le café. En approchant du coin sombre où avait été
trouvé le cadavre, ils virent, derrière le bosquet, un jeune
couple embrassé, complètement oublieux du monde autour. Et
dire que quelques jours plus tôt, un cadavre mutilé avait été
abandonné exactement à cet endroit !

La présence des deux amoureux confirmait ce qu'il avait
toujours pensé : le cadavre n'avait pu être apporté dans le parc
avant la fermeture, les gardes auraient facilement repéré un
homme caché derrière ce bosquet, même de nuit.

Catherine remarqua sa distraction.

– Une métaphore romantique ? demanda-t-elle.

– Oh non. Je ne pensais pas du tout à la poésie.

Il ne voulait pas qu'elle associe ce paysage romantique avec
un cadavre.

18

Hors du parc, le long de la berge, les promeneurs debout les
uns à côté des autres, épaule contre épaule, se parlaient sans
s'occuper de leurs voisins.

Un jeune couple s'écarta et partit, laissant une petite place près du parapet.

– J'aimerais bien m'arrêter un peu ici… comme un escargot collé au mur, ajouta-t-elle avec un sourire malicieux.

– Tout ce que voudra notre distingué hôte de marque! Peut-être devrions-nous plutôt parler de brique dans un mur, une brique dans le mur du socialisme.

C'était une métaphore populaire à l'époque du mouvement d'éducation socialiste.

Ils restèrent un moment accoudés au parapet. À droite, le parc brillait «comme une perle éclairant la nuit», une expression qu'elle avait rencontrée dans un conte chinois.

– Comment trouvez-vous le temps d'écrire avec votre travail actuel? demanda-t-elle.

– Impératifs politiques mis à part, j'aime mon métier parce que d'une certaine façon, il m'aide à écrire. Il me donne une perspective différente.

_ Quelle perspective?

– Eh bien, du temps où j'étais étudiant, écrire un poème était si important à mes yeux que rien d'autre au monde ne comptait. Maintenant je n'en suis plus si certain. Notre pays est dans une période de transition, et beaucoup de choses sont plus vitales aux yeux de mes concitoyens, ou du moins ont une valeur plus pratique, plus immédiate.

– On dirait que vous essayez de vous convaincre vous-même.

– Vous avez peut-être raison… (Il sortit de sa poche de pantalon un éventail en papier blanc.) J'ai tellement changé depuis lors…

– Vous êtes devenu inspecteur principal, l'étoile montante de la brigade criminelle, d'après ce que j'ai compris. (Elle aperçut les lignes calligraphiées au pinceau sur l'éventail.) Je peux regarder?

– Bien sûr.

Elle prit l'éventail et l'ouvrit. Deux vers, difficile à lire dans la lumière tremblotante de l'incessant clignotement des néons.

Ivre. J'ai frappé un cheval précieux
Je ne veux pas que la beauté croule sous trop de passion.
– C'est de vous ?
– Non, de Daifu, un poète chinois religieux, comme Lowell.
– Pourquoi ce parallèle entre le cheval et la beauté ?
– C'est quelqu'un qui m'est cher qui m'a copié ce distique.
– Mais pourquoi ces deux vers-là ?
Elle agita légèrement l'éventail...
– Ce sont sans doute ses préférés.
– À moins que ce ne soit un message.
Il rit. La sonnerie de son téléphone portable les fit sursauter.
– Que se passe-t-il, Oncle Yu ? demanda-t-il en abritant l'appareil d'une main.

Il prit le coude de la jeune femme et ils firent quelques pas pendant qu'il écoutait. Elle comprit pourquoi il s'était remis à marcher : ils étaient coincés entre des gens appuyés comme eux au parapet, et dans ces conditions, une conversation confidentielle était hors de question. De plus, les téléphones portables, encore rares, attiraient l'attention, et ils eurent droit à plusieurs coups d'œil envieux. Chen écouta, le visage impassible, et ne prononça que quelques mots.

– Merci, c'est extrêmement important, Oncle Yu.
– Que se passe-t-il ? demanda-t-elle
– C'était le Vieux chasseur. À propos de Gu. (Il éteignit son portable.) Je lui ai demandé de garder un œil sur le propriétaire du club de karaoké et il s'est arrangé pour mettre la ligne de Gu sur écoute. Apparemment, notre homme est membre honoraire de la Bleue, la Triade bleue. Il a donné plusieurs coups de téléphone après notre départ, deux d'entre eux concernaient un homme du Fujian qui aurait disparu. Gu a utilisé un pseudonyme.

– Un homme du Fujian ? Il a mentionné Wen ?
– Non. Des gens du Fujian semblent avoir une mission à remplir, mais Gu a parlé en langage codé. Le Vieux chasseur est en train d'étudier la question.

165

– Ainsi Gu savait quelque chose et ne nous l'a pas dit.

– Il a parlé d'un visiteur venu de Hong Kong, non du Fujian. Alors pourquoi rechercher un homme du Fujian ?

C'était la première fois qu'ils discutaient en véritables coéquipiers, sans réticence et sans réserve. Un vendeur à cheveux blancs les accosta, et leur tendit un objet.

– Un bijou de famille. Il porte chance aux jeunes couples. C'est vrai ! J'ai soixante-dix ans et l'usine d'État dans laquelle je travaillais autrefois a déposé son bilan le mois dernier. Je ne touche plus un sou de retraite. Sinon je ne le vendrais pour rien au monde.

Il s'agissait d'un porte-bonheur en jade en forme de Qilin, enfilé sur un cordonnet de soie rouge.

Catherine regarda Chen.

– Le jade est censé porter chance, n'est-ce pas ?

– Oui, c'est ce qu'on dit. Mais il ne semble pas avoir porté chance à cet homme.

– Le cordon de soie est joli, aussi.

À la clarté de la lune, le jade vert sombre luisait faiblement.

– Combien ? demanda Chen.

– Cinq cents yuans.

– Ce n'est pas tellement cher, murmura Catherine en anglais.

– Cinquante yuans.

Chen prit le porte-bonheur dans la main de Catherine et le remit dans celle du vendeur.

– Allons jeune homme, rien n'est trop cher pour votre belle amie américaine.

– Cinquante, à prendre ou à laisser. (Il prit la main de la jeune femme et fit mine de partir.) D'ailleurs on dirait plutôt du plastique.

– Du plastique ! protesta l'homme avec indignation. Allons, touchez-le, vous sentirez la différence, il est frais au toucher, non ?

– Très bien, quatre-vingts.

– Cent cinquante, et je vous donne un reçu pour cinq cents yuans, signé par un magasin d'État.

– Cent. Laissez tomber le reçu.

– Marché conclu!

Chen tendit le billet au marchand. Catherine avait suivi la discussion avec intérêt.

Demande un prix aussi haut que le ciel, mais marchande jusqu'à ce qu'il touche terre, disait un vieil adage. Dans une société de plus en plus matérialiste, tout se marchandait.

– Vraiment, vous m'étonnez de plus en plus, inspecteur principal Chen, remarqua-t-elle lorsque le vieil homme, serrant le billet dans sa main, se fut éloigné en traînant les pieds. Vous avez négocié le prix comme… je ne sais pas, mais certainement pas comme un poète romantique!

– Je ne crois pas que ce soit du plastique, mais il se peut que ce soit une pierre dure quelconque, sans valeur aucune.

– Je suis sûre que c'est du jade.

– C'est pour vous. (Il lui mit le pendentif dans la main.) Pour ma belle amie américaine, ajouta-t-il en imitant la voix du vieillard.

– Je vous remercie beaucoup.

Ils continuèrent leur chemin. Une légère brise s'était levée et l'*Hôtel de la Paix* se dressa devant eux plus vite qu'elle ne s'y attendait. À la grille, elle se tourna vers lui.

– Puis-je vous inviter à boire quelque chose au bar?

– Merci, mais je n'ai pas le temps d'entrer, il faut que j'appelle l'inspecteur Yu.

– Merci beaucoup pour cette très agréable soirée.

– Tout le plaisir a été pour moi.

Elle sortit de sa poche le pendentif de jade.

– Vous voudriez bien me le mettre?

Sans attendre la réponse, elle pivota et releva d'une main ses cheveux. Ils se trouvaient devant l'hôtel, où un portier en uniforme et casquette rouges, debout sur les marches, souriait respectueusement, comme toujours.

Les mèches de sa nuque frémissaient sous le souffle de Chen, et elle sentit ses doigts attacher le fermoir, puis s'attarder furtivement sur sa peau.

19

Chen se réveilla tôt le lendemain, avec un début de migraine. Il se frotta les yeux et lut les derniers résultats du tournoi de go entre la Chine et le Japon, parus dans le journal de la veille. Un petit plaisir qu'il ne s'était pas accordé depuis plusieurs jours, mais ce matin il avait une bonne excuse : c'était la finale entre les champions des deux pays. Le Japonais était, disait-on, un maître zen, capable de rester détaché même lors de la partie la plus disputée. Une attitude paradoxale : un joueur de go doit tenir à gagner, de même qu'un flic doit tenir à résoudre une affaire. Et, comme l'affaire Wen, le résultat de cette finale avait un sens politique symbolique.

Le téléphone interrompit ses méditations. C'était le secrétaire du Parti Li.

– Venez à mon bureau, inspecteur principal Chen.

– Vous avez du nouveau sur l'affaire Wen ?

– Nous en parlerons quand vous serez là.

– J'avale mon petit déjeuner et j'arrive.

Il était tôt, pas encore sept heures et demie. Ce devait être urgent, normalement Li n'arrivait pas à son bureau avant neuf heures trente.

Chen ouvrit son petit réfrigérateur. Vide, à part une demi-brioche rapportée de la cantine, vieille de deux ou trois jours et dure comme une pierre. Il la mit à tremper dans de l'eau chaude. Il ne lui restait plus grand-chose de son salaire du mois et il ne pourrait pas obtenir le remboursement de la totalité des dépenses pour donner une image flatteuse de la police chinoise. Le pendentif de jade, par exemple… Il en serait de sa poche.

Le téléphone sonna de nouveau. Le ministre Huang l'appelait depuis Pékin. C'était la première fois que celui-ci lui téléphonait à son domicile, et il semblait très anxieux du peu de progrès de l'affaire Wen.

– C'est une affaire spéciale, inspecteur principal Chen, de la plus haute importance pour l'avenir des relations entre nos deux pays. Une heureuse collaboration avec les Américains diminuerait la tension, vous comprenez, après l'incident de Tiananmen.

– Je comprends tout à fait, ministre Huang. Nous faisons de notre mieux mais il est difficile de retrouver quelqu'un en un si bref délai.

– Les Américains sont tout à fait conscients de votre excellent travail, mais ils attendent un résultat avec impatience. Ils ont téléphoné plusieurs fois.

Chen hésita: devrait-il faire part de ses soupçons au ministre, particulièrement en ce qui concernait les accointances du gang avec la police du Fujian? Les tenants et les aboutissants politiques sous-jacents à cette affaire risquaient d'être compliqués. Que le ministre choisisse de soutenir la police de la province, et son enquête serait encore plus ardue.

– L'inspecteur Yu rencontre beaucoup de difficultés au Fujian, la police locale ne lui a fourni aucune piste, et mon adjoint ne peut combattre une triade à lui tout seul. Et comment leur donner des ordres à des milliers de kilomètres de distance?

– Mais si, faites-le! Vous avez pleine et entière autorité, inspecteur principal Chen. Je vais insister sur ce point auprès du commissaire Hong. Quelles que soient vos décisions sur la tactique à employer, le ministère vous soutient fermement. Une enquête de ce genre soulève de multiples problèmes, et il faut un homme extrêmement compétent pour réussir. Nous n'avons pas beaucoup de jeunes cadres comme vous, de nos jours, conclut pompeusement Huang. Le Parti compte sur vous, inspecteur principal Chen!

– Quoi que le Parti désire me voir faire, je le ferai, même si je dois traverser des montagnes de couteaux et des mers de flammes.

Il faisait allusion à un distique de la dynastie des Tang : *Vous avez fait de moi un général sur la scène d'or/Et brandissant l'épée du Dragon de Jade, je combattrai jusqu'à mon dernier souffle.*

Non seulement le vieux ministre avait recommandé Chen pour cette mission, mais il venait de lui téléphoner chez lui, pour discuter de l'affaire.

Toutefois, en raccrochant, Chen se sentit bien loin de brandir l'épée du Dragon de Jade. Le ministre Huang aurait dû téléphoner au secrétaire du Parti Li. L'expression «soulève de multiples problèmes» n'avait rien de rassurant. Le ministre ne lui avait pas tout dit. Chen sentit l'appréhension le gagner. Et si le ministre Huang avait fait exprès de court-circuiter le secrétaire du Parti, quelles seraient les conséquences pour sa propre carrière ?

Vingt minutes plus tard, quand il entra dans le bureau du secrétaire du Parti, il n'était pas, contrairement au champion de go japonais décrit pas le journal, détaché et indifférent à tout.

– Je serai en réunion toute la journée, annonça Li en soufflant sur sa tasse brûlante de potage de soja, alors je veux vous parler maintenant.

L'inspecteur principal Chen commença à lui raconter son entretien avec Qiao, la femme enceinte du Guangxi.

– Vous vous êtes donné beaucoup de mal, camarade inspecteur principal Chen, mais je ne trouve pas votre choix des personnes interrogées très judicieux.

– Pourquoi ce reproche, secrétaire du Parti Li ?

– Je ne vois aucun inconvénient à ce que vous laissiez l'inspecteur Rohn assister aux interrogatoires des membres de la famille de Wen, mais l'emmener avec vous interroger Qiao, la femme enceinte du Guangxi, était une erreur. Les Américains sont toujours en train de pousser les hauts cris devant notre politique de limitation des naissances.

170

Chen jugea plus sage de ne pas mentionner pour le moment sa visite à Gu. Affaires douteuses, complicité avec les triades, protection de la police, tout cela était loin de montrer une image flatteuse de la Chine socialiste.

– J'ignorais qu'il s'agissait d'une affaire de ce genre. L'inspecteur Rohn et moi avons eu une longue discussion à propos de notre politique de limitation des naissances.

– Au cours de laquelle vous avez, j'en suis certain, défendu nos principes, articula Li.

Il prit le cendrier en forme de cygne qui brilla dans sa main comme la boule de cristal d'un devin.

– Vous savez ce qui est arrivé après votre visite à la femme du Guangxi ?

– Non. Qu'est-il arrivé ?

– Elle a été enlevée par un groupe d'inconnus, deux ou trois heures après votre conversation avec elle, et on l'a retrouvée dans un bois assez proche, inconsciente. Personne ne savait qui l'avait abandonnée là. Bien que ni brutalisée ni violée, elle a fait une fausse couche et a été transportée d'urgence à l'hôpital local. Elle a perdu tellement de sang qu'il a fallu pratiquer une intervention. Elle ne pourra pas avoir d'autre enfant.

Chen jura tout bas.

– A-t-on des indices sur l'identité des coupables ?

– Ce n'était pas des gens du pays. Ils sont arrivés en jeep en annonçant que la femme était une fugitive du sud du pays. Personne n'a donc tenté de les arrêter.

– Ils ont dû la prendre pour Wen et la relâcher quand ils se sont aperçus de leur erreur.

– C'est fort possible…

– Mais c'est une honte ! Enlever une femme enceinte en plein jour, et à Qingpu, à deux pas de Shanghai !

Les pensées de Chen se bousculaient dans sa tête. Ils avaient dû être suivis dès le début, et jusqu'à Qingpu. Plus de doute… l'incident avec la moto… la marche d'escalier sabotée… la tentative d'intoxication alimentaire… et maintenant l'enlèvement de Qiao.

171

– Et seulement deux ou trois heures après notre visite, continua-t-il, furieux. Ces malfrats ont forcément été avertis par quelqu'un d'ici, il y a une fuite dans le service.

– Effectivement, certaines précautions s'imposent.

– Mais c'est une véritable déclaration de guerre ! Et il y a aussi ce cadavre dans le parc du Bund. C'est un camouflet pour toute la police de Shanghai. Il faut agir, secrétaire du Parti Li.

– Nous agirons, c'est une question de temps. Et aussi de priorité. À l'heure actuelle, notre préoccupation numéro un est la sécurité de l'inspecteur Rohn. Nous attaquer aux triades maintenant, c'est courir le risque qu'elles se vengent.

– Alors on attend leur prochaine agression sans rien faire ?

Li refusa de répondre à la question.

– Il est tout à fait possible qu'au cours de l'enquête vous tombiez par accident sur ces gangsters. Ils sont capables de tout. Si quoi que ce soit arrive à l'inspecteur Rohn, nous aurons une énorme responsabilité à endosser.

– Une énorme responsabilité à endosser ? marmonna-t-il en pensant à l'expression du ministre Huang : « de multiples problèmes ». On est des flics, non ?

– Rien ne vous oblige à considérer cette affaire sous cet angle, inspecteur principal Chen.

– Sous quel angle dois-je la considérer, alors, secrétaire du Parti Li ?

– L'inspecteur Yu mène l'enquête dans le Fujian. S'il le faut, vous pouvez décider que l'aide d'une autre personne lui est indispensable. Quant à vos interrogatoires ici, je me demande s'ils peuvent nous mener quelque part. L'inspecteur Rohn n'est pas obligée d'y prendre part, il suffit de la tenir informée des nouveaux éléments, s'il y en a. Je ne crois pas que ces gangsters vont tenter quoi que ce soit contre elle pendant qu'elle se promène tranquillement dans le Bund.

– Mais ils doivent penser que Wen se cache par ici. Sinon ils ne seraient pas allés enlever Qiao à Qingpu.

– Si l'on découvre de nouveaux éléments, Qian peut s'en

occuper. Vous n'avez pas à en faire trop. Du moment que l'inspecteur Rohn est persuadée que nous faisons de notre mieux…

– J'ai réfléchi à cette affaire, camarade secrétaire du Parti Li, je veux dire d'un point de vue politique. Il est clair que depuis l'été 89, les relations entre la Chine et les États-Unis sont quand même tendues. Remettre Wen à la police fédérale serait un geste constructif.

Ce genre d'argument risquait d'avoir une certaine portée aux yeux de Li. Chen n'avait pas l'intention de parler de sa conversation téléphonique avec le ministre Huang.

Li but une gorgée de potage.

– C'est probablement vrai… Donc vous êtes partisan de continuer votre enquête avec la participation de l'inspecteur Rohn ?

– Quand vous m'avez persuadé d'accepter cette mission, camarade secrétaire du Parti Li, vous m'avez cité deux vers :

Je me prosternerai devant le ciel

Quand la terre sera mise en ordre

– Je comprends bien, mais ce n'est pas le cas de tout le monde. (Il pianota longuement sur la table avant de continuer.) On raconte que vous avez offert un cadeau à l'inspecteur Rohn, et que vous lui avez attaché un collier autour du cou devant l'hôtel.

– Mais c'est absurde !

« Que sous-entend-il en me disant ça ? *On*… la Sécurité intérieure, la police des polices. »

Ce petit pendentif n'était rien du tout, mais un rapport de la Sécurité intérieure pouvait lui donner n'importe quelle signification. Du genre : « L'inspecteur principal Chen, trop absorbé par son idylle avec une Américaine, a perdu de vue les objectifs du Parti. »

– Ne vous préoccupez pas de l'auteur de ce rapport, camarade inspecteur principal Chen. Si vous avez la conscience tranquille, pourquoi vous inquiéter si le diable frappe à votre porte en pleine nuit ?

– Mais enfin, c'était juste après la représentation de l'Opéra de Pékin. Comme vous l'avez suggéré, j'ai raccompagné l'inspecteur Rohn à son hôtel. Le long du Bund, un homme a essayé de lui vendre une babiole. D'après les journaux, ces vendeurs s'enorgueillissent de voler les touristes, alors j'ai marchandé le collier à sa place. Et elle m'a demandé de lui attacher le fermoir.

Il ne mentionna pas que c'était lui qui avait payé le pendentif. Comme il n'avait pas l'intention d'en demander le remboursement au service, ça ne changerait rien à sa note de frais.

– Oui. Ces Américains sont si… différents de nous.

– En tant que représentant de la police chinoise, je considère qu'il est de mon devoir de faire preuve d'hospitalité. Je n'arrive pas à comprendre qui diable…

Il en avait gros sur le cœur mais l'expression du visage de Li le fit taire. Si la Sécurité intérieure était impliquée, ce n'était pas le moment de dire ce qu'il pensait. De plus ce n'était pas la première fois qu'il avait affaire à elle. Mais si dans le cas de l'« héroïne rouge », où la glorieuse image du Parti était en cause, leur intervention était compréhensible, on ne pouvait, dans l'affaire Wen, lui reprocher d'avoir nui aux intérêts du Parti. À moins… oui, à moins que quelqu'un ait décidé de tout faire pour que cette enquête soit close. Non dans l'intérêt du Parti, mais dans celui des triades.

– Ne ruminez pas cet incident, inspecteur principal Chen, j'ai clairement fait comprendre à mon interlocuteur qu'il s'agit d'une affaire tout à fait spéciale, et que tout ce que vous faites est dans l'intérêt du pays.

– Je vous en remercie, secrétaire du Parti Li.

– Je vous en prie… Vous n'êtes pas un cadre ordinaire, vous irez loin. (Il se leva.) Ce n'est pas une mission facile et vous êtes sous pression. J'en ai parlé au commissaire Zhao, vous aurez droit à des vacances le mois prochain. Prenez une semaine de congé et allez à Pékin. Visitez la Grande Muraille, la Cité interdite, le Palais d'été. Aux frais du service.

– Ce serait magnifique (Il se leva.) Il me faut retourner au travail, maintenant. À propos, comment avez-vous été informé de l'enlèvement de Qingpu, secrétaire du Parti Li?

– Votre assistant Qian me l'a téléphoné hier soir.

– Ah, je vois…

Li accompagna Chen jusqu'à la porte et, une main sur le chambranle, ajouta:

– Ah, il y a à peu près une semaine, j'ai composé par mégarde votre ancien numéro et j'ai eu votre mère au bout du fil. Nous avons longuement parlé. Nous, les vieux, avons les mêmes préoccupations.

– Vraiment? Elle ne me l'a pas dit.

Li avait vraiment le chic pour ajouter une touche humaine à la défense des intérêts politiques du Parti.

– Elle pense qu'il est temps de vous fixer, de fonder une famille, vous voyez ce que je veux dire. C'est à vous de décider, bien sûr, mais à mon avis, elle a tout à fait raison.

– Merci, secrétaire du Parti Li.

Chen voyait bien où Li voulait en venir. L'offre d'une semaine de vacances à Pékin faisait partie du plan. Avec Ling dans le paysage. Ses remarques partaient peut-être d'une bonne intention, mais le moment choisi pour les faire était inquiétant. Pourquoi aborder aujourd'hui ce sujet?

En sortant du bureau de Li, Chen prit une cigarette, puis la remit dans le paquet. Il y avait un distributeur d'eau glacée dans le couloir. Il se servit, but, écrasa le gobelet de papier et le jeta dans la poubelle.

20

Dès l'instant où il fut dans son bureau, Chen téléphona à Qian Jun.

– Je vous ai appelé plusieurs fois hier soir, inspecteur

principal Chen, mais je n'ai pas pu vous joindre et j'ai égaré votre numéro de portable. Je suis vraiment désolé… Alors j'ai téléphoné au secrétaire du Parti Li.

– Vous avez perdu mon numéro de portable !

Il ne croyait pas un mot de cette explication. Pourquoi Qian ne lui avait-il pas laissé de message sur son répondeur ? Il était compréhensible qu'un jeune flic ambitieux fasse tout son possible pour être remarqué par le numéro un du Parti dans le service, mais pas en court-circuitant son propre supérieur. Pour quelle raison Li lui avait-il imposé Qian comme assistant ?

– Vous savez ce qui est arrivé à la femme du Guangxi, camarade inspecteur principal Chen ?

– Oui, le secrétaire du Parti Li me l'a dit. Et vous-même, comment en avez-vous été informé ?

– Après notre conversation, j'ai téléphoné à la police de Qingpu. Ils m'ont rappelé plus tard dans la soirée.

– Pas de nouveaux éléments, ce matin ?

– Non. La police de Qingpu est à la recherche de la jeep dans laquelle la femme a été enlevée. Elle avait une plaque minéralogique de l'armée.

– Dites-leur de me joindre dès qu'ils ont une piste. C'est eux que ça regarde, ça s'est passé dans leur circonscription. Rien de neuf à propos du cadavre du parc ?

– Non, rien. Mais le docteur Xia m'a fait parvenir le rapport officiel d'autopsie. Il ne contient rien de nouveau. Nous n'avons rien d'autre non plus de la part des hôtels et des comités de quartier. J'ai interrogé bon nombre de gérants d'hôtels. Plus de vingt. Aucun ne m'a fourni le moindre indice.

– Ça m'étonnerait qu'ils aient le courage de parler. La triade leur ferait payer leurs confidences.

– Exact. Il y a quelque temps, un patron de café a dénoncé un trafiquant de drogue à la police, la semaine suivante son café était totalement détruit.

– Qu'est-ce que vous comptez faire, maintenant ?

– Je vais continuer à enquêter dans les hôtels et les comités de quartier. À moins que vous n'ayez une autre suggestion, inspecteur principal Chen?

– Oui, j'en ai une, répondit sèchement Chen. Allez à l'hôpital et demandez aux docteurs de faire tout leur possible pour Qiao. Si c'est une question d'argent, vous pouvez vous servir du budget spécial.

– J'y vais, patron, mais pour le budget spécial…

– Pas de «mais»! C'est bien le moins qu'on puisse faire!

Il raccrocha violemment. Il était sans doute trop furieux pour ne pas se montrer injuste envers le jeune flic. Il s'en voulait énormément de ce qui était arrivé à Qiao. Elle s'était imposé tant de sacrifices pour son futur bébé, et maintenant elle l'avait perdu. Et le pire, c'est qu'elle n'aurait plus jamais d'autre enfant. C'était pour elle un terrible coup du sort.

Comme un soldat du temps jadis brisant une flèche en signe d'engagement, il cassa un crayon en deux. Il était impératif de retrouver Wen, et vite. Ce serait une manière de se venger des filières d'émigration clandestine, de Jia Xinzhi, et de tous les maux dus aux triades.

Qiao croyait avoir eu de la chance en trouvant cet emploi à Qingpu… *Les bonheurs engendrent des malheurs et les malheurs engendrent des bonheurs*, avait dit Lao-tseu des milliers d'années plus tôt.

Tant d'habitants des provinces venaient chercher du travail à Shanghai. Souvent d'ailleurs en vain, malgré l'aide d'un nouvel organisme, l'Agence métropolitaine de placement. Qiao y avait réussi, elle, mais cette réussite l'avait menée au désastre.

Ce qui lui fit penser qu'il aurait dû s'informer auprès de cet organisme: Wen avait pu s'adresser à eux pour un emploi d'intérimaire, serveuse ou nounou logée, par exemple. La réponse ne fut pas encourageante: ils n'avaient aucune candidate dont le signalement correspondait à celui de Wen. En outre, vu l'état actuel du marché de l'emploi, une femme enceinte n'avait guère de chance de trouver du travail.

Il téléphona ensuite à l'*Hôtel de la Paix*. Il était toujours chargé de tenir compagnie à l'inspecteur Rohn, quelles que fussent les critiques devant lui tomber dessus à cause de cette mission. Elle était sortie et il laissa un message. Ce n'était pas le moment d'aller à l'hôtel avec un bouquet de fleurs, maintenant que le secrétaire du Parti lui avait appris que le simple fait d'avoir attaché le fermoir d'un collier au cou de la jeune femme lui avait valu un rapport de la Sécurité interne.

Ils n'avaient travaillé ensemble que quelques jours, et elle n'était qu'une coéquipière provisoire. Ce n'était pas lui qui l'avait choisie. Mais ce fermoir attaché pouvait être une des raisons de cette offre de vacances à Pékin. Un rappel à l'ordre déguisé. On en revenait toujours à la politique, et le secrétaire du Parti ne prenait jamais rien à la légère.

Il décida de profiter de la pause de midi pour aller rendre visite à sa mère. Ce n'était pas loin, mais il demanda à Petit Zhou de le conduire avec la Mercedes. En chemin, il s'arrêta à un marché, et marchanda plusieurs minutes avec un vendeur le prix d'un panier de bambou plein de pulpe de longane. Cela lui rappela la plaisanterie de l'inspecteur Rohn sur son habileté à marchander.

La vue familière du vieil immeuble de la rue de Jiujang sembla lui promettre un bref répit loin des magouilles politiques. Quand il descendit de la Mercedes, plusieurs de ses anciens voisins le saluèrent. C'était pour sa mère qu'il venait dans cet imposant véhicule. Elle n'approuvait pas sa carrière, mais dans un quartier de plus en plus préoccupé de confort matériel, son statut de cadre accompagné d'un chauffeur pour lui ouvrir la portière rejaillissait sur celui de sa mère.

Le lavoir de ciment communautaire scellé dans le mur à côté de la porte d'entrée était encore mouillé. Les murs fissurés avaient besoin de sérieuses réparations, il y avait toujours en bas les trous qui, déjà dans son enfance, servaient d'abris aux criquets. L'escalier était sombre et sentait le moisi, cartons et paniers s'empilaient sur les paliers.

Il n'était pas venu voir sa mère depuis qu'on l'avait chargé de l'affaire Wen. En entrant dans l'étroite mansarde, il fut surpris de trouver sur la table un assortiment multicolore de pains, de saucisses, de plats exotiques dans des barquettes en plastique.

– Ça vient du *Faubourg de Moscou,* expliqua sa mère.

– Ce Chinois d'outre-mer! Lu en fait toujours trop!

– Il m'appelle «maman» et prétend que tu es comme un frère pour lui.

– Je sais, il n'arrête pas de radoter là-dessus.

– *C'est dans le besoin qu'on reconnaît ses vrais amis,* c'est dans les textes bouddhistes. Une bonne action n'est jamais vaine, même si le résultat est parfois prévu, parfois inattendu. Il y a des gens qui disent que c'est la chance, mais en fait c'est le karma. J'ai aussi eu la visite d'un autre de tes amis, le docteur Ma.

– Quand?

– Ce matin. Un examen médical de routine, m'a-t-il dit.

– C'est très gentil de sa part. Tu as des ennuis de santé, maman?

– J'ai eu quelques douleurs d'estomac, ces derniers temps. Monsieur Ma a tenu à venir à domicile, ce n'est pas si facile, à son âge, de monter tous ces étages.

– Et quel est son diagnostic?

– Rien de grave, déséquilibre entre le yin et le yang et tout ça. Il m'a fait livrer le médicament. Ma est comme Lu, il tient à rembourser sa dette. Un homme de *yqui*.

– Ce pauvre vieux a tellement souffert! Dix ans de prison pour un exemplaire du *Docteur Jivago*! Ce que j'ai fait était bien peu de chose.

– C'est Wang Feng qui avait écrit cet article sur lui, non?

– Oui, c'est elle qui l'a suggéré.

– Comment ça va, au Japon?

– Il y a longtemps que je n'ai pas eu de nouvelles.

– Et tu as des nouvelles de Pékin?

– Le secrétaire du Parti Li parle de m'y envoyer pour quelques jours de vacances, répondit-il évasivement.

Il savait très bien que sa mère ne voyait pas d'un très bon œil sa liaison avec Ling. Comme Su Dongpo quelques millénaires auparavant, elle pensait qu'*Il devait faire très froid/Là-haut dans le palais de jade de la lune*.

Mais elle était encore plus anxieuse de le voir toujours célibataire à bientôt trente-cinq ans. Et comme on dit, tout ce qu'il y a dans un panier à légumes compte comme légume.

– Mais c'est très bien, ça!

– Je ne suis pas certain de pouvoir y aller.

– Tu n'es pas certain… Monsieur Ma m'a dit que tu lui as amené une Américaine.

– C'est ma coéquipière, tout à fait provisoirement.

– D'après Ma, tu sembles la tenir en haute estime.

– Allons Mère, je suis chargé de veiller sur elle. Si quoi que ce soit lui arrivait au cours de sa mission ici, je serais tenu pour responsable.

– Comme tu veux, Fils. Mais je vieillis, et j'espère te voir bientôt fixé, comme tout le monde.

– Je suis trop pris par mon travail, Mère.

– Je ne comprends plus ton travail, le monde a tellement changé! Mais je ne pense pas qu'une liaison avec une Américaine soit bonne pour toi.

– Ne t'en fais pas, Mère, il n'en est absolument pas question.

Mais il était quand même troublé. Sa mère s'abstenait d'habitude de s'immiscer dans sa vie privée, sinon pour citer à l'occasion la même maxime de Confucius, *Il y a trois choses qui font d'un homme un mauvais fils, et ne pas avoir de progéniture est la plus grave*. Mais aujourd'hui, elle semblait être d'accord avec les tacites suggestions du secrétaire du Parti Li.

Et Su Dongpo n'avait-il pas inscrit sur le mur d'un temple bouddhiste des montagnes Lu: *On ne voit pas bien les montagnes lorsqu'on se trouve au milieu*? Pourtant l'inspecteur principal Chen ne croyait pas être au milieu des montagnes.

Il aida sans beaucoup parler sa mère à préparer le repas. Le téléphone sonna avant qu'il ait fini de réchauffer les mets envoyés du *Faubourg de Moscou*.

– Allô, camarade inspecteur principal Chen ? C'est Gu à l'appareil.

– Bonjour, directeur Gu. Que se passe-t-il ?

– J'ai quelque chose pour vous. Un homme du Fujian est passé ici, il y a quelques jours, mais je ne suis pas certain qu'il soit membre des Haches volantes. Il a pris contact avec quelques membres de triades ici, puis est reparti.

– Et ce n'était pas Diao, le visiteur venu de Hong Kong dont vous nous avez déjà parlé ?

– Non, non, pas du tout.

– Que faisait cet homme à Shanghai ?

– Il cherchait quelqu'un.

– La femme que je vous ai décrite ?

– Je ne connais pas les détails, inspecteur principal Chen, mais je vais essayer d'en apprendre plus.

– Quand a-t-on vu cet homme du Fujian pour la dernière fois ?

– Dans l'après-midi du 7 avril. On l'a vu manger des boulettes dans un bar de la rue de Fuzhou. Une voiture l'a attendu, une Acura gris métallisé.

La date concordait. Ce nouvel élément semblait encourageant. Y avait-il un rapport avec l'affaire du parc ? Ou celle de Wen ? Ou les deux ?

– Excellent travail, directeur Gu. Quel est le nom de ce restaurant ?

– Je ne sais pas, mais il a une spécialité, les boulettes de Fuzhou, les *Yanpi*. C'est tout près de la *Librairie étrangère*. Et je vous en prie, appelez-moi Gu, camarade inspecteur principal Chen.

– Merci infiniment, Gu. Il n'y a pas tellement d'Acura gris métallisé en ville. On devrait la retrouver facilement par le service de Régulation de la circulation métropolitaine. Je vous suis vraiment très reconnaissant du tuyau.

– Je vous en prie… Votre secrétaire, Meiling, m'a téléphoné ce matin. Il se peut qu'elle passe au *Dynastie*. Un parking est indispensable pour un établissement comme le nôtre, m'a-t-elle dit.

181

– Je suis heureux qu'elle soit de cet avis.

– Elle m'a aussi parlé de vous, inspecteur principal Chen.

– Vraiment…

– Tout le monde dit que vous serez bientôt directeur du service de Régulation de la circulation métropolitaine. En fait, avec vos relations, ce poste ne sera pas grand-chose, pour vous.

Chen fronça les sourcils mais il comprenait pourquoi Meiling avait raconté tout ça à Gu. En tout cas, Gu avait téléphoné à plusieurs personnes pour lui obtenir des renseignements. Le patron du club de karaoké termina par une invitation pressante.

– Il faut absolument revenir nous voir, inspecteur principal Chen. Vous n'êtes vraiment pas resté longtemps, hier. Nous devons trinquer à notre amitié.

– Je n'y manquerai pas.

– Tout va bien, au moins? lui demanda sa mère qui avait dû remarquer quelque chose.

– Tout va bien, Mère. J'ai juste encore un coup de fil à passer.

Il appela Meiling pour lui demander de vérifier les cartes de circulation des Acura gris métallisé. Elle promit de s'en charger immédiatement. Elle discuta ensuite avec lui du parking du *Dynastie*. Il se trouvait que c'était un cas douteux. Accorder au club le droit de faire de cet emplacement un parking risquait de priver éventuellement la municipalité d'un important revenu. Il fallait qu'elle se renseigne davantage. À la fin de leur conversation, elle entendit la voix de sa mère et insista pour dire bonjour à « tante Chen ».

Lorsqu'il ferma son portable, sa mère arborait un sourire résigné. Elle réchauffa de nouveau les mets. L'odeur du méta remplit la petite mansarde mais le fourneau était trop lourd pour qu'elle le sorte et le rentre constamment. Avant que son fils n'ait son propre appartement, c'était sa tâche de le sortir le matin sur le palier et de le rentrer le soir. L'escalier était si étroit que, dans l'obscurité, les gamins se butaient sans cesse dans l'appareil. Chen avait proposé à sa mère de venir partager son appartement, mais elle avait refusé. Son père, au large front ridé par les soucis, semblait le regarder mélancoliquement depuis la photographie encadrée de noir accrochée au mur.

Il se servit le tofu assaisonné à l'huile d'olive et aux ciboules, et mangea distraitement de la bouillie de riz. Il s'apprêtait à partir quand, à son grand mécontentement, son téléphone sonna de nouveau. Il appuya sur le bouton et entendit la tonalité du fax. Agacé, il éteignit son portable.

– Je vois que tu réussis, Fils, avec ton portable, ton véhicule de service, la secrétaire et un directeur qui t'appellent à l'heure du déjeuner, remarqua sa mère en le raccompagnant en bas des escaliers. Tu fais partie du système, à ce que je vois.

– Non, je ne crois pas. Mais on a besoin de gens pour travailler à l'intérieur du système.

– Alors, fais du bon travail. Comme disent les bouddhistes: *Même le coup de bec de l'oiseau qui picore est prévu d'avance et a des conséquences.*

– Je ne l'oublierai pas, Mère.

Il croyait comprendre pourquoi sa mère insistait sur la nécessité d'agir selon les préceptes de Bouddha. Elle s'inquiétait de son célibat, et allait tous les jours brûler un bâton d'encens à Guanyin et prier pour que, si la famille devait être punie pour une faute, le châtiment tombe sur elle et non sur lui.

– Oh, tante Chen!

Petit Zhou, tenant à la main une boulette à la vapeur à demi mangée, descendit en hâte de la Mercedes.

– N'hésitez pas à m'appeler si vous avez besoin d'aller quelque part, tante Chen! Je suis l'homme de confiance de l'inspecteur principal Chen, vous savez!

Lorsque le véhicule démarra, sa mère, observant les regards envieux des voisins, hocha la tête.

Petit Zhou mit un CD d'une version rock de l'Internationale, mais les mots héroïques ne remontèrent pas le moral de Chen. Il demanda à Petit Zhou de l'arrêter au coin de la rue de Fuzhou et de la rue de Shandong.

– Je veux passer à la librairie. Inutile de m'attendre, je rentrerai à pied.

Il y avait à cet endroit plusieurs librairies, magasins d'État et boutiques privées. Il eut envie d'entrer dans celle où il avait fait l'emplette d'un ouvrage écrit par son père sur les hasards de l'Histoire. Il en avait oublié l'argumentation, à part la fable dans laquelle une chèvre apprivoisée trop gâtée contribuait au renversement de la dynastie des Jing. On lui avait aussi offert dans ce magasin une affiche représentant une beauté en Bikini, qu'il avait refusée. Pouvait-il se considérer comme un bon fils, alors que sa vie était si différente de celle dont son père avait rêvé pour lui ?

Il renonça à la librairie, et traversa la route en direction d'une petite gargote spécialisée dans les boulettes à la vapeur. Comme la librairie, le petit restaurant était autrefois une maison particulière. Une simple enseigne annonçait en gros caractères : *Soupe aux boulettes Yanpi*. À l'entrée, un homme d'âge moyen les faisait cuire dans un grand wok. L'établissement n'avait que trois tables et était fermé à l'arrière par un rideau de toile devant lequel une jeune femme pétrissait la pâte en y mélangeant petit à petit du vin de riz et de la chair d'anguilles hachée.

Sur le mur, une affiche rouge expliquait la composition des boulettes Yanpi. La pâte était faite de farine de blé, d'œuf et de farine de poisson. Chen commanda un bol de soupe et la trouva savoureuse, malgré son fort fumet de poisson. Il ajouta du vinaigre et de la ciboule hachée pour en atténuer l'odeur. Que pensaient de ce mets les clients non originaires du Fujian ? Puis il remarqua autre chose. Le restaurant se trouvait tout près de l'appartement de Wen Lihua, où avait grandi Wen elle-même. Pas à plus de cinq minutes. Il s'adressa au patron, affairé à faire tomber ses boulettes dans le wok.

– Vous ne vous souvenez pas d'un client venu manger ici dans une luxueuse voiture, il y a quelques jours ?

– Nous sommes le seul endroit de la ville à vendre de véritables boulettes Yanpi. Il n'est pas rare que les clients traversent

184

toute la ville en voiture… Je suis désolé, mais je ne remarque pas les voitures de mes clients.

Chen lui tendit sa carte ainsi qu'une photographie de la victime du meurtre du parc. Il secoua la tête d'un air ahuri. La jeune femme s'approcha, regarda le cliché et dit qu'elle se souvenait d'un client au visage balafré, mais qu'elle n'était pas certaine que ce soit le même homme.

Chen la remercia et reprit à pied le chemin de son bureau. En général, marcher lui éclaircissait les idées, mais ce n'était pas le cas aujourd'hui. Au contraire, il avait l'impression de comprendre de moins en moins. Un seul message l'attendait, de l'Agence de placement d'État, qui faisait parvenir une liste des agences de placement privées. Il passa une heure à les appeler les unes après les autres, pour arriver à la conclusion qui avait déjà été celle de l'Agence d'État : une campagnarde plus toute jeune et enceinte n'avait aucune chance de trouver du travail à Shanghai.

L'image de la mouche affolée se cognant à une fenêtre qu'avait employée Gu lui revint à l'esprit. Les papiers s'accumulaient sur son bureau, le téléphone ne cessait de sonner et il commençait à se sentir excédé. Il se leva pour faire quelques exercices de taï chi dans le cabinet qui lui servait de bureau. L'effort ne lui procura aucune détente, au contraire, elle le fit penser à l'affaire non résolue du cadavre du parc. Peut-être aurait-il dû continuer à pratiquer cette discipline, comme le comptable âgé qu'il avait vu ce jour-là au parc. Lui au moins était en paix avec lui-même et en harmonie avec le *qi* du monde.

Que devait-il faire à propos de cette offre de vacances à Pékin ? Le problème n'était pas, comme croyait le comprendre le secrétaire du Parti Li, de prendre ou de ne pas prendre une décision concernant sa vie personnelle. En Chine, il est quasiment impossible de séparer le privé du politique. Certes, il aurait pu faire davantage d'efforts pour séduire Ling, mais il n'arrivait pas à oublier qu'elle était fille d'ECS. Sans doute était-il trop lâche pour dédaigner les critiques de ceux qui le traiteraient d'arriviste. Comme pour le démentir, il décrocha le téléphone pour appeler Pékin, mais composa à la place le numéro de l'inspecteur Rohn.

– J'ai essayé de vous joindre tout l'après-midi, inspecteur principal Chen !

– Vraiment, inspecteur Rohn ?

– Vous avez dû éteindre votre portable.

– Ah oui, c'est vrai ! Il a sonné plusieurs fois et je n'avais que la tonalité du fax, alors j'ai fini par l'éteindre. Et puis je n'y ai plus pensé.

– Comme je ne pouvais pas vous joindre, j'ai appelé l'inspecteur Yu.

– Il y a du neuf ?

– Wen a été vue quittant le village durant la nuit du 5 avril. Elle n'a pas pris l'autocar, elle a fait de l'auto-stop et est montée dans un camion qui allait en direction de la gare de Fujian. Le camion a tourné quelques kilomètres avant la gare et Wen est descendue. Le chauffeur du camion a appelé la police locale ce matin. La description de sa passagère correspondait bien au signalement de Wen, bien qu'il ne pût dire si elle était enceinte ou non.

– Ce n'est pas étonnant, elle n'en est qu'au quatrième mois. Elle lui a dit où elle allait ?

– Non. Il se peut qu'elle soit encore au Fujian, mais il est plus probable qu'elle ait quitté la province.

Il crut entendre un train siffler à l'arrière-plan.

– Où êtes-vous, inspecteur Rohn ?

– À la gare de Shanghai. D'après l'inspecteur Yu, il y a un train qui a quitté Fujian à destination de Shanghai le 6 avril à deux heures du matin. Les places assises étaient toutes vendues bien avant la date, et l'employé du guichet se souvient d'une femme qui lui a demandé un billet de place debout. Yu a suggéré d'enquêter au service des Chemins de fer de Shanghai, c'est pourquoi je suis ici. Mais je n'ai aucune autorité pour interroger des employés.

– J'arrive !

Ils passèrent plusieurs heures à la gare. Le train de Fujian n'entrait en gare que plus tard dans l'après-midi, et ils durent attendre un long moment le procès-verbal du contrôleur. Trois passagers sans billets étaient montés dans le train tôt le matin du 6 avril à la gare de Fujian. D'après la somme payée, deux se rendaient à Shanghai. Le troisième était descendu avant. L'employé se souvenait de deux hommes d'affaires qui avaient bavardé ensemble tout le long du chemin. La femme était restée accroupie près de la portière et n'avait parlé à personne. Il n'avait pas remarqué à quelle gare elle avait quitté le train.

Ainsi cette piste aboutissait à un cul-de-sac. Personne ne savait ou la femme était descendue ni même s'il s'agissait bien de Wen.

21

Plus tard dans la soirée, Chen invita Meiling, son ex-secrétaire au service de Régulation de la circulation, au club de karaoké *Dynastie*. La raison de cette seconde visite était une conversation téléphonique avec monsieur Ma, le vieil herboriste, au cours de laquelle celui-ci lui avait fourni quelques renseignements supplémentaires sur Gu. Le patron du *Dynastie* venait d'une famille de membres du Parti de rang moyen. Son père avait dirigé pendant vingt ans une importante usine d'État, spécialisée dans les pneus. L'avènement de la Révolution culturelle l'avait fait étiqueter «valet du capitalisme», obligé de porter au cou une énorme pancarte sur laquelle son nom était barré en rouge, puis envoyé dans un institut spécialisé pour être «rééduqué» par des travaux forcés, d'où il n'avait émergé qu'après la Révolution culturelle. Maintenant infirme, il n'était plus que l'ombre de lui-même, et un parfait inconnu pour ce fils qui avait grandi à l'école de la rue et était bien décidé à suivre un chemin tout différent. Vers le milieu des années quatre-vingt, un programme d'études linguistiques avait permis à Gu de se rendre au Japon où, au lieu d'étudier, il avait exercé toute une variété de petits métiers. Il était revenu au bout de trois ans, muni d'un petit capital. La toute nouvelle économie de marché avait alors fait de lui un homme d'affaires, membre actif de cette classe de gens que son père avait passé sa vie à combattre. Gu s'était lancé dans l'exploitation du karaoké et avait garanti sa sécurité en versant une substantielle contribution pour devenir membre honoraire de la Triade bleue, qui avait la haute main sur ce secteur à Shanghai. Les chefs de triade fréquentaient assidûment son établissement. Il avait eu recours au docteur Ma pour soigner des «filles K» atteintes d'une maladie vénérienne. Les jeunes femmes ne pouvaient aller à la consultation de l'hôpital d'État, car on les aurait dénoncées aux autorités. Ma avait accepté de les aider à condition qu'elles se refusent à toute prestation personnelle jusqu'à leur guérison définitive.

– On ne peut pas le qualifier d'ordure à cent pour cent, avait dit Ma. Au moins, il prend soin de ses filles. Il m'a assailli de questions sur vous, hier. Ces gens sont dangereux, inspecteur principal Chen, et je ne veux pas qu'il vous arrive quelque chose. Je ne crois pas à l'épreuve de force, le roseau est souvent plus fort que le chêne. Il n'y a pas tellement de flics intègres, de nous jours, conclut-il sombrement.

«Donc Gu n'a pas dit tout ce qu'il sait», pensa Chen. En insistant un peu, il en apprendrait peut-être davantage, et la présence de Meiling pouvait faire toute la différence.

En secrétaire dévouée, elle accepta sans broncher de l'accompagner, et ils s'étaient discrètement retrouvés à la porte de derrière de l'Union des écrivains de Shanghai, avant d'aller à pied jusqu'au *Dynastie*. Chen remarqua avec satisfaction que la jeune femme avait échangé ses grosses lunettes cerclées de métal contre des lentilles de contact. Une robe cintrée à la taille mettait en valeur sa jolie silhouette.

Une statue d'argile de Bouddha doit être recouverte d'or, et une femme élégamment habillée, disait avec justesse un vieil adage.

Meiling ne ressemblait plus du tout à une secrétaire obnubilée par son travail, et se fondit sans effort dans la foule des élégantes clientes de l'établissement. Elle s'était toutefois munie de ses cartes professionnelles et, au moment des présentations, ne manqua pas d'en tendre une à Gu.

– Oh, je suis confus ! Je ne pensais pas que vous viendriez tous les deux ce soir ! s'exclama celui-ci.

Ce n'était pas le moment de se soucier de l'opinion de Gu sur un policier venant d'abord en compagnie d'une Américaine, puis de son ex-secrétaire, passer un moment dans un club de karaoké. En fait, ce comportement désinvolte persuaderait peut-être le propriétaire du *Dynastie* que Chen était exactement l'homme avec qui établir des liens.

– Meiling est une jeune femme très occupée, elle se trouvait libre ce soir, alors je l'ai amenée pour que vous fassiez connaissance, expliqua Chen.

– Le directeur Chen s'occupe personnellement de votre parking, dit gravement Meiling.

– Je vous en suis infiniment reconnaissant, inspecteur principal Chen.

Lorsqu'ils arrivèrent à un somptueux salon du cinquième étage, une file de « filles K » en fourreaux noirs et sandales assorties vint les accueillir comme les servantes accueillaient l'empereur à l'entrée du palais. Apparemment, Gu n'avait plus de scrupules à laisser Chen voir l'autre face de son entreprise.

Le vaste salon était plus luxueusement décoré et meublé que celui de la veille, et il communiquait avec une chambre.

– Cette suite n'est pas destinée à mes clients mais à mes amis, expliqua le maître des lieux. Téléphonez-moi n'importe quand et elle vous sera réservée. Vous pouvez venir seul ou accompagné, bien sûr.

L'allusion était claire. Meiling, sagement assise sur le sofa, l'accueillit d'un petit sourire entendu.

Gu fit un signe de tête et une mince jeune fille entra.

– Commençons par les amuse-gueules. Cette jolie jeune fille s'appelle Nuage Blanc, et c'est notre meilleure chanteuse. Elle est étudiante à l'université de Fudan et ne chante que pour nos distingués hôtes de marque. Quelle chanson aimeriez-vous entendre, inspecteur principal Chen ? Choisissez ce que vous voulez.

Nuage Blanc était vêtue d'un pantalon de mousseline transparente et d'un mouchoir de poche de soie rouge, drapé sur la poitrine et retenu dans le dos par de minces bretelles. Le micro à la main, elle s'inclina profondément devant le distingué hôte de marque. Chen choisit un chant intitulé *Le Rythme de la mer*. La jeune fille avait une très belle voix, un peu nasale. Sans interrompre son chant, elle quitta ses chaussures et se mit à danser, ondulant voluptueusement au rythme de la musique. Au début d'un second morceau, intitulé *Sable sanglotant*, elle tendit les mains vers Chen. Il hésita.

– Vous ne voulez pas danser avec moi ?

– Oh… Très honoré…

Elle lui prit les mains et le tira vers le centre de la pièce. Le policier avait bien suivi les cours de danse imposés à tous les employés du service, mais avait rarement l'occasion de s'entraîner et fut stupéfait de la facilité avec laquelle elle le guida. Elle dansait avec une grâce sensuelle, mais naturelle, et ses pieds nus glissaient sans bruit sur le plancher.

– Vos vêtements sont semblables à un nuage, et votre visage est une fleur, lui dit-il.

Il regretta aussitôt ce compliment. Sa main reposait sur le dos nu, «lisse comme du jade», et parler de vêtement semblait ironique.

– Merci de me comparer à la concubine impériale Yang.

Elle savait d'où était tirée la citation, peut-être était-elle réellement étudiante. Il tenta de s'écarter un peu, mais elle se collait à lui, tout alanguie dans ses bras. Elle ne faisait aucun effort pour cacher son désir et il sentit ses mamelons durcis à travers le fin tissu. Il ne vit pas Meiling prendre le micro. Elle chanta en lisant les mots sur l'écran une rengaine sentimentale à la mode.

Tu aimes dire que tu es un grain de sable
Tombé par mégarde dans mes yeux.
Tu préférerais me voir pleurer, solitaire,
Plutôt que te laisser aimer…
Puis tu disparais dans le vent
Comme un grain de sable.

Juste au moment où la musique s'arrêtait, Nuage Blanc murmura d'un ton suggestif quelques vers de Li Shangyin, barde des amants malheureux.

Il est difficile de se rencontrer
Plus difficile encore de se séparer
Le vent d'Est est distrait
Et les fleurs se languissent

Elle laissa sa main s'attarder dans celle de Chen, qui rétorqua par un commentaire littéraire.

– Ce poème est une brillante juxtaposition d'image et de sens qui crée une troisième dimension, l'association poétique.

– N'est-ce pas ce que *Le Livre des chants* appelle le *Xing*?

– Tout à fait. Le *Xing* se refuse à expliciter la relation entre l'image et le sens, il laisse cela à l'imagination.

« Qu'il est facile de parler de poésie avec elle. »

– Merci pour cette danse. Vous êtes un homme exceptionnel.

– Merci. C'est vous qui êtes merveilleuse, répliqua-t-il, comme on le lui avait enseigné au cours de danse.

Il s'inclina et retourna s'asseoir. Gu insista pour qu'une bouteille de Mao Tai fût ouverte et plusieurs plats froids apparurent sur la table basse. L'alcool était fort et envahissait Chen d'une chaleur nouvelle. Tout en dégustant sa liqueur, Meiling aborda le sujet du parking en indiquant clairement que la décision lui appartenait. Elle donna à Gu un formulaire, afin qu'il le signe pour commencer les démarches.

Au milieu de leur conversation, Nuage Blanc revint avec un grand sac de plastique noir. Elle détacha prudemment la ficelle qui le fermait, plongea d'un mouvement aussi vif que l'éclair la main à l'intérieur, et sortit un serpent qui ondulait, sifflait et dardait sa langue rouge. Un monstrueux serpent, qui devait peser dans les deux ou trois kilos.

– Notre plus gros serpent royal, annonça fièrement Gu.

– D'habitude, expliqua Nuage Blanc, nos clients voient le serpent avant qu'il ne soit préparé. Dans certains restaurants, le chef vient le tuer devant eux.

– Ce n'est pas la peine, aujourd'hui, dit Gu en faisant signe à la fille de sortir. Dites au chef de faire de son mieux.

– Elle est vraiment étudiante à Fudan ? demanda Meiling.

– Bien sûr. Elle prépare un diplôme de littérature chinoise. Une fille intelligente. La tête sur les épaules. En un mois ici, elle gagne autant qu'un professeur de lycée en un an.

– Elle travaille pour payer ses études, alors, conclut Chen, plutôt gêné.

Nuage Blanc revint chargée d'un grand plateau sur lequel étaient disposées plusieurs tasses et coupelles. L'une de celles-ci contenait le sang du serpent, une autre une petite boule verdâtre dans un liquide. À la demande de Gu, elle énuméra les merveilleuses propriétés médicinales du serpent.

– Le sang de serpent est bon pour la circulation. On s'en sert pour traiter l'anémie, les rhumatismes, l'arthrite et l'asthénie. La bile du serpent est particulièrement efficace pour dissoudre les humeurs néfastes et améliorer la vue.

– La bile est pour vous, inspecteur principal Chen, insista Gu. Elle est associée au yin, et a un effet bénéfique sur la santé.

Chen n'était pas convaincu par ces théories pseudo-médicales, mais il n'ignorait pas que la bile était traditionnellement réservée à l'hôte de marque.

Nuage Blanc s'agenouilla devant lui et lui offrit respectueusement la coupe à deux mains. Flottant au milieu d'un liquide transparent, la vésicule biliaire du serpent avait une répugnante couleur verdâtre. Mieux valait renoncer à en imaginer le goût.

Il se hâta de boire et déglutit le plus vite possible, comme il avalait les cachets, étant petit. Était-ce l'effet de son imagination, ou la puissance de la bile ? Toujours est-il que celle-ci lui brûla la gorge, puis lui glaça aussitôt l'estomac.

– Et le sang du serpent, camarade inspecteur principal Chen, c'est le yang, continua Gu.

Dans les romans de kung-fu, l'absorption d'un mélange de vin et de sang fait partie du rituel d'initiation, une sorte de serment afin de partager richesses et malheurs. Gu avait aussi une coupe entre les mains, peut-être le geste avait-il une connotation. Chen n'avait pas le choix, il vida la coupe en faisant de son mieux pour ne pas prêter attention à l'odeur bizarre du liquide qu'elle contenait.

Un plat de tranches de serpent grillées fut posé sur la table. Nuage Blanc lui en présenta une devant la bouche. La viande était tendre sous sa surface croustillante et dorée, avec un goût rappelant celui du poulet, mais d'une texture différente.

Chen essaya de mener la conversation là où il voulait en venir.

– Nous n'avons pas eu assez de temps pour discuter hier, Gu. il reste plusieurs points à aborder.

– Tout à fait, inspecteur principal Chen. Quant à ce sur quoi vous vouliez que je me renseigne, j'ai fait quelques démarches.

– Excusez-moi, directeur Gu… (Meiling se leva.) J'aimerais voir ce parking. Si Nuage Blanc veut bien m'accompagner…

– Excellente idée, Meiling !

Mais quand les deux hommes se retrouvèrent seuls, Gu n'apprit pas grand-chose de nouveau au policier. Il expliqua en quoi il avait trouvé suspecte la soudaine apparition de monsieur Diao, son visiteur venu de Hong Kong. Un membre des Haches volantes ne serait pas venu voir Gu, puisque celui-ci n'était pas membre à part entière de la Bleue, il se serait adressé au Frère aîné de la Bleue. Gu n'était pas dans son élément lorsqu'il s'agissait de jouer au détective, mais il avait appris que Diao avait aussi rendu visite à la maison de bains *Capitale rouge*.

Le directeur du club de karaoké avait, semblait-il, fait beaucoup d'efforts pour se renseigner.

Chen écouta en buvant tranquillement son vin. Si cet homme à l'accent du Fujian était un membre des Haches volantes à la recherche de Wen, Diao pouvait appartenir à une organisation rivale. Un troisième partenaire, comme l'avait suggéré l'inspecteur Rohn ?

– Merci infiniment, Gu, vous avez fait un excellent travail.

– Allons, inspecteur principal Chen, vous m'honorez de votre amitié, et que ne ferais-je pour mes amis ?

Gu était devenu rouge et battait sa coulpe, un geste que Chen ne se serait pas attendu à voir dans un salon privé de karaoké.

Quand Meiling revint avec Nuage Blanc, Gu déboucha une autre bouteille de Mao Tai et leva à plusieurs reprises son verre à «la brillante carrière et l'avenir prometteur de l'inspecteur principal Chen». Meiling se joignit à lui. Agenouillée à côté de la table basse, Nuage Blanc remplissait avec zèle le verre du héros. Chen avait cessé de compter les verres. Réchauffé par cette reconnaissance enthousiaste de ses mérites, il commençait à accepter sereinement les flatteries de Gu.

– Li Guohua est venu ici ? demanda-t-il en profitant d'un moment où Meiling avait quitté la pièce.

– Le secrétaire du Parti de votre service ? Non. Mais j'ai appris par le Frère aîné de la Bleue qu'un de ses parents est propriétaire d'un bar extrêmement bien situé.

– Vraiment ?

Que le beau-frère de Li soit propriétaire d'un bar, Chen le savait déjà. Mais Gu avait spécifié qu'il tenait ce renseignement du Frère aîné de la Bleue. C'était troublant. Jusqu'alors, Chen avait non seulement considéré Li comme son mentor en politique, mais aussi comme un parangon d'honnêteté et de loyauté vis-à-vis du Parti. Alors ? Avait-il découvert la raison pour laquelle Li semblait n'avoir aucune hâte de le voir poursuivre son enquête ? Ou la raison pour laquelle il avait tenu à lui imposer Qian comme auxiliaire ?

194

– Je peux essayer d'en découvrir un peu plus, si vous le désirez, inspecteur principal Chen.

– Merci, mon ami Gu !

Meiling revint dans le salon. Un nouvel air de musique se fit entendre, un tango. Nuage Blanc, agenouillée, une tasse à la main, à côté de Chen, leva les yeux vers lui. Une goutte de sang tachait son pied nu. Peut-être le sang du gros serpent royal. Il eut envie de danser encore avec elle.

Il n'était pas ivre, du moins pas autant que Li Bai qui, sous la dynastie des Tang, avait décrit sa danse avec sa propre ombre. Li Bai avait dû, dans un moment de solitude, prendre plaisir à cette folle escapade loin de sa monotone existence. Et ce soir, au *Dynastie*, une folle escapade était bien tentante.

L'inspecteur principal Chen vit Meiling consulter sa montre et eut envie de lui dire de rentrer seule chez elle. Mais en fin de compte, il se leva pour l'accompagner.

22

L'inspecteur Yu fut réveillé par un long cri rauque. Il s'arracha à son rêve, cligna des yeux dans la pénombre de la pièce, le bruit macabre se répéta plusieurs fois au loin. Toujours désorienté, il avait l'impression d'un son émanant d'un autre monde. Était-ce un hululement de dame blanche ? Elles ne devaient pas être rares, par ici. Il tendit la main vers sa montre. Six heures vingt. L'aube commençait à filtrer entre les lamelles en plastique du store. Un hululement de chouette, surtout entendu en premier le matin, avait la réputation de porter malchance.

Dans le Yunnan, Peiqin et lui étaient parfois réveillés par des chants d'oiseaux inconnus. Une époque différente, des oiseaux différents… Après une nuit de pluie et de vent, le talus sous leur fenêtre était couvert de pétales tombés des arbres. Peiqin lui manquait.

Il se frotta les yeux, fit un effort pour se secouer, s'extirper de cette nostalgie provoquée par un cri de chouette. Il n'avait aucune raison de craindre que la journée se passe mal.

Toutefois, l'inspecteur principal Chen l'avait averti : il n'était pas impossible que les Haches volantes aient recours à des mesures extrêmes. Inquiétant, mais compréhensible. Vu les énormes profits générés par l'immigration clandestine, le gang devait faire tout son possible pour mettre la main sur Wen, soit directement, soit par l'intermédiaire des triades alliées. Ils ne pouvaient se permettre de laisser Feng témoigner.

Son téléphone sonna, un numéro local s'afficha sur l'écran. C'était le directeur Pan. Les deux hommes ne s'étaient pas parlés depuis la tentative d'empoisonnement.

– Tout va bien, camarade Pan ?

– Parfaitement. Je voulais vous dire… Hier soir, j'ai invité un client dans une maison de bains du village de Tingjiang. J'ai aperçu Zheng Shiming qui jouait au mah-jong avec plusieurs bons à rien de son acabit.

– Qui est Zheng Shiming ?

– Un membre des Haches volantes. Il était en affaires avec le mari de Wen, il y a deux ou trois ans.

– Ça c'est une nouvelle ! Vous auriez dû me téléphoner hier soir.

– Je ne suis pas flic, je n'ai pas tout de suite pensé que Zheng pouvait avoir un rapport avec votre enquête. Mais il doit être encore temps. Une partie de mah-jong dure facilement toute la nuit. Si vous y allez tout de suite, je parie que vous le trouverez là-bas. Il a une moto rouge, une Honda.

– J'y vais. Vous savez autre chose sur Zheng ?

– Il était en prison l'an dernier, pour jeu illicite, et vient d'obtenir une libération conditionnelle pour suivre un traitement médical. Le mah-jong est loin d'être sa spécialité première… Oh, et j'ai entendu des rumeurs à propos de lui et de la joyeuse veuve Shou, la propriétaire de la maison de bains. Elle adore les parties de bête à deux dos avec Zheng.

– Je vois…

Là était la vraie raison de cet appel si matinal. Malin, le Pan. Après une nuit passée à jouer au mah-jong, à six heures trente on trouverait les oiseaux au nid.

– Euh… Je ne vous ai rien dit, n'est-ce pas, camarade inspecteur Yu ?

– Bien sûr que non. Et merci.

– C'est moi qui vous dois un merci. Si vous n'aviez pas réagi aussi vite, je serais mort d'une intoxication alimentaire à votre hôtel.

L'inspecteur Yu ne s'étonnait même plus des cachotteries de la police locale. La présence d'un personnage comme Zheng ne pouvait pas être passée inaperçue. Plus sage alors de se rendre discrètement au village de Tingjiang sans avertir le sergent Zhao. Il hésita un instant, puis prit son arme.

Tingjiang n'était guère à plus de quinze minutes de marche. Il était difficile de croire que ce hameau abritait une maison de bains. Le renouveau des maisons de bains au début des années quatre-vingt-dix était moins dû à la nostalgie des anciens pour les joies d'antan qu'aux nouveaux services qu'elles offraient. Dans une maison de bains, les nouveaux riches pouvaient s'offrir le plaisir d'être cajolés et chouchoutés de la tête aux pieds… sans omettre une seule partie du corps. L'inspecteur Yu avait lu un certain nombre de rapports sur ces à-côtés indécents. Dans cette province où affluait l'argent envoyé de l'étranger, un tel établissement ne devait pas manquer de clients aux poches bien garnies.

La première chose qu'il vit en entrant dans le village fut une motocyclette rouge garée devant une maison blanche dont l'enseigne représentait une énorme baignoire. Cette maison de bains était probablement une ancienne maison d'habitation. Il aperçut par la porte entrouverte une courette pavée encombrée de charbon, de bois, et de piles de serviettes-éponges. Il entra. Un grand bassin carrelé de blanc occupait ce qui était autrefois la salle à manger et le salon. Des chaises longues étaient alignées contre le mur. Une autre pièce, fermée par

197

un rideau de perles de bambou, était surmontée d'une pancarte : *Chambre du long bonheur*. Le salon particulier réservé aux clients fortunés. Il écarta le rideau, et vit, entourée de plusieurs chaises, une table pliante chargée de pièces de jeu de mahjong, de tasses à thé, de cendriers. À en juger par l'odeur de fumée de cigarette empuantissant la pièce, la partie ne devait pas être terminée depuis longtemps.

– Qui est là ? demanda une voix venue de l'étage.

Yu dégaina son arme, monta l'escalier en courant et ouvrit la porte d'un coup de pied. Le spectacle était celui qu'il attendait : un homme et une femme s'étreignant sur un lit en désordre. La femme essaya de se couvrir avec le drap, tandis que l'homme tendait la main vers la table de nuit.

– Pas un geste ou je tire !

À la vue du revolver, l'homme retira la main. La femme essayait frénétiquement de se couvrir le bas-ventre, sans se préoccuper de ses seins pendants, ni des autres parties de son corps. Un gros grain de beauté sur une côte donnait l'impression qu'elle avait trois mamelons. Yu lui jeta une chemise.

L'homme, un costaud avec une longue cicatrice au-dessus du sourcil, enfila un pantalon.

– Qui êtes-vous ? *Les haches descendent du ciel et je suis au troisième étage.*

– Tu dois être Zheng Shiming. Je suis un flic, tu peux laisser tomber ton jargon de triade.

– Un flic ? C'est la première fois que je vous vois par ici.

Yu sortit son insigne.

– Eh bien, regarde ! Zhao Youli est mon adjoint ici, je suis sur une affaire spéciale.

– Qu'est-ce que vous me voulez ?

– On va parler… dans une autre pièce.

L'homme avait retrouvé son sang-froid.

– Ne t'inquiète pas, Shou ! jeta-t-il à la femme avant de sortir.

– Je ne vois pas ce dont vous voulez me parler, inspecteur Yu. Je n'ai rien fait de mal, commença-t-il dès qu'ils furent en bas.

– Ben voyons! À part passer la nuit à jouer, alors que tu as déjà fait de la prison pour jeu illicite.

– Moi, jouer de l'argent? Pas du tout, on a juste fait une petite partie pour s'amuser.

– Tu expliqueras ça à la police locale. En outre, j'ai été témoin de ta fornication.

– Allons, Shou et moi sommes ensemble depuis plusieurs années. Je vais l'épouser. Qu'est-ce que vous me voulez, exactement?

– Que tu me dises tout ce que tu sais de Feng Dexiang et des Haches volantes.

– Feng est aux États-Unis, je n'en sais pas plus. Quant aux Haches volantes, je sors juste de prison, je n'ai aucun contact avec elles.

– Tu étais en affaires avec Feng, il y a quelques années. Commence par m'expliquer ça. Raconte-moi comment tu as fait sa connaissance, où et quand.

– C'était il y a environ deux ans. Nous nous sommes rencontrés dans un petit hôtel de la ville de Fuzhou. Nous nous occupions de la vente de cigarettes envoyées de Taïwan.

– Tu veux dire arrivées illégalement, tu étais son associé dans une affaire de contrebande.

– Seulement quelques semaines. Par la suite, je n'ai jamais plus travaillé avec lui.

– Quelle sorte d'homme est Feng?

– Un rat puant. Pourri de la tête aux pieds. Il vendrait sa mère pour une miette de pain.

– Un rat puant? (Les villageois de Changle avaient aussi utilisé cette expression.) Tu as fait la connaissance de sa femme, à l'époque?

– Non, mais Feng m'a montré sa photo. Quinze ans de moins que lui, une fille superbe.

– Il avait une photo de Wen sur lui? Il devait l'aimer beaucoup, alors.

– Ça m'étonnerait! Il voulait surtout se vanter d'avoir défloré une telle beauté. Il en parlait d'une manière répugnante, décrivant en détail comment elle s'était débattue en hurlant, toute ensanglantée, la première fois qu'il l'avait violée, et…

– Quelle ordure de se vanter d'un tel acte!

– En plus, il couchait ici et là. Il avait au moins une demi-douzaine de filles. J'en connaissais une, Tong Jiaqing. Quelle nymphomane, celle-là! Une fois, plusieurs types l'ont eue à la suite, Feng, Ma l'Aveugle, le Petit Yin…

– Il t'a parlé de ses projets de départ aux États-Unis?

– Tout le monde le savait. La plupart des hommes sont partis, par ici. Il disait comme tout le monde qu'il allait partir et revenir millionnaire. De toute façon, politiquement, il est grillé.

– Vous êtes tous les deux membres des Haches volantes, il a bien dû te parler de son racket d'émigration clandestine.

– Je n'ai jamais rien eu à voir avec cette combine. Feng s'est vanté de connaître quelques gros bonnets, je ne sais rien de plus.

– De gros bonnets parmi lesquels Jia Xinzhi?

– Jia n'est pas membre de notre organisation. C'est un partenaire en affaires, il s'occupe des traversées. Je ne me souviens pas que Feng ait parlé de lui. Je dis la vérité, inspecteur Yu…

Yu pensait que jusque-là, c'était probablement exact. Zheng n'avait fait aucune révélation sur la triade. Pour un salopard comme Feng, quelques abominations de plus dans sa vie ne changeaient pas grand-chose.

– Je sais que tu viens de sortir de cabane, Zheng, et je peux facilement t'y renvoyer si tu refuses de m'aider. J'ai besoin d'en savoir plus.

– Je suis cuit, de toute façon. Vous ne pouvez pas m'enfoncer davantage. Remettez-moi en prison si vous voulez.

L'inspecteur Yu avait entendu parler du *yi qui* des triades. Néanmoins, beaucoup préféraient être indics plutôt qu'«être cuits». Zheng devait croire que Yu bluffait. Un insigne de la police de Shanghai pouvait ne pas émouvoir un gangster de province, pourtant Yu n'avait aucune envie de faire intervenir le sergent Zhao.

Ce qui le sortit de l'impasse fut l'arrivée de Shou, maintenant vêtue d'un pantalon et d'un haut blanc à rayures bleues. Ses mules à semelles de bois cliquetèrent sur le sol, elle apportait un plateau de laque noire sur lequel se trouvaient une théière et deux tasses.

– Camarade inspecteur, buvez un peu de thé Oolong.

L'entrée de Shou était inattendue, toute autre femme serait restée à sangloter dans sa chambre, trop honteuse pour réapparaître devant le flic qui venait de la voir nue. Habillée, elle était tout à fait présentable, parfaitement correcte, sans aucun rapport avec la femme lascive à laquelle avait fait allusion Pan. Yu se demanda si elle avait écouté à la porte.

– Merci.

Il prit une tasse et continua.

– Je vais être clair, Zheng. Tu n'as pas une idée sur ce que la bande risque de faire à Feng et à son épouse ?

– Je n'ai aucune idée. Depuis que je suis sorti de prison, je me tiens à carreau.

– Tu te tiens à carreau ? Ce que tu as fait cette nuit suffirait à te renvoyer là-bas pour des années, tu le sais bien. Jouer au mah-jong pour de l'argent est grave quand on est en liberté conditionnelle. Sers-toi de ta cervelle !

– Zheng n'a rien fait de mal, intervint Shou, c'est moi qui ai insisté pour qu'il reste cette nuit.

– Laisse-nous, Shou, ça ne te regarde pas. Retourne là-haut.

En quittant la pièce, Shou leur lança par-dessus son épaule un dernier regard.

– Une femme charmante, articula Yu. Tu ne veux pas qu'elle ait d'ennuis à cause de toi, quand même !

– Ça n'a rien à voir avec elle.

– J'ai bien peur que si. Non seulement je vais te renvoyer en cabane, mais je ferai en sorte que cette maison de bains soit considérée comme maison de jeu et de prostitution. Elle sera fermée et Shou se retrouvera derrière les barreaux. Et tu peux être certain qu'elle ne sera pas dans la même cellule que toi.

Zheng le regarda avec défi.

– C'est du bluff, inspecteur Yu. Je connais très bien le sergent Zhao.

– Tu ne veux pas me croire ? C'est le commissaire divisionnaire Hong qui est chargé de cette province, tu le connais sûrement aussi. (Il sortit son portable.) Je l'appelle.

Il composa le numéro, montra à Zheng les chiffres affichés sur le petit écran et appuya sur le haut-parleur afin que tous deux puissent entendre la conversation.

– Allô, camarade commissaire divisionnaire Hong, ici l'inspecteur Yu Guangming.

– Comment se déroule votre enquête, inspecteur Yu ?

– Aucun progrès. Et l'inspecteur principal Chen m'appelle tous les jours de Shanghai. Vous savez que cette affaire préoccupe beaucoup le ministère, à Pékin ?

– Nous en sommes tout à fait conscients. C'est une priorité pour nous également.

– Il faudrait exercer davantage de pression sur ces Haches volantes.

– Je suis tout à fait d'accord mais, comme je vous l'ai dit, leurs chefs sont absents.

– N'importe quel membre fera l'affaire. J'en ai discuté avec l'inspecteur principal Chen, il veut qu'ils soient mis sous les verrous, ainsi que toutes les personnes en relation avec eux. S'ils se sentent aux abois, ils capituleront.

– Je vais organiser ça avec Zhao. Je vous rappelle.

Yu regarda Zheng dans les yeux.

– Eh bien, maintenant on peut discuter, non ? Comprends-moi bien : la police locale ignore que je suis ici. Pourquoi ? Parce que cette enquête est hautement confidentielle. Si tu collabores, personne n'en soufflera mot à personne. Ni toi, ni Shou, ni moi. Ce que tu as fait cette nuit ne m'intéresse pas.

– Je n'ai vraiment rien fait... cette nuit. (La voix de Zheng était rauque.) Mais il me revient quelque chose… Un des joueurs de mah-jong, un certain Ding, m'a posé des questions sur Feng.

– Qu'a-t-il dit?

– Il m'a demandé si j'avais de ses nouvelles. Je n'en ai pas. En fait, c'est par Ding que j'ai appris le marché conclu par Feng avec les Américains. Et aussi la disparition de Wen. L'organisation est sens dessus dessous.

– Il a expliqué pourquoi?

– Pas en détail, mais ce n'est pas sorcier à deviner. Si Jia est condamné, c'est la catastrophe.

– Il y a bien assez de réseaux taïwanais pour prendre la relève. Je ne crois pas que les Haches volantes aient à se faire du souci sur ce point.

– C'est la réputation de l'organisation qui est en jeu. *Une crotte de rat peut gâcher toute une marmite de bouillie…* (Il hésita.) Il y a peut-être autre chose. Le rôle de Feng dans l'organisation.

– Intéressant, ça! Que sais-tu de son rôle?

– Une fois la date d'appareillage du bateau fixée, les gens comme Jia ont intérêt à embarquer un maximum de passagers. Si le navire est à moitié plein, ils perdent de l'argent. Alors c'est à nous de faire passer le mot. Feng s'occupait du recrutement. Il avait organisé un réseau et se rendait utile aux villageois, on le consultait par exemple pour savoir à quelles «têtes de serpent» se fier, si on pouvait discuter le prix, quels étaient les capitaines les plus expérimentés. Feng a donc en tête une longue liste de personnes impliquées, à la fois du côté de l'offre et de celui de la demande. S'il raconte tout ça, ce sera un coup terrible pour le réseau.

– Qui nous dit qu'il ne l'a pas déjà fait?

Yu ne savait rien de cet aspect du problème. Il était possible que les Américains ne se soient intéressés qu'à la possibilité d'utiliser Feng comme témoin contre Jia.

– Ding a dit ce que la triade a l'intention de faire de sa femme?

– Il l'a couverte d'insultes, du genre : « Cette salope a changé d'avis, elle ne l'emportera pas au paradis ! »

– Qu'est-ce que ça signifie, « changé d'avis » ?

– Elle attendait son passeport et tout d'un coup elle a filé à la dernière minute. Du moins, c'est comme ça que j'interprète ce qu'il a dit.

– Alors que vont faire les membres de la triade ?

– Feng s'inquiète pour le bébé qu'elle porte. S'ils arrivent à s'emparer d'elle, Feng ne parlera pas. Alors ils font tout pour la retrouver.

– Ça fait presque dix jours… ils doivent être dans leurs petits souliers.

– C'est sûr. Ils ont envoyé les haches d'or. Le fondateur des Haches volantes avait fait fabriquer cinq petites haches en or, avec cette inscription : *Qui voit la hache d'or me voit.* Si une autre triade leur rend un service demandé avec une hache d'or, ils ont le droit d'exiger n'importe quoi en échange.

– Donc il y a d'autres triades, outre les Haches volantes, qui participent à la recherche ?

– Ding a mentionné des gangs de Shanghai. Ils feront tout ce qu'ils pourront pour retrouver la femme avant les flics, c'est sûr !

La réponse était inquiétante, tant pour l'inspecteur principal Chen que pour sa coéquipière américaine.

– Que t'a-t-il appris d'autre ?

– Je crois que c'est tout. Je vous ai dit tout ce que je sais. C'est l'exacte vérité, inspecteur Yu.

– C'est ce qu'on verra ! (Yu pensait qu'effectivement Zheng avait dit tout ce qu'il savait.) Une dernière chose… Donne-moi l'adresse de cette prostituée, Tong.

Zheng écrivit quelques mots sur un papier.

– Personne ne sait que vous êtes venu ici ?

– Personne. Ne t'inquiète pas de ça. (Il ajouta à sa carte son numéro de portable et se leva.) Appelle-moi si tu apprends autre chose.

Il quitta la maison de bains avec la mine d'un client satisfait.

Ses hôtes l'accompagnèrent jusqu'à la porte. En arrivant à la sortie du village, il se retourna. Zheng était debout sur le seuil de la porte et tenait Shou par la taille. On aurait dit deux crabes attachés l'un à l'autre pour être vendus au marché. Peut-être qu'ils s'aimaient, ces deux-là.

En descendant la route, il entendit quelqu'un l'appeler en claquant vulgairement des doigts. Il se retourna, ne vit personne et pâlit soudain : il venait de se faire tirer dessus.

23

Conséquence de la soirée karaoké de la veille, l'inspecteur principal Chen souffrait le dimanche matin d'une terrible migraine.

Son rêve s'estompait rapidement, lui laissant un vague souvenir de voyage en train. Où allait-il ? Son billet ne l'indiquait pas, mais il savait que ce voyage était long et ennuyeux. Il n'avait rien à faire, à part contempler le couloir où défilaient des pieds chaussés de sandales d'osier, de bottillons bien cirés, de mocassins de cuir, de mules élégantes... Alors il s'était tourné vers son propre reflet, dans la fenêtre. Une mouche tournoyait autour de l'encadrement. À l'instant où, agacé, il levait la main pour la chasser, elle s'éloigna en bourdonnant. Puis revint, toujours bourdonnant, au même endroit. Le train roulait sans rouler... La lumière éclairait les stores.

Quelques détails de la soirée lui revenaient.

« Me voilà devenu semblable à ces officiels dépravés de l'affaire Baoshen ! » Puis il se rassura : sa visite au club de karaoké était strictement d'ordre professionnel. Il s'était juré de tout faire pour porter un coup terrible aux triades, mais n'avait pas prévu qu'il serait obligé de s'abaisser à tant de duplicité, allant jusqu'à lever à plusieurs reprises son verre à son amitié avec un membre honoraire de la Triade bleue.

Et puis, il y avait le problème Li. Le secrétaire du Parti pouvait fort bien avoir gardé pour lui certains points de cette enquête. En fait, la recommandation personnelle du ministre Huang pour cette mission, puis, plus tard, le fait qu'il lui ait téléphoné directement chez lui étaient peut-être significatifs. L'inspecteur principal Chen risquait d'avoir besoin d'un atout contre l'influent secrétaire du Parti.

À huit heures trente, ce dernier lui téléphona, ce qui ne fit rien pour soulager sa migraine.

– Nous sommes dimanche, inspecteur principal Chen. Arrangez-vous pour trouver des distractions afin d'occuper la journée de l'inspecteur Rohn. Au moins, elle ne pensera pas à nous gâcher la vie avec ses exigences !

Chen secoua la tête. Impossible de discuter avec lui, surtout en sachant la Sécurité intérieure embusquée quelque part à le surveiller. La perspective de le voir succéder à Li au poste de secrétaire du Parti faisait grincer les dents de certaines personnes, alors qu'il n'était guère enthousiasmé par cette perspective.

L'inspecteur Rohn ne parut pas trop déçue par ses suggestions pour occuper la journée. Peut-être se rendait-elle aussi compte de l'inutilité de ces interrogatoires de parents et amis de Wen à Shanghai. Il proposa de la retrouver pour déjeuner au *Faubourg de Moscou*.

– C'est un restaurant russe ?

– Vous allez voir combien Shanghai évolue vite.

L'inviter à manger là-bas amènerait deux clients de plus à son ami Lu.

Il avait eu l'intention d'aller voir le Vieux chasseur avant le repas, mais il n'en eut pas le temps. Juste au moment où il raccrochait, un paquet lui fut livré par express. La cassette envoyée par l'inspecteur Yu et étiquetée *Entretien avec le directeur Pan* devint la priorité du moment. Il enroula une serviette mouillée autour de son front, s'assit sur le canapé et écouta la cassette. Arrivé à la fin, il la rembobina et réécouta le passage où Pan expliquait comment il avait appris le marché conclu par Feng aux États-Unis. Il nota rapidement quelque chose dans son carnet, en se demandant si Yu avait remarqué ce détail.

Il regarda sa montre : plus le temps de téléphoner à Yu, il fallait même qu'il se dépêche.

Lu, le patron du restaurant, les attendait devant son établissement, vêtu d'un complet gris anthracite avec une cravate rouge retenue par une épingle à cravate en diamant. Il les accueillit chaleureusement.

– Ça fait des siècles que tu n'es pas venu, mon vieux ! Quel bon vent t'amène, aujourd'hui ?

– Voici Catherine Rohn, mon amie américaine. Catherine, je vous présente Lu, le Chinois d'outre-mer.

– Bienvenue au *Faubourg de Moscou*. Les amis de l'inspecteur principal Chen sont mes amis.

Ils eurent droit à un traitement de faveur, d'autant plus que la salle à manger était bondée. Beaucoup d'étrangers s'exprimant en anglais…

La serveuse se planta derrière la table. Lu lui fit signe de partir.

– Revenez plus tard, Anna, s'il vous plaît. Il y a longtemps que je n'ai pas parlé à mon vieux copain.

– Alors, comment vont les affaires ? demanda Chen.

– Pas mal du tout. (Il rayonnait.) Nous sommes réputés pour notre authentique cuisine russe et nos authentiques filles russes.

– C'est plus qu'une réputation, c'est une célébrité ! Tu es vraiment un Chinois d'outre-mer qui a réussi, comme au cinéma. Et merci de ce que tu fais pour ma mère.

– Allons, Chen… Je la considère comme une mère, moi aussi. Et elle est un peu seule, tu sais.

– Oui. Je voulais qu'elle vienne habiter avec moi, mais elle dit qu'elle est habituée à sa vieille mansarde.

– Elle veut surtout que tu aies ton petit deux-pièces pour toi tout seul !

Chen voyait bien où Lu voulait en venir, mais ne tenait pas à aborder ce sujet devant l'inspecteur Rohn.

– Je trouve que j'ai déjà bien de la chance d'avoir un deux-pièces pour moi tout seul, tu sais !

Lu se tourna vers Catherine.

– Vous savez ce que dit ma femme ? « L'inspecteur principal Chen appartient à une espèce en voie de disparition. » Et pourquoi ? Parce que sinon, il y a belle lurette qu'un homme dans sa position se serait fait remettre la belle clef bien brillante d'un quatre-pièces. (Il étouffa un rire et regarda son ami.) Ne te vexe pas, mon vieux ! Ruru cuisine admirablement, mais elle n'arrive pas à admettre que tu sois un flic à principes... Oh, au fait, Gu, le patron du *Dynastie,* est passé hier et m'a parlé de toi.

– Ah bon ? Et tu crois qu'il est venu comme ça, par hasard ?

– Je ne sais pas, ce n'était pas la première fois qu'il venait. Mais hier il m'a posé des tas de questions. Je lui ai raconté comment tu m'as aidé à démarrer. Comme un ami qui envoie à son ami dans le besoin un sac de charbon en plein hiver.

– Il est inutile de le raconter partout, Lu.

– Et pourquoi pas ? Ruru et moi sommes fiers d'avoir un ami tel que toi. Pourquoi ne viens-tu pas ici toutes les semaines ? Fais-toi conduire par Petit Zhou, ça ne prendra pas plus de quinze minutes, et ta cantine est une horreur. Tu as une note de frais, aujourd'hui ?

– Non, je ne viens pas pour le travail, mais pour faire découvrir à Catherine le meilleur restaurant russe de Shanghai.

– Merci. Dommage que Ruru soit absente, elle te recevrait comme à la maison. Tu es mon invité, aujourd'hui.

– Non, l'addition sera pour moi. Tu ne veux quand même pas que je perde la face devant mon amie américaine ?

– Ne t'en fais pas, mon vieux ! Tu ne perdras pas la face. Et vous mangerez ce qu'il y a de mieux.

Anna leur apporta un menu écrit en deux langues. Debout

entre eux deux, et aussi volubile qu'un animateur de publicité télévisuelle, Lu suggéra diverses spécialités de la maison. Chen commanda une escalope de veau sautée et Catherine choisit du bortsch avec de la truite fumée.

– C'est vraiment un Chinois d'outre-mer? demanda Catherine quand ils furent enfin seuls.

– Non, c'est un surnom.

– Tous les Chinois d'outre-mer parlent comme lui?

– Je ne sais pas. Dans les films, on les représente toujours comme des personnages surexcités à l'idée de retourner chez eux et portés à l'exagération. Lu parle ainsi dès que la conversation a pour sujet la nourriture, mais ce n'est pas ce qui lui a valu son surnom. Durant la Révolution culturelle, «Chinois d'outre-mer» était un terme péjoratif. C'étaient des gens dont on devait se méfier en raison de leurs liens avec le monde occidental, ou bien dont le style de vie était bourgeois et gaspilleur. Quand nous étions au lycée, Lu cultivait obstinément ses goûts «décadents». Il confectionnait du café, des tartes aux pommes, des salades de fruits, et endossait un complet pour venir dîner. C'est ce qui lui a valu ce surnom.

– Mais c'est de lui que vous tenez votre culture épicurienne.

– Oui, on pourrait le dire… De nos jours, «Chinois d'outre-mer» est plutôt laudatif, c'est un homme riche, dont les affaires marchent bien, et qui a des contacts avec le monde occidental. Lu a bien réussi, avec son restaurant, alors maintenant son surnom lui convient tout à fait.

Catherine but une gorgée d'eau.

– Il vous a demandé qui allait payer l'addition. Pourquoi ça?

– Si je suis là pour mon travail, aux frais du service, Lu doublera ou triplera l'addition. Tout le monde le fait, et pas seulement vis-à-vis de notre service, vis-à-vis de toutes les entreprises d'État. On appelle ça des «faux frais socialistes».

– Mais comment… Enfin, deux ou trois fois plus!

– En Chine, la plupart des gens travaillent pour des

entreprises nationalisées. Le système prévoit un niveau de salaire égal pour tous. En théorie, un PDG et un portier devraient gagner à peu près la même somme. Alors le PDG se sert de l'argent de l'État pour ses dépenses personnelles, les invitations à dîner et les réceptions, les fameux «faux frais socialistes». Même si les invités sont sa propre famille ou ses amis.

La serveuse apporta une bouteille de vin dans une corbeille et deux petits pots de caviar posés sur un plateau d'argent.

– C'est offert par la maison.

Ils la regardèrent déboucher cérémonieusement la bouteille, verser un peu de vin dans le verre de Chen et attendre d'un air anxieux.

– Ça va, il est bon.

La serveuse sortit et ils trinquèrent.

– Je suis contente que vous m'ayez présentée comme votre amie, mais je tiens à partager l'addition.

– Non, c'est le service qui paie. J'ai dit à Lu que c'était moi parce que je ne voulais pas que l'addition soit trop élevée. Et pour un Chinois c'est une grave «perte de face» de ne pas payer lorsqu'il sort avec sa petite amie. Et encore plus s'il s'agit d'une séduisante petite amie américaine…

– Quelle petite amie?

– Je n'ai pas employé ce terme, mais c'est probablement ce qu'il pense.

– La vie est si compliquée ici, entre les «faux frais socialistes» et les «pertes de face»! (Elle leva son verre.) Vous croyez que Gu est venu ici avec une idée derrière la tête?

– Gu ne m'en a pas parlé hier soir, mais je pense que vous avez vu juste.

– Ah… vous l'avez vu hier soir?

– Oui. J'ai emmené Meiling, mon ex-secrétaire du service de Régulation de la circulation à une soirée karaoké.

– Vous avez osé emmener une autre femme au *Dynastie*! s'exclama-t-elle d'un ton faussement choqué.

– Il fallait bien montrer à Gu ma volonté de l'aider.

– En échange de certaines informations, j'imagine. Vous avez appris quelque chose de nouveau, inspecteur principal Chen?

– Rien en ce qui concerne Wen. Mais il a promis d'essayer.

En vidant son verre, le souvenir du Mao Tai mélangé au sang de serpent lui revint et il résolut de donner à Catherine le moins de précisions possible sur sa soirée karaoké.

– La soirée s'est terminée à deux heures du matin, après dégustation de tous les mets exotiques imaginables et de deux bouteilles de Mao Tai. Avec en prime, pour moi, une épouvantable migraine ce matin.

– Oh, comme je vous plains, inspecteur principal Chen!

Le plat principal arriva. La nourriture était excellente, le vin capiteux, et la compagnie de sa collègue bien agréable. Sa gueule de bois disparaissait. La lumière de l'après-midi entrait à flots par la fenêtre, un chant folklorique russe, intitulé *Fleur d'airelle,* résonnait à l'arrière-plan.

Il but une autre gorgée, des fragments d'un poème lui revinrent en mémoire:

Soleil d'or en fusion,
Nous ne pouvons conserver la lumière
De ce jardin d'autrefois
Dans un vieil album.
Choisissons bien notre jeu
Ou le temps sera impitoyable.

Il eut un instant de doute, ce n'était pas exactement les mots qu'il avait écrits. Était-il encore ivre? Li Bai prétendait que ses meilleurs vers avaient été écrits en état d'ébriété. Chen n'en avait jamais fait l'expérience.

– À quoi pensez-vous? demanda Catherine en découpant son poisson.

– À des vers. Pas les miens, du moins pas tous.

– Allons! Vous êtes un poète célèbre, la responsable de la bibliothèque de Shanghai a entendu parler de vous. Pourquoi ne pas me réciter un de vos poèmes?

Après tout, pourquoi pas ? Le secrétaire du Parti n'avait-il pas ordonné de la distraire ?

– Bien… L'an dernier, j'ai écrit un poème sur Daifu, un poète moderne chinois. Vous vous souvenez de ce distique sur mon éventail ?

Elle sourit.

– Sur quelqu'un qui maltraite un cheval et la beauté, c'est ça ?

– Au début des années quarante, Daifu fut la cible de la presse à sensation à cause de son divorce. Il se réfugia dans une île des Philippines et mena une nouvelle vie sous un nouveau nom. Un peu comme vos témoins protégés par le FBI. Il se laissa pousser une longue barbe, ouvrit un magasin de riz, et s'acheta une pure jeune fille indigène, âgée d'environ trente ans de moins que lui et qui ne parlait pas un mot de chinois.

– Gauguin a fait quelque chose comme ça… Pardon de vous avoir interrompu, continuez…

– Cela se passait durant la guerre sino-japonaise et il se trouva impliqué dans la résistance. On dit qu'il fut exécuté par les Japonais. Depuis, toute une légende s'est construite autour de lui. Les critiques ont prétendu que tout ce qu'il avait fait, la jeune fille, la barbe, le magasin de riz, n'était qu'une couverture pour ses activités antijaponaises. Mon poème est une réfutation de ces allégations. La première strophe décrit ses antécédents, je vais la sauter. La seconde et la troisième sont une peinture de sa vie de marchand de riz, compagnon d'une jeune indigène.

Un gros registre ouvrait la matinée
Des chiffres faisaient monter et descendre ses doigts
Le long de l'abaque d'acajou.
Toute la journée jusqu'au couvre-feu
Qui l'enfermait entre des bras nus et dorés
Dans un paisible linceul d'obscurité.
Le temps n'était qu'une poignée de riz
Coulant entre ses doigts,
Une noix de bétel mâchée
Abandonnée sur le comptoir.

Il était parti comme un ballon dans l'air
Petit point sur l'horizon flamboyant
Telle l'extrémité incandescente d'une cigarette.

Un soir à minuit il s'éveilla.
Les feuilles tremblaient devant la fenêtre.
Dans son sommeil, elle étreignait sa moustiquaire.
Un poisson rouge sauta de son bocal
Et dansa sur le sol une danse de mort.
Le fantasme de jalousie d'une jeune femme,
Les inévitables correspondances du monde,
Furent une illumination muette.
Qui est celui, mort depuis longtemps, qui a dit:
«Les limites de la poésie
Coïncident avec les limites du possible.»
Catherine le regarda par-dessus le rebord de son verre.

– C'est tout?

– Non, il y a une autre strophe, mais je ne me souviens pas de tous les vers. Elle raconte comment, bien des années plus tard, les critiques vinrent en pèlerins voir cette femme indigène. Elle avait plus de soixante ans et ne put rien leur dire. Elle ne se souvenait que de la façon dont Daifu lui faisait l'amour.

– C'est triste. (Elle faisait rouler entre ses doigts le pied fragile de son verre.) Et si injuste envers elle.

– Injuste aux yeux des critiques féministes?

– Non, pas seulement ça. C'est beaucoup trop cynique. Ça ne signifie pas que je n'aime pas votre poème, je le trouve très beau. (Elle but une petite gorgée.) Attendez, j'ai une autre question… Dans quel état d'esprit vous trouviez-vous le jour où vous avez écrit ce poème?

– Je ne m'en souviens pas. Il y a longtemps.

– Vous étiez dans une humeur noire, je parie. Tout allait mal, les messages ne passaient pas, les déconvenues s'accumulaient, et vous avez réagi par le cynisme… pardon si je suis indiscrète.

213

– Mais non… En gros vous avez raison, continua-t-il d'une voix légèrement surprise. Selon notre poète Du Fu, de la dynastie des Tang, on ne peut pas écrire bien si on est heureux. Celui qui est satisfait de sa vie ne veut rien de plus qu'en profiter pleinement.

– Un cynisme anti-romantique n'est souvent que le déguisement des déboires personnels du poète. Ce poème révèle une autre facette de votre personnalité.

– Oui… (Chen était décontenancé.) Vous avez le droit de l'interpréter comme vous voulez, inspecteur Rohn. Quand il s'agit de déconstruction, toute interprétation peut être fausse.

La sonnerie de son portable interrompit la conversation.

– Où êtes-vous, inspecteur principal Chen ?

– Au *Faubourg de Moscou*. Le secrétaire du Parti Li m'a ordonné de distraire notre invitée. Qu'avez-vous à m'annoncer ?

– Rien de particulier. Je suis au bureau, l'inspecteur Yu peut me téléphoner à n'importe quel moment, et je continue à vérifier les hôtels. S'il se passe quelque chose, vous pouvez me joindre ici.

– Vous travaillez un dimanche, vous aussi. C'est très bien, Qian.

« Bizarre, ce coup de téléphone… » Qian avait peut-être seulement voulu faire étalage de sa conscience professionnelle, surtout après l'incident de Qingpu. Mais pourquoi demander à son patron où il se trouvait ?

Anna entra, poussant un chariot chargé de desserts. Chen revint au moment présent.

– Merci, laissez-le nous, on choisira.

Catherine prit une mousse au chocolat.

– Une autre question, d'ordre linguistique, cette fois.

– Oui ?

– Lu appelle Anna et les autres serveuses ses « petites sœurs ». Pour quelle raison ?

– Elle est plus jeune que lui. Et il y a une autre raison. Autrefois, nous appelions les Russes nos « grands frères » parce que nous pensions qu'ils étaient à un stade de communisme plus avancé que nous. Nous n'en étions qu'au début. Maintenant, la Russie est considérée comme une nation plus pauvre que la Chine. Les jeunes filles russes viennent ici chercher des emplois dans les restaurants et les boîtes de nuit, tout comme les Chinois émigrent aux États-Unis. Et Lu en est très fier.

Elle enfonça sa cuillère dans sa coupe de mousse.

– J'ai un service à vous demander… en tant que petite amie américaine, comme l'imagine votre copain.

– Tout ce qui est en mon pouvoir, inspecteur Rohn.

Le très subtil changement d'attitude de Catherine, le ton aujourd'hui moins coupant de sa voix, ne lui étaient pas passés inaperçus.

– J'ai entendu parler d'une certaine «rue des bonnes affaires» à Shanghai. Je voudrais vous demander de m'y accompagner.

– Une «rue des bonnes affaires»?

– Rue de Huating. On y vend un tas d'imitations, de copies de marques telles que Vuitton, Gucci, Rolex…

– Rue de Huating… je n'y ai jamais mis les pieds.

– Je pourrais y aller seule, avec un plan de la ville. Mais les vendeurs me feront payer bien plus cher. Je ne crois pas que mon chinois soit assez bon pour marchander.

– Votre chinois est plus que suffisant.

Il posa son verre de vin. Les autorités n'apprécieraient pas, un marché semi-clandestin comme celui-ci n'était pas flatteur pour le pays. Si elle en parlait autour d'elle, l'administration de la ville risquait d'être embarrassée. D'autre part, refuser de l'accompagner ne l'empêcherait pas d'y aller.

– Vous croyez que c'est une bonne idée de vous rendre dans un tel endroit, inspecteur Rohn?

– Pourquoi cette question?

– Vous pouvez acheter ce genre de marchandise chez vous, non? Pourquoi perdre votre temps à chercher ici des contrefaçons?

– Acheter un sac Gucci aux États-Unis? Vous en connaissez le prix? (Elle posa son sac sur la table.) Le mien n'en est pas un. Tous les Américains ne sont pas millionnaires!

– Je n'ai jamais dit ça!

– L'un des ex-camarades de classe de Wen, Bai, je crois, vend des copies de marques. Personne ne sait où il est. On pourra demander. Ces vendeurs doivent tous se connaître.

– Mais on n'a pas besoin d'aller là-bas pour le retrouver. («Comme si interroger encore un ex-condisciple de Wen allait changer quoi que ce soit!») Et nous avons mérité un jour de repos.

– On a aussi une chance de tomber sur une contrefaçon de pyjama griffé Valentino. C'était bien la marque du pyjama de la victime du parc?

– Exact...

Il fallait reconnaître qu'elle avait la mémoire des détails. Il avait mentionné une seule fois devant elle le motif en V du tissu.

– Un inspecteur de police n'est pas censé fréquenter un tel endroit. Mais j'ai ordre de veiller sur vous, le secrétaire du Parti Li me l'a encore répété ce matin. Alors je serai votre guide.

Quand ils furent sur le point de partir, le Chinois d'outre-mer fit avec gêne une autre tentative pour l'empêcher de régler l'addition.

– Écoute, rétorqua Chen, la prochaine fois, je viendrai seul, je commanderai le plat le plus cher et tu pourras me l'offrir. C'est bon?

– D'accord. N'attends pas trop longtemps, quand même!

Il prit son appareil photo et les raccompagna jusqu'à la porte.

– Merci beaucoup, monsieur Lu, dit Catherine.

– Appelez-moi le Chinois d'outre-mer, voyons! C'est un honneur pour nous de recevoir une belle invitée américaine comme vous. Revenez. La prochaine fois, Ruru et moi vous préparerons un plat spécial.

Plusieurs clients qui sortaient en même temps qu'eux leur lancèrent des regards interrogateurs. Lu arrêta un jeune homme aux cheveux coupés en brosse, muni d'un téléphone portable vert pâle.

— Vous ne pourriez pas prendre une photo de nous trois, s'il vous plaît? Je la ferai encadrer. La photo des clients les plus distingués du *Faubourg de Moscou*.

24

Le trajet en métro jusqu'à la rue de Huating prit moins de dix minutes. L'inspecteur principal Chen fut fort surpris par la foule se pressant au marché. Un certain nombre d'étrangers munis de calculettes de poche marchandaient en gesticulant. Sans doute avaient-ils consulté le même guide touristique que Catherine.

— Vous voyez bien, votre chinois est plus que suffisant, remarqua-t-il.

— Et moi qui craignais d'être le seul «diable étranger»!

L'étroite ruelle était bordée de petites cabanes, de présentoirs, d'étals, de brouettes chargées de marchandises, et de boutiques. Les unes spécialisées dans un seul produit, sacs, tee-shirts, jeans. D'autres, diversifiées.

Comme dans beaucoup de quartiers, des bataillons de petits vendeurs avaient, ces dernières années, transformé cette rue résidentielle en marché non officiel. Beaucoup de magasins étaient des rajouts de fortune à des maisons, d'autres de véritables maisons transformées en magasins. Quelques marchands s'étaient installés sous des auvents ou des parasols ornés du logo d'une marque quelconque, certains avaient étalé leurs marchandises sur un tapis à même le trottoir, faisant ressembler la rue à une vaste foire.

Ils demandèrent Bai, mais personne, apparemment n'en avait entendu parler. Ce n'était d'ailleurs pas étonnant, la ville offrait certainement plusieurs marchés de ce genre. Catherine n'en sembla pas trop déçue. Ils ne trouvèrent pas non plus de contrefaçon de vêtements griffés Valentino.

Catherine s'arrêta pour examiner un sac en cuir. Elle le passa à son épaule, parut satisfaite, mais au lieu de commencer à marchander, elle le reposa et quitta le magasin.

– Allons voir ailleurs, je veux comparer.

Ils entrèrent dans une boutique longue et étroite. Des produits banals, peu coûteux, portant pour la plupart l'étiquette *Made in China*, s'alignaient sur les étagères les plus proches de la porte. Des marchandises disponibles dans tous les magasins d'État. Mais à mesure qu'ils s'enfonçaient vers le fond du magasin, toutes sortes de contrefaçons de produits de marque apparaissaient en rayon. La vendeuse, une grosse femme proche de la cinquantaine, les accueillit avec le sourire. Catherine prit le bras de son collègue.

– C'est pour la marchande, j'aurai moins l'air d'un pigeon américain, murmura-t-elle.

La comédie était plausible, mais lui fit quand même étrangement plaisir. La jeune femme commença, comme tous les autres clients, à inspecter les rayons avec une ardeur qui étonna Chen.

Un autre magasin exposait en vitrine des costumes traditionnels chinois. Catherine fut attirée par un déshabillé de soie rouge avec un dragon doré brodé sur le devant. Elle passa la main sur le tissu soyeux.

– Vous pouvez l'essayer, madame l'Américaine, dit la patronne, une femme grisonnante au nez chaussé de lunettes à monture également grise.

Catherine regarda autour d'elle. Pas de cabine d'essayage.

– Où ça?

– C'est tout simple! (La femme montra du doigt un coupon de tissu relevé et accroché au mur.) Descendez-le, accrochez-le à l'autre paroi et vous avez une cabine d'essayage.

– Ingénieux! murmura Chen.

Le pan de tissu trop fin et trop court formait plutôt un long tablier fantaisie qu'un rideau. Il vit en dessous la robe de la jeune femme tomber à ses pieds, et aperçut au moment où elle enfilait le déshabillé un bout d'épaule blanche.

– Prenez votre temps, Catherine, je vais fumer une cigarette dehors.

Sur le seuil de la porte, il remarqua un jeune homme arrêté devant la boutique voisine qui, après avoir scruté l'intérieur du magasin de vêtements orientaux, composait un numéro sur son téléphone portable. Qu'un badaud soit intrigué par une Américaine essayant un vêtement derrière un rideau de fortune c'était compréhensible. Mais quelque chose, il ne savait quoi exactement, le dérangeait. Il jeta sa cigarette sans l'achever, écrasa le mégot d'un coup de talon, et retourna dans le magasin. Catherine tenant à la main un sac en plastique.

– Je l'ai acheté.

– La dame américaine parle bien le chinois, dit la femme avec un sourire mielleux, alors je lui ai fait le même prix qu'à un client chinois.

Ils continuèrent, fendant la foule dense, comparant prix et articles, achetant çà et là quelques petites choses.

Il se mit à pleuvoir et ils se hâtèrent d'entrer dans un vaste magasin, ressemblant à un hangar. À la caisse, la vendeuse perchée sur un haut tabouret balançait au bout du pied une sandale Prada tout en fumant une cigarette More. Âgée d'une vingtaine d'années, mignonne, avec des traits fins et nets, elle portait un débardeur griffé noir, assez court pour laisser voir son nombril, et un short avec un logo Tommy Hilfiger à la hanche. L'image même d'une fille à la page. Elle se leva pour les accueillir.

– Bienvenue dans notre magasin, Grand frère.

«Étrange façon de saluer, pensa Chen. Et pourquoi est-ce à moi qu'elle s'adresse?»

– Il pleut dehors. On peut regarder?

– Bien sûr! Prenez votre temps. Votre petite amie mérite ce que nous avons de mieux.

– Certes !

– Merci ! dit Catherine en chinois.

La vendeuse se présenta.

– Je m'appelle Huang Ying, ça veut dire « loriot ».

– Quel joli prénom !

– Nous ne vendons pas de contrefaçons bas de gamme. Ce sont les entreprises elles-mêmes qui nous approvisionnent, par un circuit parallèle.

– Comment ça ? demanda Catherine en prenant un sac à main noir griffé d'une luxueuse marque italienne.

– Vous comprenez, beaucoup de fabricants de produits de luxe ont délocalisé une partie de leur production, et monté une entreprise à capitaux mixtes à Hong Kong ou Taïwan. Prenez ce sac. Le couturier en commande deux mille et l'usine de Taïwan en fabrique trois mille. Les mêmes, de même qualité, bien évidemment. Et nous en recevons mille en direct du fabricant. À moins de vingt dollars pièce.

Catherine examina le sac sous toutes ses coutures.

– Ils sont authentiques, c'est vrai.

Chen ne voyait pas ce que ce sac avait d'exceptionnel, à part son prix prohibitif. Il remarqua dans un coin du magasin une rangée de vêtements dernier cri pendus sur des cintres alignés sur un portant. Leurs prix étaient absolument exorbitants.

Un rideau de velours rouge cachait en partie un tabouret rembourré posé près de la porte arrière du magasin. Dans la cabine d'essayage, les clientes devaient quand même se sentir un peu plus protégées que dans le magasin précédent.

– Regardez ces montres… cette marque n'est pas spécialisée dans les montres, alors pourquoi se donner ce mal ? Parce qu'elles sont fabriquées à Taïwan et vendues ici.

– Et le gouvernement n'essaie pas de mettre fin à ce trafic ? demanda Catherine.

– Oh, les contrôleurs passent bien, de temps en temps, mais il y a toujours moyen de s'arranger, rétorqua la jeune femme sans hésiter. Le fonctionnaire prend par exemple dix tee-shirts en disant: «Je vous confisque cinq tee-shirts.» Je réponds: «Tout à fait, camarade, cinq tee-shirts!» Et au lieu de me dénoncer, il en confisque cinq, en garde cinq, et tout va bien.

L'inspecteur principal Chen était de plus en plus gêné.

– On voit aussi les flics, parfois. Le mois dernier, ils ont fait une rafle chez Zhang le Chauve, au bout de la rue. Il a écopé de deux ans. Le métier peut être dangereux.

– Alors pourquoi le faites-vous?

– J'ai le choix, peut-être! Mes parents ont travaillé toute leur vie à l'usine textile n°6. Licenciés l'an dernier. «De vieilles écuelles brisées», comme on dit. Plus aucun droit aux prestations du système socialiste. Il faut bien que je nourrisse ma famille.

– Votre magasin doit rapporter, remarqua Chen.

– Ce n'est pas le mien, mais avec l'argent que je gagne, j'aurais mauvaise grâce à me plaindre.

– Ce n'est quand même pas un travail pour…

Il laissa sa phrase en suspens. Quel droit avait-il de se montrer condescendant ou apitoyé? Elle gagnait probablement plus que lui. Au début des années soixante-dix, les occasions de gagner de l'argent n'existaient purement et simplement pas. Mais quand même, ce n'était pas un travail très honorable pour une jeune fille.

Catherine comparait assidûment les montres, les essayant une par une. Son choix risquait de prendre un certain temps. La pluie tambourinait contre le rideau de fer partiellement baissé. Il alla regarder dehors. Un homme était debout de l'autre côté de la rue, les yeux fixés sur le rideau de fer, et composait un numéro sur son téléphone portable. Le même téléphone portable vert clair… L'homme qui les avait photographiés devant *Le Faubourg de Moscou* et qui, un quart d'heure plus tôt, avait jeté un coup d'œil curieux dans la boutique de vêtements orientaux.

Il se tourna vers la vendeuse.

– On peut tirer le rideau de la cabine d'essayage? J'aime beaucoup cette tunique noire de Christian Dior. (Il prit le vêtement sur le portant et le mit dans la main de Catherine.) Pourquoi ne l'essaieriez-vous pas?

– Pardon?

Elle ouvrit de grands yeux, puis sentit qu'il lui serrait discrètement la main.

– Je vous le paie tout de suite, mademoiselle. (Il lui tendit les billets.) Je voudrais voir comment il va à mon amie... ça risque de prendre un petit moment.

– Bien sûr. Prenez votre temps. (Avec un sourire entendu, elle prit l'argent et alla tirer le rideau.) Prévenez-moi quand vous aurez fini.

Un autre client entra dans le magasin et Huang Ying s'approcha de lui.

– Prenez votre temps, Grand frère, répéta-t-elle en jetant à Chen un regard par-dessus son épaule.

Ils logeaient à peine à deux derrière le rideau. Catherine, la tunique noire à la main, leva vers son coéquipier un regard interrogateur.

– Filons par la porte de derrière, murmura-t-il en anglais.

Il poussa le battant, qui ouvrait sur une étroite ruelle. La pluie continuait, le tonnerre grondait au loin et des éclairs zébraient l'horizon. Il referma la porte derrière eux et, Catherine sur les talons, suivit la ruelle qui donnait dans la rue de Huating. Il vit clignoter au premier étage de l'immeuble du coin des rues de Huating et de Huaihai l'enseigne au néon du *Café de Huating*. Un autre magasin de vêtements occupait le rez-de-chaussée, et à l'arrière, un escalier de fer forgé gris montait directement au café.

– Montons prendre un café là-haut.

Ils grimpèrent l'escalier glissant et pénétrèrent dans une longue pièce meublée à l'européenne. Chen choisit une table tout près d'une fenêtre.

– Que se passe-t-il, inspecteur principal Chen?

– Attendons de voir, inspecteur Rohn. Il se peut que je fasse erreur.

222

Une serveuse approchait avec des serviettes chaudes.

– Une tasse de café me fera du bien.

– À moi aussi.

– J'ai une question, commença Catherine quand ils furent servis. Tout le monde est certainement au courant, pour ce marché. Alors pourquoi le gouvernement le tolère-t-il?

– À partir du moment où il y a de la demande, il y a de l'offre. Même pour des contrefaçons. Quelques mesures que décide de prendre le gouvernement, le trafic continue. D'après Marx, pour un bénéfice de trois pour cent, l'être humain est prêt à vendre son âme.

– Je n'ai aucun droit de me montrer critique après mes emplettes. (Elle tourna son café.) Mais il y a quelque chose à faire, il me semble.

– Certes, mais pas seulement en ce qui concerne ce marché. Il faudrait aussi s'attaquer à tout ce qu'il y a derrière, cette excessive importance donnée aux biens matériels. Depuis que Deng Xiaoping a déclaré que s'enrichir est une vertu, une frénésie de consommation capitaliste s'est emparée des gens.

– Vous considérez que ces gens ont un comportement plus capitaliste que communiste?

– À vous de trouver la réponse à cette question, répondit évasivement Chen. Tout le monde sait que Deng Xiaoping est favorable à l'ouverture de la Chine aux idées capitalistes. Nous avons un adage : *Peu importe si le chat est noir ou blanc, pourvu qu'il attrape le rat.*

– Chat-rat. Rime et bon sens.

– À nos yeux, la seule raison d'être des chats est d'attraper les rats. Peu de Chinois ont un chat comme animal de compagnie.

La pluie avait cessé. Chen se pencha et regarda en bas dans le magasin qu'ils avaient quitté. Le rideau de velours était toujours tiré. La vendeuse savait-elle qu'ils étaient partis? La hâte mise par Chen à payer la robe avait dû sembler suspecte. Il vit Catherine regarder dans la même direction.

– Il y a quinze ans, ces marques étaient introuvables. Les Chinois se contentaient d'un seul type de vêtements, les vestes Mao bleues ou noires. C'est différent maintenant. Les gens veulent s'habiller à la dernière mode. D'un point de vue historique c'est sans doute un progrès.

– Je vois que vous avez une opinion sur beaucoup de sujets, inspecteur principal Chen.

– Cette période de transition oblige à se poser des questions pour lesquelles je n'ai aucune réponse. Alors quant à avoir une opinion…

Il avait machinalement empilé des morceaux de sucre en une pyramide qui s'effondra à côté de sa tasse. Pourquoi avait-il accepté, presque offert, de discuter de tout ça avec elle?

Une agitation s'empara de la rue, et s'amplifia, comme une vague. Des gens s'appelaient, criaient. « Les voilà ! » entendit-il. Les vendeurs à la sauvette rassemblèrent frénétiquement leurs marchandises, les boutiquiers fermèrent en hâte leur porte, plusieurs personnes partirent en courant, un lourd sac en plastique sur l'épaule. Huang Ying bondit de derrière son comptoir, plongea son magasin dans la pénombre en éteignant plusieurs lampes et se hâta de baisser le rideau de fer. Trop tard. Une escouade de policiers en civil força l'entrée.

C'était bel et bien la confirmation des soupçons de Chen : ils avaient été suivis par quelqu'un disposant d'informateurs au service. Sinon la police ne serait pas arrivée si vite et ne se serait pas précipitée droit dans le magasin qu'ils venaient de quitter. Quelqu'un avait donné le tuyau, peut-être l'homme au portable vert clair. Le mouchard avait certainement pensé que Chen et sa collègue américaine se trouvaient encore à l'intérieur.

« Si je ne m'étais pas méfié, on aurait tous les deux été arrêtés en même temps que la vendeuse. »

Le fait que Catherine soit un officier de la police fédérale américaine aurait causé de graves complications. Quant à lui, il avait commis une lourde faute professionnelle. L'existence de ce marché semi-clandestin nuisait à l'image de son pays, et il n'aurait jamais dû y amener une citoyenne américaine, et encore moins un policier chargé d'une enquête délicate. Au mieux, il aurait été mis à pied. Était-ce une machination des Haches volantes ? Comment une triade du Fujian, jusqu'alors cantonnée à sa province, pouvait-elle se montrer si efficace à Shanghai ?

À moins que… Certaines personnes à l'intérieur du Parti avaient depuis longtemps envie de se débarrasser de lui, c'est pourquoi le rapport de la Sécurité interne sur l'incident du collier avait si vite trouvé le chemin de son dossier. Cette mission était peut-être un piège visant à lui faire commettre un faux pas en compagnie de sa séduisante coéquipière. Une manœuvre qui pouvait se retourner contre son auteur si le policier arrivait à prouver qu'elle avait risqué de faire dérailler une enquête de portée internationale. Il n'était pas sans allié au plus haut niveau de la hiérarchie.

Catherine lui effleura la main.

– Regardez !

On emmenait la vendeuse, méconnaissable, les mains menottées derrière le dos, échevelée, le visage griffé, ayant perdu toute sa superbe et toute son énergie. Son débardeur chiffonné, une bretelle arrachée, elle avait dû perdre ses sandales dans la bagarre, car elle était pieds nus.

– Vous saviez qu'il allait y avoir une descente ?

– Non, mais pendant que vous examiniez les montres, j'ai repéré un policier en civil devant le magasin.

– C'est nous qu'ils voulaient ?

– Possible. Une citoyenne américaine prise sur le fait avec un sac plein d'emplettes de contrebande peut être un atout, d'un point de vue politique.

Il ne pouvait lui expliquer ses soupçons, mais il lut dans ses yeux qu'elle ne croyait pas à son explication.

– Mais nous aurions pu quitter le magasin par l'entrée, objecta-t-elle. Pourquoi tout ce cinéma, nous faire passer derrière le rideau, filer par la petite porte et parcourir la ruelle sous la pluie ?

– Je voulais qu'ils nous croient toujours derrière le rideau.

– Pendant tout ce temps!

Elle rougit.

Il aperçut soudain dans la foule une silhouette qu'il crut reconnaître, un petit flic muni d'un talkie-walkie. Mais ce n'était pas Qian. Pourtant l'homme au portable était apparu devant le *Faubourg de Moscou* peu de temps après sa conversation téléphonique avec son auxiliaire.

Un consommateur d'un certain âge ricana.

– Quelle vieille savate!

La vendeuse avait dû marcher dans une flaque d'eau et laissait derrière elle une ligne d'empreintes humides.

– Qu'est-ce qu'il veut dire? Elle est pieds nus.

– C'est de l'argot, ça veut dire putain, prostituée. Une chaussure usée parce qu'elle a été portée par un grand nombre de gens. Tout ce qui se passe dans cette rue est illégal, alors les gens imaginent le pire.

– Qu'est-ce qu'elle risque?

– Elle va prendre quelques mois, ou quelques années. Cela dépendra du climat politique. Si le gouvernement voit un intérêt politique à faire du battage autour du commerce de contrefaçons, elle risque de le payer cher. Peut-être est-ce comme l'insistance de votre gouvernement sur l'affaire Feng.

– Vous ne pouvez rien faire pour elle?

– Non, rien.

Il avait pitié de cette jeune femme. Il était certain que la descente de police avait été manigancée avec l'intention de les arrêter, lui et Catherine. Cette pauvre fille l'avait été à leur place. C'était une guerre, et il y avait déjà des victimes, d'abord Qiao, et maintenant Loriot. Lui, toutefois, était encore dans le noir, ignorant contre quel ennemi exactement il se battait.

La vendeuse était déjà presque au bout de la rue. Derrière elle, la ligne d'empreintes humides disparaissait. Il y avait une métaphore célèbre de Su Dongpo, un poète du XIᵉ siècle: *La vie est comme l'empreinte laissée par une grue solitaire dans la neige. On la voit un instant, puis elle disparaît.*

Dans les situations les plus délicates, des citations lui venaient à l'esprit.

Son portable sonna. C'était Yu.

– Quoi!… oui… oui…

Il raccrocha.

– Partons, Catherine.

Il se leva, lui prit la main et la tira vers l'escalier.

– Où va-t-on?

– Il faut que je retourne au bureau. Une urgence. Je viens d'avoir une idée. Excusez-moi, je vous contacterai d'ici peu.

25

Quelques heures plus tard, Chen essaya sans succès de joindre Catherine au téléphone. Alors il monta à sa chambre, espérant l'y trouver.

Dès qu'il frappa, la porte s'ouvrit. Elle portait le peignoir de soie écarlate brodée d'un dragon doré. Jambes et pieds nus, elle se séchait les cheveux avec une serviette.

Il resta sans voix.

– Oh… Je vous demande pardon, Catherine.

– Entrez donc.

– Désolé d'arriver si tard. Je vous ai appelée plusieurs fois. Je n'étais pas sûr que vous soyez rentrée.

– Ne vous excusez pas. Je prenais une douche. Vous êtes le bienvenu ici, exactement comme je suis l'invitée de marque de votre service. (Elle lui fit signe de s'asseoir sur le divan.) Que puis-je vous servir à boire?

– De l'eau, s'il vous plaît.

Elle se dirigea vers le petit réfrigérateur et revint avec une bouteille d'eau minérale.

– Il y a du nouveau, alors?

– Oui.

227

Il sortit une feuille de papier de son porte-documents.

– Qu'est-ce que c'est? demanda-t-elle avec un rapide coup d'œil aux premières lignes.

– Un poème sorti du passé de Wen. (Il but une gorgée à la bouteille.) Excusez-moi, mon écriture est presque illisible et je n'ai pas eu le temps de le taper.

Elle s'assit à côté de lui sur le divan.

– Vous pouvez me le lire?

Comme elle se penchait pour regarder le poème, il crut sentir l'odeur du savon sur sa peau encore humide. Il respira un grand coup et commença à lire, en anglais.

Du bout des doigts.

Nous bavardons dans un atelier surpeuplé
Marchant et parlant avec précaution.
Parmi toutes ces coupes, ces statuettes dorées
Nous regardons tourner les mouches...
« Le sujet de votre reportage :
Les miracles des ouvriers chinois,
A dit le patron.
En Europe, des meules adaptées font ce travail
Mais chez nous, les ouvrières polissent à la main
Les rouages délicats. »
À côté de nous, des femmes penchées sur leur ouvrage
Dont les doigts
Vont et viennent sous l'éclairage au néon.
Dans mon viseur, une femme plus toute jeune,
Blême dans sa tunique de tissu grossier,
Trempée de sueur dans l'accablante chaleur d'été.
Je mets au point, puis me rapproche, inexorablement attiré
Par ce métal que Lili touche du bout des doigts,
Des doigts doux mais forts
Comme une meule étrange.

– Qui est le reporter dont parle cette première strophe? demanda Catherine, intriguée.

– Laissez-moi finir et je vous expliquerai.
Non que Lili m'ait jamais touché.
Pas elle, la plus jolie garde rouge
À la gare, ce juillet de 1970.
Nous partions, premier contingent de jeunes instruits
Nous partions pour la campagne.
« Oui, afin d'être ré-é-é-du-qués
Par les paysans pau-au-vres et moy-moy-yens pau-au-vres »
Hurlait à la gare la voix éraillée du Grand Timonier
Retransmise sur un disque rayé.
À côté de la locomotive, Lili
se mit à danser, brandissant
Un cœur en papier rouge qu'elle avait découpé
Sur lequel une fille et un garçon
Brandissaient l'idéogramme Loyal
Envers le président Mao.
Printemps de la révolution culturelle
Le message voltigeait entre ses doigts.
Sa chevelure ruisselait dans l'œil noir du soleil.
Un saut, sa jupe s'épanouit comme une fleur,
Et le cœur de papier bondit de sa main,
Voleta comme un oiseau qui prend son essor.
D'une glissade,
Je m'élançai à son secours, elle le rattrapa
Touche finale de son exploit.
La foule hurla. Je me figeai.
Elle prit ma main, la leva, nos doigts mêlés,
Comme si ma maladresse avait été volontaire
Comme si le rideau tombait sur le monde
Feuille de papier blanc, où ressortait ce cœur rouge
Sur lequel j'étais le garçon et elle la fille.

« Les doigts les plus habiles de l'atelier »
J'acquiesce à la remarque du patron.
C'est elle.

Il n'y a pas de doute. Mais que dire ?
Je dis, bien sûr, ce qui m'arrange,
Que les choses changent,
Ainsi que dit dramatiquement le dicton,
Que la mer d'azur devient un champ de mûriers,
Que toutes ces années se sont évanouies,
Comme les cendres au bout du cigare.
Elle est là, différente
Mais toujours la même, les doigts
Trempés dans l'abrasif verdâtre,
Jeunes pousses de bambous longtemps immergées
Dans l'eau glacée, érodées mais encore parfaites.
Elle leva une main, une seule,
Pour essuyer la sueur
De son front, y laissant
une traînée phosphorescente.
Elle ne me reconnut pas.
Pas même mon nom
Avec l'étiquette de reporter au Wenhui
Accrochée sur ma poitrine.

« Il n'y a rien à raconter
A dit son patron.
Ce n'est que l'une parmi les millions de jeunes instruits
Devenue elle-même une paysanne pauvre, moyenne-pauvre.
Ses doigts, solides comme une meule,
La meule de la Révolution,
Polissent l'esprit de notre société
Et défendent la supériorité de notre socialisme. »

C'est ainsi que me vint la métaphore
Sur laquelle s'articulerait mon reportage.
Un escargot couleur d'émeraude
Qui rampe sur un mur blanc.

– Un bien triste poème, murmura Catherine.

– Un excellent poème, mais la traduction n'arrive pas à rendre justice à l'original.

– Le texte est clair et l'histoire poignante. L'anglais est parfaitement correct. C'est vraiment très touchant.

– Touchant, oui c'est ça. J'ai eu du mal à trouver des équivalents en anglais. C'est un poème de Liu Qing.

– Qui est Liu Qing ?

– Un ancien camarade de classe de Wen. Son frère Lihua en a parlé, le nouveau riche qui avait organisé la réunion d'anciens élèves.

– Ah, c'est vrai. *La roue de la fortune tourne si rapidement.* Zhu aussi a parlé de lui, vous vous souvenez ? Il n'était qu'un rien du tout, à l'école secondaire. Pourquoi son poème est-il soudain si important pour nous ?

– Vous comprenez, on a retrouvé un recueil de poèmes dans la maison de Wen. Je crois vous l'avoir dit.

– C'est indiqué dans le dossier. Attendez, la meule révolutionnaire, l'usine de la commune populaire, les ouvriers polissant certains rouages avec leurs doigts. Et Lili…

– Voilà, c'est ça ! C'est pourquoi je tenais à vous parler de ce poème ce soir. Après vous avoir quittée, j'ai appelé Yu. Le poème de Liu Qing figure dans le recueil, et Yu m'en a faxé une copie. Il a d'abord été publié il y a cinq ans dans le magazine *Étoiles*. Liu travaillait comme reporter pour le *Wenhui* à cette époque. Comme le journaliste du poème, il a écrit un article sur une usine de la commune populaire modèle dans la région de Changle, province de Fujian. J'en ai une copie… (Il sortit un journal de son porte-documents.) De la propagande. Je n'ai pas eu le temps de le traduire. À part dans les grandes villes, peu de libraires vendent de la poésie, de nos jours. Je ne vois pas une pauvre paysanne faire tout ce trajet pour acheter un recueil de poèmes.

– Vous croyez que ce poème raconte une histoire vraie ?

– Difficile de savoir ce qu'il y a de vrai. La visite à l'usine de

Wen, telle qu'elle est décrite dans le poème, a été une coïncidence. Mais Liu a utilisé la même métaphore dans son article :
La meule de la Révolution polissant l'esprit de la société socialiste. C'est
peut-être une des raisons qui l'ont fait renoncer à son métier.

– Pourquoi ? Liu n'a rien fait de mal.

– Il n'aurait pas dû écrire de telles inepties, mais il n'a pas
eu le courage de refuser. De plus, il a dû se sentir coupable de
n'avoir rien fait pour l'aider.

– Oui, je comprends… (Elle se percha sur le bord du lit, face
à lui.) Si l'histoire racontée par le poème est vraie, Liu ne lui
a pas révélé son identité sur le moment, et encore moins offert
son aide. C'est la signification des derniers vers, de l'escargot
d'émeraude qui rampe sur un mur. Il représente le sentiment
de culpabilité de Liu et symbolise ses remords.

– Tout à fait. Un escargot transporte son fardeau pour l'éter-
nité. C'est pourquoi je me suis dépêché de vous apporter la traduction dès que je l'ai terminée.

– Et maintenant, qu'avez-vous l'intention de faire ?

– Il faut absolument interroger Liu. Il se peut qu'il n'ait pas
parlé à Wen à ce moment-là, mais par la suite, il lui a envoyé un
exemplaire du recueil, qu'elle a conservé. Il n'est pas impossible qu'ils soient restés en contact.

– Oui, c'est possible.

– J'ai parlé à des gens du *Wenhui*. Quand Liu a démissionné
de son poste, il y a cinq ans, il a créé une entreprise de matériel de construction à Shanghai. Il a obtenu plusieurs contrats
du gouvernement de Singapour pour la nouvelle zone indus-
trielle de Suzhou et maintenant il possède deux usines de matériel de construction et une scierie à Suzhou, en plus de son
entreprise de Shanghai. J'ai appelé chez lui cet après-midi. Sa
femme m'a dit qu'il était à Pékin pour négocier une affaire et
qu'il serait de retour à Suzhou demain.

– On va à Suzhou, alors ?

– Ça vaut le coup de risquer le voyage. Le secrétaire du Parti
Li fera apporter les billets de train à l'hôtel tôt demain matin.

Le train part à huit heures. Nous serons à Suzhou vers neuf heures et demie. Li suggère de passer un jour ou deux sur place.

Il avait proposé de camoufler leur enquête en excursion touristique. Li avait immédiatement approuvé ce plan.

– Bon, on fera du tourisme, alors. Dites-moi, comment avez-vous établi la relation entre le poème et notre enquête ? Si vous me le dites, je vous prépare une tasse de café. Du café en grains du Brésil, qualité supérieure. Un régal.

– Vous avez rapidement assimilé les manières chinoises, à ce que je vois. L'échange de faveurs, l'essence même du *guanxi*. Mais il est tard. On part de bonne heure demain.

– Ne vous tourmentez pas, on pourra toujours faire un petit somme dans le train.

Elle sortit du placard un moulin à café électrique et chercha du regard une prise de courant.

– Je sais que vous aimez le café fort.

– Vous avez apporté ce café avec vous ?

– Non, je l'ai acheté à l'hôtel. On trouve tout. Regardez la marque du moulin, c'est un Krups.

– Mais ça coûte une fortune, ici !

– Je vais vous mettre dans la confidence : nous touchons une allocation de voyage. Le montant dépend du lieu. Pour Shanghai, j'ai droit à quatre-vingt-dix dollars par jour. Je ne crois pas faire de folie si je dépense la moitié de mon allocation journalière pour régaler mon hôte.

La prise électrique se trouvait derrière le divan. Le fil était trop court, alors elle posa le moulin sur la moquette, le brancha, y versa les grains de café et s'agenouilla pour les moudre. Elle avait de superbes jambes et de bien jolis pieds.

Une délicieuse odeur se répandit bientôt dans la chambre. Elle lui versa une tasse de café, plaça sur la table basse du lait et une petite cuillère pour le sucre, et sortit un morceau de gâteau du réfrigérateur.

– Et vous ?

– Je ne bois pas de café le soir. Je vais prendre un verre de vin.

Elle se versa du vin blanc puis, au lieu de s'asseoir à ses côtés sur le divan, retourna sur la moquette.

Chen dégusta le nectar en se disant qu'il aurait dû décliner son offre. Il était tard… ils étaient seuls dans la chambre. Mais avec tous les événements de cette journée, il avait besoin de parler.

Il avait minutieusement inspecté la chambre d'hôtel. Ni micros, ni caméras et, à sa connaissance, le téléphone n'était pas sur écoute. Il n'y avait sans doute pas à craindre d'oreilles indiscrètes. Bien sûr, après ce qui s'était passé ce jour-là et l'allusion du secrétaire du Parti Li à une surveillance de la Sécurité intérieure, il n'en était pas certain à cent pour cent.

– Le plus délicieux café que j'aie jamais bu, inspecteur Rohn.

Elle leva son verre.

– Au succès de notre mission !

– Certes ! Buvons à ça. (Il toucha son verre avec sa tasse.) À propos de poème : les traces de pas humides de Loriot disparaissant le long de la rue m'ont rappelé un poème de la dynastie Song.

– Un poème de la dynastie Song ?

– Sur la nature éphémère de notre existence en ce monde, comme les empreintes laissées par une grue dans la neige, qu'on ne voit que quelques instants. En regardant ses traces de pas, j'ai essayé de trouver quelques vers, et puis j'ai pensé à Wen. Parmi les personnages qui ont eu une place dans sa vie, il y a aussi un poète, Liu Qing.

Le fax cracha brusquement une longue bande de papier, quatre ou cinq pages. Sans la retirer, Catherine jeta un coup d'œil au papier dont l'encre était encore humide.

– Juste de la documentation sur l'immigration clandestine. Ed Spencer a fait quelques recherches à ma place.

– Ah oui, c'est mon adjoint Yu qui l'a informé. Les Haches volantes ont demandé de l'aide à d'autres triades. L'une d'elles agirait à Shanghai.

– Ça ne m'étonne pas.

La collaboration de plusieurs triades pouvait expliquer cette succession d'incidents, y compris la descente «rue des bonnes affaires».

Elle but longuement, vida son verre. La tasse de Chen était encore à moitié pleine. Comme elle se penchait pour se resservir du vin, il crut apercevoir la naissance de ses seins.

– On part de bonne heure. Vous avez un long trajet pour rentrer chez vous.

– C'est vrai, on part de bonne heure demain matin.

Il se leva mais au lieu d'aller vers la porte, il s'approcha de la fenêtre. Il y eut un bref silence. Pas un mot ne fut échangé, il suffisait à Chen de la sentir proche, contemplant avec lui le Bund. Puis il aperçut le parc et sa berge sombre, *Balayée de menaces confuses de luttes et de fuites/Où s'affrontent la nuit des armées ignorantes.*

Une scène vécue par un autre poète, en d'autres temps, avec quelqu'un d'autre à ses côtés.

Penser à l'affaire non résolue du parc le dégrisa. Aujourd'hui, il n'avait eu le temps de parler ni à Gu ni au Vieux chasseur.

– Il faut que j'y aille… Catherine, j'ai oublié de vous dire que l'on a tiré sur Yu aujourd'hui dans le Fujian.

26

Le train arriva à l'heure. À neuf heures et demie, il entra en gare de Suzhou.

Dans une petite rue, à quelques pâtés de maisons de la gare, l'inspecteur Rohn fut séduite par un modeste hôtel. Avec ses croisillons aux fenêtres, sa véranda peinte en vermillon et une paire de lions montant la garde à la grille, il ressemblait à une demeure ancienne.

– Je ne vais quand même pas descendre dans un Hilton, ici!

Chen était d'accord, il n'avait aucune intention d'avertir les services de police de Suzhou de leur présence, et pour passer deux jours, un endroit discret en valait un autre. Il était peu probable que quelqu'un les trouve dans un hôtel du vieux quartier de la ville. Sans dire à personne qu'ils se rendaient à Suzhou, il avait échangé les billets pour Hangzhou fournis par le secrétaire du Parti Li.

L'hôtel était à l'origine une grande maison de style Shiku, à la façade décorée de motifs à l'ancienne. Devant, une ligne de dalles colorées traversait le minuscule jardin. Le directeur bredouilla, montrant peu d'empressement. Il admit finalement avec gêne que l'hôtel n'était pas prévu pour les étrangers.

– Pourquoi? demanda Catherine.

– D'après les règlements municipaux concernant le tourisme, seuls les hôtels trois étoiles peuvent accueillir des étrangers.

– Ne vous inquiétez pas pour ça. (Chen montra sa carte d'identité.) Il s'agit d'une situation exceptionnelle.

La dernière chambre de première catégorie encore vacante fut attribuée à Catherine. Chen dut se contenter d'une chambre ordinaire.

Le directeur continua à s'excuser en les conduisant à l'étage. La chambre de Chen ne contenait qu'une sorte de couchette à une place, et rien d'autre. À l'extérieur, le long du couloir, le directeur leur montra deux salles de bain communes: une pour les hommes, une pour les femmes. Chen devrait passer ses appels téléphoniques depuis le bureau dans le hall du rez-de-chaussée. La chambre de Catherine était climatisée, équipée du téléphone et d'une salle de bains. Elle avait également un bureau et une chaise, mais les deux étaient si petits qu'ils semblaient provenir d'une école primaire. Une fois que le directeur, après maintes excuses, se fut retiré, ils s'assirent, Chen sur l'unique chaise et Catherine sur le lit.

– Veuillez excuser mon choix, inspecteur principal Chen. Mais vous pouvez utiliser ce téléphone.

Chen composa le numéro de la maison de Liu. Une femme répondit au téléphone. Elle parlait avec un accent prononcé de Shanghai.

– Liu est toujours à Pékin, il sera de retour demain. Son avion atterrit à huit heures et demi. Désirez-vous laisser un message?

– Merci. Je rappellerai demain.

Catherine avait déballé ses affaires.

– Qu'allons-nous faire?

– Comme dit un proverbe chinois, nous allons profiter de ce paradis terrestre. Il y a beaucoup de jardins ici. Suzhou est renommé pour l'architecture de ses jardins paysagés, reflet du goût des érudits des dynasties des Qing et des Ming. (Il sortit un plan de Suzhou.) Les jardins sont très romantiques, avec des ponts en dos d'âne, des chemins moussus, des ruisseaux bruissants, des rochers aux formes fantastiques, d'anciennes maximes accrochées aux avant-toits des pavillons. Tout cela forme un ensemble très harmonieux.

– Je suis impatiente de le découvrir, inspecteur principal Chen. Choisissez notre destination, c'est vous le guide.

– Nous visiterons les jardins. Mais pouvez-vous d'abord donner à votre modeste guide une demi-journée de congé?

– Bien sûr, pourquoi?

– La tombe de mon père est dans le quartier de Gaofeng. Ce n'est pas très loin. À peu près une heure d'autobus. Il y a plusieurs années que je n'y suis pas allé et j'aimerais m'y rendre ce matin. La fête de Qingming vient juste de passer. C'est le 5 avril, un jour traditionnellement réservé à une visite rituelle aux tombes des ancêtres. Il y a deux jardins près d'ici. Le plus renommé, le Yi, est à une courte marche de l'hôtel. Allez le visiter ce matin, je serai de retour avant midi. Nous mangerons ensuite un repas typique de Suzhou dans le bazar du temple Xuanmiao. Je serai alors à votre service pour tout l'après-midi.

– Allez-y, bien sûr! Ne vous tracassez pas pour moi... Ne m'en veuillez pas de ma curiosité, mais pourquoi la tombe de votre père est-elle à Suzhou?

– Shanghai est surpeuplé. Alors on a créé des cimetières à Suzhou. Quelques personnes âgées croient au Feng Shui, ils veulent reposer dans une tombe avec vue sur les montagnes et les rivières. Mon père a lui-même choisi l'emplacement. Mais je ne m'y suis rendu que deux ou trois fois.

– Nous irons au temple cet après-midi, mais je n'ai pas envie de me promener toute seule ce matin. La ville est si belle, ajouta-t-elle avec une lueur espiègle dans ses yeux. *Oh, à qui puis-je parler/ De ce spectacle enchanteur?*

– Oh, vous vous souvenez de ces vers de Liu Yong!

Chen n'ajouta pas que le poète de la dynastie des Song avait composé ces vers pour sa maîtresse.

– Serait-ce contraire aux coutumes chinoises que je vous accompagne?

– Non, pas forcément.

Chen ne précisa pas qu'on emmenait seulement son épouse ou sa fiancée sur la tombe d'un parent.

– Eh bien allons-y. Je serai prête dans un instant.

Elle alla se changer. En l'attendant, il appela Yu, mais n'obtint que son répondeur. Elle réapparut vêtue d'un chemisier blanc et d'un tailleur d'été gris à jupe droite. Elle avait attaché ses cheveux sur la nuque.

Il proposa de prendre un taxi pour le cimetière, mais elle préférait l'autobus.

– J'aimerais passer une journée de Chinoise ordinaire.

Un souhait peu réalisable. Il n'appréciait pas non plus l'idée de la voir secouée dans un bus bondé. Heureusement, à quelques rues de l'hôtel, ils trouvèrent un autobus express affichant la destination du cimetière. Le tarif était le double de celui d'un autobus ordinaire, mais ils y trouvèrent place sans difficulté. Le bus était moins chargé de passagers que de bagages: des paniers d'osier contenant divers plats cuisinés, des porte-documents en bambou, sans doute pleins de billets de banque «fantômes», des cartons à demi déchirés, consolidés par des cordes et des ficelles.

Malgré les fenêtres ouvertes, l'air dans l'autobus était étouffant et les sièges de Skaï brûlants. Il régnait une odeur de sueur, de poisson salé, de viande marinée dans le vin et d'autres plats apportés en offrande. Cela n'empêcha pas Catherine, d'excellente humeur, de bavarder à travers l'allée avec une voyageuse ni d'examiner avec le plus grand intérêt les offrandes apportées par les autres passagers. Une chanson diffusée par des haut-parleurs dominait la cacophonie des voix. Un chanteur populaire de Hong Kong gazouillait d'une voix aiguë. Chen reconnut les paroles, tirées d'un poème ci de Su Dongpo. C'était une élégie pour son épouse. Pourquoi le conducteur d'un véhicule desservant le cimetière avait-il choisi ce ci? L'économie de marché fonctionnait partout. La poésie était aussi devenue une marchandise.

L'inspecteur principal Chen ne croyait pas en une vie après la mort, mais, influencé par la musique, il souhaita qu'il y en ait une. Il se demanda si son père le reconnaîtrait. Après tant d'années...

Le cimetière fut rapidement en vue. Plusieurs vieilles femmes se dirigeaient vers eux depuis le bas de la colline. Elles portaient des vêtements noirs en tissu grossier, à capuchons de toile blanche, et semblaient, vues de loin, plus sinistres que des corbeaux. Chen avait déjà eu à subir cette comédie au cours de sa dernière visite. Il prit la main de Catherine.

– Dépêchons-nous.

Plus facile à dire qu'à faire. La tombe de son père était située à mi-parcours du sommet de la colline. Le chemin était envahi de mauvaises herbes. Plusieurs marches étaient dans un triste état et les directions peintes sur des pancartes décolorées, à peine lisibles. Ils furent obligé de ralentir pour se frayer un chemin sous les pins et les bruyères. Catherine faillit trébucher plusieurs fois.

– Pourquoi certains caractères sur les tombes sont-ils rouges et d'autres noirs? demanda-t-elle en choisissant prudemment son chemin parmi les pierres.

– Les noms en noir indiquent les personnes déjà mortes, et les noms en rouge celles qui sont encore en vie.

– N'est-ce pas de mauvais augure pour les vivants?

– En Chine, mari et femme sont en principe enterrés ensemble, sous la même pierre tombale. Aussi, après la mort de l'un, l'autre fait ériger la tombe avec les deux noms gravés ensemble, l'un en noir et l'autre en rouge. Quand les deux disparaissent, leurs enfants mettent les cercueils ou les urnes funéraires ensemble et repeignent tous les caractères en noir.

– Ce doit être une coutume séculaire.

– Également en train de disparaître. La structure familiale n'est plus tellement stable. Les gens divorcent ou se remarient. Il n'y a qu'une poignée de personnes âgées pour suivre la tradition.

Leur conversation fut interrompue quand des vieilles vêtues de noir les rejoignirent. Elles devaient avoir près de soixante-dix ans ou même plus, mais elles avançaient rapidement en traînant leurs pieds bandés. Il fut stupéfait de voir sur ces sentiers pentus et rocailleux des femmes si âgées. Elles étaient chargées de bougies, d'encens, d'argent «fantôme», de fleurs, et aussi de matériel de nettoyage.

L'une d'elles s'avança vers eux en clopinant, et tendit à Chen un modèle en papier de maison «fantôme».

– Que vos ancêtres vous protègent!

– Oh, quelle belle épouse américaine! s'exclama une autre… Vos ancêtres sous terre sourient d'une oreille à l'autre.

– Que vos ancêtres vous bénissent, renchérit la troisième, vous avez tous les deux un merveilleux avenir ensemble!

– Vous allez gagner des tonnes d'argent à l'étranger, prédit la quatrième.

Il secouait la tête à ces exclamations en dialecte de Suzhou. Catherine, heureusement, ne comprenait pas.

– Que disent-elles? s'enquit-elle.

– Oh, elles formulent des vœux de bonheur pour que nous leur achetions leurs offrandes ou leur donnions de l'argent.

Il acheta un bouquet de fleurs à une vieille femme. Pas très fraîches, ces fleurs. Probablement dérobées sur une tombe… Il ne dit rien. Catherine acheta des bâtonnets d'encens.

Quand il repéra enfin la tombe de son père, les vieilles munies de balais et d'éponges se précipitèrent pour la nettoyer. L'une d'entre elles sortit un pinceau et deux petits pots de peinture, et commença à repeindre les caractères avec de la peinture rouge et noire. Naturellement, il dut payer. Leur ardeur devait être en partie due à la présence de Catherine. Elles devaient penser que l'époux d'une Américaine était immensément riche.

Il balaya la poussière restant sur la tombe.

Catherine prit plusieurs photos, une gentille attention de sa part. Il montrerait ces photos à sa mère. Après avoir planté le bâtonnet d'encens en terre et l'avoir allumé, elle vint se placer près de lui, imitant ses gestes, les mains jointes devant le cœur.

Quelle aurait été la réaction de l'ancien professeur néo-confucéen à la vue de son fils, un policier chinois, accompagné d'une femme appartenant à la police fédérale américaine ?

Il ferma les yeux et essaya d'avoir un instant de communion silencieuse avec le défunt. Il y avait un point sur lequel il avait terriblement failli au vieil homme. La continuation de l'arbre généalogique de la famille avait été l'une des plus importantes préoccupations de son père. Debout près de la tombe, l'inspecteur Chen, encore célibataire, ne se trouvait qu'une excuse : selon Confucius, le service à son pays passait avant tout le reste.

Mais il dut renoncer à la trêve méditative espérée. Les vieilles recommencèrent leur chœur, et pour tout arranger, un essaim de moustiques sifflait autour d'eux. Énormes et noirs, les monstrueux insectes assoiffés de sang lancèrent un assaut, accompagnés du chœur de bénédictions des vieilles femmes. Chen fut piqué deux fois en quelques instants et vit Catherine se gratter le cou. Elle sortit un flacon de son sac, se vaporisa les bras et les jambes, puis se passa un peu de liquide dans le cou. Mais ce n'était pas un répulsif *made in America* qui allait décourager les moustiques de Suzhou.

Plusieurs autres vieilles venaient d'une autre direction.

– Allons-y. Ce n'est pas ici qu'il faut chercher la sérénité.

Quand ils atteignirent le sommet de la colline, ils s'aperçurent que le prochain autobus était plus d'une heure plus tard.

– Il y a plusieurs arrêts sur la rue de Mudu, mais on est à au moins vingt minutes du plus proche.

Par chance, un camion s'arrêta à côté d'eux. Le conducteur passa la tête par la fenêtre.

– Vous voulez que je vous conduise?

– Oui. Vous allez à Mudu?

– Venez. Ce sera vingt yuans pour vous deux. Mais je ne peux prendre qu'un seul passager dans la cabine.

– Montez devant Catherine, je m'assiérai derrière.

– Non. Montons tous les deux à l'arrière.

Il posa le pied sur le pneu, se hissa à l'arrière du camion et l'aida à monter. Il trouva plusieurs vieux cartons, en retourna un et le lui offrit en guise de siège.

– C'est une première pour moi, dit-elle gaiement en étendant les jambes… Depuis que je suis petite, je rêve de voyager à l'arrière d'un camion, exactement comme ça. Mes parents ne me l'ont jamais permis.

Elle retira ses chaussures et se frotta la cheville.

– Elle vous fait toujours mal? Je suis vraiment désolé, inspecteur Rohn.

– Encore! De quoi?

– Eh bien, les moustiques, ces vieilles bonnes femmes, ce chemin, et maintenant ce trajet en camion.

– Non, c'est la Chine. Où est le problème?

– Ces vieilles ont dû vous coûter une petite fortune.

– Je ne suis pas riche, mais ça ne va pas me ruiner. Il y a des pauvres partout. Nous avons tant de sans-abris à New York…

Ses vêtements étaient tout froissés, trempés de sueur, et elle avait retiré ses chaussures. En la regardant, assise sur une boîte en carton, il comprit qu'elle était beaucoup plus que simplement attirante. Elle rayonnait.

– Regardez, la pagode Liuhe !

Le camion s'arrêta quelques maisons avant la rue de Guanqian, où était situé le temple Xuanmiao. Le conducteur passa la tête par la portière et se retourna :

– Nous sommes au centre-ville maintenant. Je ne peux pas aller plus loin. La police m'arrêterait pour avoir laissé des passagers monter à l'arrière. Ne vous donnez pas le mal de prendre un autobus, vous êtes à deux pas de la rue de Guanqian.

Chen sauta le premier du camion. Des bicyclettes le frôlaient à toute vitesse. Lisant l'hésitation dans les yeux de Catherine, il lui tendit les bras.

Ils aperçurent bientôt le magnifique temple taoïste de la rue de Guanqian. En face, un bazar offrait de la nourriture et des produits locaux, des babioles, des peintures, des découpages en papier, et divers petits objets introuvables en magasin.

– C'est plus commercial que je ne m'y attendais. (Elle prit avec reconnaissance la bouteille de Sprite qu'il acheta pour elle.) Je suppose que c'est inévitable.

– Nous sommes trop proches de Shanghai pour qu'il en soit autrement. Tous ces touristes n'arrangent rien.

L'entrée au temple était payante. À travers la grille rouge ornée de cuivre, ils aperçurent la cour pavée occupée par un groupe de pèlerins entourés de volutes d'encens.

Cette affluence étonna Catherine.

– Je ne savais pas le taoïsme si répandu en Chine.

– Si vous voulez parler du nombre de temples taoïstes en Chine, non il n'est pas répandu. Le taoïsme est plus une philosophie de la vie. Par exemple, les adeptes du taï chi dans le parc du Bund sont des taoïstes laïques qui croient au principe du doux l'emportant sur le fort, et du lent sur le rapide.

– Oui, le yin devenant yang, et le yang se changeant en yin. Le processus qui fait que tout se transforme en autre chose. Un inspecteur principal devient un accompagnateur touristique, aussi bien qu'un poète d'avant-garde.

– Et un officier de la police fédérale américaine se métamorphose en sinologue. En terme de pratique religieuse, le taoïsme n'est sans doute pas très différent du bouddhisme. On brûle des bougies et l'encens dans les deux religions.

– On construit un temple, les fidèles viennent.

– C'est une explication. Dans notre société de plus en plus matérialiste, quelques Chinois cherchent des réponses spirituelles dans le bouddhisme, le taoïsme ou le christianisme.

– Et le communisme, alors?

– Les membres du Parti y croient, mais une période de transition est toujours difficile. On ne peut prévoir le lendemain. Il n'est donc sans doute pas mauvais de croire en quelque chose.

– Et vous, que croyez-vous?

– Je crois que la Chine est en train de progresser dans la bonne direction.

L'arrivée d'un prêtre taoïste en robe de satin orange coupa court à toute déclaration plus explicite.

– Bienvenue à nos révérends bienfaiteurs. Voulez-vous choisir une tige?

Le prêtre présentait un récipient en bambou, dans lequel étaient rangées plusieurs tiges de bambou portant chacune un numéro.

– Qu'est-ce que c'est? demanda la jeune femme.

– Une façon de prédire l'avenir. Choisissez une tige. Elle vous dira ce que vous désirez savoir.

– Vraiment!

Elle en prit une. La tige de bambou portait le numéro 157. Le disciple de Lao-tseu les conduisit vers un grand livre sur un lutrin de bois et tourna les pages jusqu'à celle qui correspondait au numéro. La page portait un poème de quatre lignes: *Colline sur colline, le chemin paraît sans issue./ À l'ombre des saules et au milieu des fleurs multicolores, un autre village apparaît./ Sous le pont frêle, verte est l'eau de la source,/ Qui refléta un jour la beauté rougissante d'une oie sauvage.*

– Que veut dire ce poème, inspecteur principal Chen?

– Il est intéressant, mais son sens me dépasse. Le prêtre vous l'interprétera, moyennant finance.

– Combien ?

– Dix yuans, dit l'homme. Cela changera votre vie.

– D'accord.

– Quelle période désirez-vous connaître ? Le présent ou le futur ?

– Le présent.

– Que désirez-vous savoir ?

– C'est à propos d'une personne.

– Dans ce cas, la réponse est évidente. (Un sourire de connivence éclaira le visage du disciple.) Ce que vous cherchez est à portée de main. Le premier vers suggère un brusque changement au moment où la situation paraît sans issue.

– Que dit encore le poème ?

– Il peut faire allusion à une relation amoureuse. La seconde partie est très claire.

– Je n'y comprends rien… (Elle se tourna vers Chen.) Il n'y a que vous à côté de moi.

– L'ambiguïté est voulue… (Il rit.) Je suis ici, alors pourquoi chercher ailleurs ? Mais il peut s'agir de Wen, pour autant que nous le sachions.

Ils firent le tour du temple, en regardant les idoles d'argile sur des pierres en forme de coussins, les divinités de la religion taoïste. Quand ils furent loin des oreilles du prêtre, elle réitéra sa demande.

– Vous êtes poète. S'il vous plaît, expliquez-moi ces vers.

– Le sens d'un poème et celui d'une prédiction de l'avenir peuvent être complètement différents. Vous avez payé pour une prédiction, il faut vous contenter de son interprétation.

– Qu'est-ce que la beauté rougissante d'une oie sauvage ?

– Dans la Chine ancienne, il y avait quatre beautés légendaires, si belles que tout le reste avait honte. L'oiseau s'envolait, le poisson plongeait, la lune se cachait, et la fleur se fermait. Plus tard, on a utilisé cette métaphore pour décrire la beauté.

Ils continuèrent à flâner dans la cour du temple. Elle prit des photos, « en bonne touriste américaine », pensa-t-il.

– Voudriez-vous nous prendre en photo ? demanda-t-elle à une femme âgée.

Elle posa à côté de son coéquipier, les cheveux brillant contre l'épaule du policier, sur fond de vieux temple.

Le bazar devant le temple fourmillait de monde. À côté de plusieurs paniers de plantes sèches qui remplissaient l'air d'un parfum subtil, elle marchanda avec une vieille paysanne qui proposait de petits œufs d'oiseaux, des sachets en plastique de feuilles de thé de Suzhou et des paquets de champignons séchés. À un stand de jouets artisanaux, il fit onduler un serpent de papier monté sur une tige de bambou.

Puis, ils choisirent une table ombragée par un grand parasol. Il commanda des boulettes à la mode de Suzhou, des crevettes décortiquées avec de jeunes pousses de thé, et de la soupe au sang de poulet et de canard. Entre deux bouchées, elle revint au poème…

– Le premier et le second vers sont tous les deux de Lu You, un poète de la dynastie Song, mais proviennent de deux poèmes différents. Le premier est souvent cité pour décrire un changement soudain. Quant au second, le contexte est plus tragique. Lu, âgé de soixante-dix ans, vint revoir l'endroit où il avait pour la première fois aperçu la femme qu'il aima toute sa vie, et écrivit ces vers en fixant l'eau verte sous le pont.

– Une histoire d'amour, alors, remarqua-t-elle avant d'avaler une cuillerée de soupe.

27

Ils revinrent à l'hôtel à la tombée de la nuit.

L'inspecteur principal Chen téléphona à l'inspecteur Yu depuis la chambre de Catherine. Celui-ci, conscient de la présence de l'inspecteur Rohn, ne dit pas grand-chose, sinon que Chen allait recevoir un nouvel enregistrement de l'interrogatoire.

Chen alla fumer une cigarette dans le couloir quand Catherine voulut téléphoner à son chef. La conversation fut brève. La jeune femme sortit avant qu'il n'ait fini sa cigarette. En regardant la vieille ville s'estomper dans le crépuscule, elle lui annonça que son supérieur lui suggérait de rentrer aux États-Unis. Elle ne paraissait pas prête à lui obéir.

– Nous pourrons peut-être progresser demain.

– Espérons-le, Catherine. Les prédictions du poème pourraient se réaliser. Je vais me reposer dans ma chambre. La journée de demain sera longue.

– Appelez-moi s'il se passe quelque chose. (Elle se souvint qu'il n'y avait pas de téléphone dans sa chambre.) Non, frappez à ma porte.

– D'accord. On pourrait peut-être faire un tour ce soir…

Quand il alluma le plafonnier de sa chambre, il découvrit avec étonnement un homme assis sur son lit, ou, plus exactement, somnolant le dos appuyé à la tête de lit. Petit Zhou sursauta et ouvrit les yeux.

– Je vous attendais, camarade inspecteur principal Chen. Pardon de m'être endormi sur votre lit. Mais j'ai à vous remettre un paquet de la part de l'inspecteur Yu où il est marqué : *À remettre dès que possible.*

Depuis l'enlèvement de Qiao, Chen avait fait en sorte de ne contacter Yu que sur son téléphone portable, et en cas d'urgence, par l'intermédiaire de Petit Zhou, en qui il avait confiance.

– Tu n'avais pas besoin de faire tout ce chemin, je retourne au bureau demain. Personne n'est au courant de notre voyage à Suzhou ?

– Personne. Même pas le secrétaire du Parti Li.

– Merci beaucoup, Petit Zhou. Tu as pris un grand risque pour moi.

– N'en parlons plus, inspecteur principal Chen. Je suis votre homme, tout le monde le sait dans le service. Je préférerais que nous rentrions ensemble ce soir à Shanghai.

– Nous avons quelque chose à faire ici. Ne t'en fais pas. Je vais prévenir le directeur de l'hôtel pour qu'il te trouve une chambre libre, tu retourneras à Shanghai demain matin.

– Ne prenez pas cette peine. Si vous n'avez rien à me faire faire ici, je préfère repartir. Mais je vais d'abord passer au marché pour acheter quelques produits locaux.

– Bonne idée. Les écrevisses sont remarquables. Ainsi que le tofu braisé à la mode de Suzhou. (Il inscrivit son numéro de portable sur une carte pour Petit Zhou.) Lu et toi, vous pouvez m'appeler à ce numéro. (Il raccompagna son chauffeur jusqu'à la porte.) La route est longue jusqu'à Shanghai, prends garde, Petit Zhou.

De retour dans sa chambre, Chen ouvrit l'enveloppe. Elle contenait une cassette accompagnée d'un petit mot de Yu.

Inspecteur principal Chen
À la suite de l'interrogatoire de Zheng, j'ai trouvé Tong Jiaqing dans un salon de coiffure. Tong est une fille d'à peine vingt ans, inculpée à plusieurs reprises pour outrage aux bonnes mœurs, mais à chaque fois relaxée peu de temps après. Ci-joint son interrogatoire, mené en cabine privée. Comme vous l'aviez fait pour l'affaire de la travailleuse modèle, j'avais pris rendez-vous au salon de coiffure.

Yu : Vous êtes donc Tong Jiaqing.
Tong : Exact. Pourquoi cette question ?
Yu : Je travaille à la police criminelle de Shanghai. Voici ma carte.
Tong : Quoi, vous êtes flic ! Je n'ai rien fait de mal, monsieur l'agent Yu. Je travaille ici depuis le début de l'année, en tant que coiffeuse, c'est tout.
Yu : Je sais très bien ce que vous faites, mais ce n'est pas mon affaire. Si vous collaborez en répondant à mes questions, je ne vous attirerai aucun ennui.
Tong : Quelles questions ?
Yu : Des questions à propos de Feng Dexiang.

Tong: Feng Dexiang? Hmm… il a été effectivement pendant un temps un de mes clients.

Yu: Dans ce salon de coiffure?

Tong: Non. Au salon de massage de Fuzhou. Je l'ai vu ici il y a plus d'un an, maintenant. Il avait une petite affaire là-bas, un commerce de faux bracelets de jade et d'espèces de crabes recouverts d'argile. Pendant environ quatre ou cinq mois, on a eu des rendez-vous au salon une ou deux fois par semaine.

Yu: Comment se passaient ses visites?

Tong: Vous voulez un dessin? Si vous enregistrez ma déposition, ça peut être utilisé contre moi.

Yu: Pas si vous coopérez. Vous connaissez Zheng Shiming, n'est-ce pas? C'est lui qui nous a donné votre adresse. Je suis en mission exceptionnelle, ici. Avec un casier comme le vôtre, vous savez qu'il serait facile de vous renvoyer en prison, et cette fois personne ne pourra vous faire relâcher.

Tong: N'essayez pas de me faire peur. Je n'étais qu'une des employées du salon de massage. Dans un établissement comme ça, il y a la prestation de base et la prestation spéciale. Le client paie cinquante yuans pour la première, mais quatre ou cinq cents pour la spéciale, sans compter le pourboire.

Yu: Donc, au prix de quatre ou cinq cents yuans, Feng est venu une ou deux fois par semaine pendant six mois. Ça fait beaucoup d'argent. Vous devez savoir qu'avec un petit commerce, comme vous avez dit, Feng n'aurait jamais pu s'offrir ça.

Tong: Je ne sais pas. Ces gens-là ne vous disent jamais ce qu'ils font vraiment, ils ne disent que ce qu'ils veulent de vous. Et puis ils font tout ce qui leur plaît, avec leur argent puant.

Yu: Saviez-vous que Feng était marié?

Tong: Une employée de salon de massage ne pose pas ce genre de questions. Mais il me l'a dit la première nuit.

Yu: Qu'a-t-il dit exactement?

Tong: Qu'il avait perdu tout intérêt pour son épouse, qu'elle n'était qu'un tas de viande inerte au lit. Ni goût, ni parfum, ni réaction. Il s'était procuré des vidéos porno à Taïwan pour qu'elle lui fasse les mêmes trucs. Comme elle n'a pas voulu, il l'a punie.

Yu : Quel salaud ! Quel type de punition ?

Tong : Il lui a attaché les mains et les pieds, il lui a brûlé la poitrine, il l'a battue, et l'a baisée comme une bête. Il a dit que c'était la punition qu'elle méritait.

Yu : Pourquoi avait-il besoin de vous dire tout ça ?

Tong : Parce qu'il voulait faire les mêmes choses avec moi. Il était boucher, vous savez, avant d'être à la tête de la commune durant la Révolution culturelle. Quand elle saignait et criait, il me disait que ça l'excitait. Il l'accusait d'avoir gâché sa carrière. Sans elle, il aurait conservé sa position. Il disait qu'elle était la malédiction de sa vie.

Yu : Alors, pourquoi n'a-t-il pas divorcé ?

Tong : Oh, c'est facile à deviner. Quand il avait de l'argent, il le dilapidait dans des endroits comme celui où je travaillais. Quand il n'en avait plus il voulait se garder une maison où aller, un porte-monnaie à vider, un corps pour s'en servir.

Yu : Je vois. Vous semblez très bien le connaître. Quand l'avez-vous vu pour la dernière fois ?

Tong : Il y a un an, à peu près.

Yu : Vous a-t-il parlé de ses projets de partir pour les États-Unis ?

Tong : Ce n'était pas un secret au Fujian. Il m'avait même promis de me faire venir quand il serait là-bas.

Yu : Et sa femme ?

Tong : Il la traitait de salope et disait que ce serait un bon débarras. Je ne l'ai pas cru, c'était une promesse en échange d'une prestation gratuite.

Yu : Il n'y a donc eu aucun changement dans ses sentiments envers sa femme avant son départ ?

Tong : Non, pas du tout. À moins que sa grossesse…

Yu : Attendez un peu, Tong. Vous venez de dire que vous ne l'aviez pas vu depuis une année. Alors comment savez-vous ça ?

Tong : Oh, j'ai entendu des rumeurs…

Yu : Et de qui ? Vous ne me dites pas la vérité, Tong. Vous êtes encore en contact avec Feng, n'est-ce pas ?

Tong : Non, je n'ai rien à faire avec lui maintenant, je le jure.

Yu : Je vais vous expliquer quelque chose : Zheng est bien plus coriace que vous, mais quand il a entendu le commissaire divisionnaire Hong accepter de faire tout ce que je demandais, il a craqué. Zheng m'en a aussi dit beaucoup sur vous, il m'a parlé de cette partouze avec Feng, Ma l'Aveugle et le Petit Yin.

Tong : Quoi ? Zheng vous a raconté ça ? Ce chien ? Il était le quatrième larron, ce soir-là.

Yu : Rien que ça suffirait pour vous renvoyer derrière les barreaux. Les rapports sexuels en groupe sont formellement interdits. Maintenant je vais vous dire quelque chose : je suis en civil, et personne ne saura rien car je travaille sur une affaire classée « secret Défense ». Je vous paierai au tarif de la prestation spéciale. Personne ne soupçonnera quoi que ce soit.

Tong : Hum. Je vous crois, monsieur l'agent Yu. Il se peut que je sache en effet quelque chose, mais jusqu'à la semaine dernière, j'ignorais tout de la situation présente de Feng. Un gangster est venu me voir. Il m'a posé les questions que vous venez de me poser.

Yu : Quel est son nom ?

Tong : Zhang Shan. Il a dit qu'il était de Hong Kong, mais on ne me trompe pas si facilement. Il est de Hong Kong comme je suis japonaise. Ce salaud mentait.

Yu : Comment le savez-vous ? Il n'avait pas son permis de séjour inscrit sur la figure.

Tong : Je n'ai pas pu lui donner d'information, alors il a exigé gratuitement la prestation spéciale, sinon il me défigurait. Vous croyez que quelqu'un de Hong Kong s'abaisserait à ça ? Ce type n'est qu'une ordure.

Yu : Il vous a dit quelque chose sur Feng ?

Tong : Je l'ai eu dans mon lit la moitié de la nuit. Après, il a marmonné quelque chose à propos de la femme de Feng. Il paraît que son organisation est furieuse, qu'ils sont prêts à remuer ciel et terre pour dénicher sa femme.

Yu : Et s'ils la retrouvent ?

Tong : Tout dépendra de Feng. S'il ne coopère pas, je suppose qu'elle sera bonne pour la mort par les dix-huit haches.

Yu : Quelles dix-huit haches ?

Tong : Ils la tailladeront de dix-huit coups de hache. Le pire des châtiments de la triade. En guise d'avertissement aux autres.

Yu: Il ne reste que deux semaines avant le procès. Que feront-ils s'ils ne la trouvent pas avant?

Tong: Je ne sais pas. Mais je pense qu'ils se font beaucoup de souci à propos de quelque chose, je ne sais pas quoi. Ils continueront à la chercher jusqu'à ce qu'ils lui mettent la main dessus. À tout prix, a dit Zhang.

Yu: À tout prix? Je vois… Encore quelque chose?

Tong: C'est tout, monsieur l'agent Yu. Un salopard comme lui, ça ne parle pas beaucoup. Je n'ai pas voulu montrer trop d'intérêt pour Feng. Et je ne pouvais pas savoir que vous viendriez aujourd'hui.

Yu: Bon, si ce que vous m'avez dit est vrai, vous n'entendrez sans doute plus parler de moi. Mais sinon, et je le saurai, vous savez ce qui arrivera.

L'inspecteur principal Chen appuya sur l'interrupteur et alluma une cigarette. Il n'avait pas le moral. Il avait eu à régler des affaires plus sordides, mais quelque chose le troublait dans celle-ci.

Il en avait soudain assez de cette enquête. Que la vie de Wen ait été aussi horrible le bouleversait. Maintenant il comprenait pourquoi elle n'avait pas fait sa demande de passeport en janvier. Pourquoi aurait-elle voulu rejoindre un mari pareil? Mais qu'est-ce qui l'avait fait changer d'avis? Comment la femme qui avait été une fille débordante de vie et d'enthousiasme, «la plus jolie des gardes rouges», dont elle portait fièrement le brassard, pouvait-elle avoir choisi de passer le restant de ses jours comme une pièce de viande sur un billot, attendant d'être découpée par son boucher de mari?

L'enregistrement posait un autre problème. L'apparition, encore une fois, de cet inconnu venu de Hong Kong. Les appréciations de Tong étaient sujettes à caution car rien n'est jamais trop bas pour un gangster, qu'il fût de Hong Kong ou de Fujian. Mais pourquoi les Haches volantes auraient-elles envoyé un gangster de Hong Kong se renseigner auprès de Tong, une fille de salon de massage du Fujian?

Et qu'était ce «quelque chose» qui préoccupait tant les gangsters, au point de les faire vouloir retrouver Wen «à tout prix», comme avait dit Tong? Chen avait un pressentiment de mauvais augure. Et si sa première hypothèse était complètement fausse?

S'il s'était agi d'une partie de go, il aurait changé la donne en abandonnant provisoirement l'attaque en cours et en concentrant son attention sur un autre front, peut-être même en lançant une autre attaque. Un repli stratégique... Qui empêcherait une nouvelle offensive plus tard, quand les positions auraient changé? Il pouvait clore son enquête. Abandonner.

D'après le secrétaire du Parti Li, il avait mené à bien sa mission. Et le supérieur de Catherine voulait également qu'elle retourne aux États-Unis. Quel que soit l'endroit où Wen se trouvait, ce ne pouvait être pire que de vivre avec Feng.

Le secrétaire du Parti Li avait raison sur un point: la priorité des priorités était la sécurité de l'inspecteur Rohn, la responsabilité lui en incombait.

Si quelque chose arrivait à Catherine, il ne pourrait jamais se le pardonner. Et pas seulement à cause des conséquences politiques. Il s'était senti proche d'elle, aujourd'hui, particulièrement lors de leur visite sur la tombe de son père. Personne d'autre ne l'avait jamais accompagné là-bas. Malgré leurs divergences, elle était devenue plus qu'une coéquipière provisoire.

«Quelle absurdité de ma part de penser à ça maintenant!» Son enquête était au point mort, s'enfonçait dans un bourbier de questions sans réponses, d'inexplicables complications et d'imprévisibles coups de malchance. Wen Liping n'était toujours pas retrouvée. Pouvait-il vraiment abandonner une affaire qui, à ses yeux, mettait en jeu les intérêts du pays, risquer que Feng refuse de témoigner contre Jia, laisser planer sur Wen, une femme enceinte, abandonnée de tous, sans argent ni travail, la menace d'être tailladée de dix-huit coups de hache?

La cigarette lui brûla les doigts.

Il savait ce qu'il lui fallait pour oublier ses sentiments contradictoires sur Wen, sur la politique, sur lui-même: une soirée au temple des Montagnes froides, près de la rivière Érable, au moment où, enveloppés par un ciel glacé, la lune se lève, les corbeaux s'appellent, les érables du bord de la rivière se balancent, les lumières des pêcheurs luisent en attendant l'arrivée, vers minuit, d'un bateau chargé de pèlerins...

En sortant de sa chambre, il aperçut la lumière allumée dans celle de Catherine, mais continua à descendre jusqu'à la réception et décrocha le téléphone. Puis il hésita. Trop de gens traînaient autour de lui, oisifs. Un peu plus loin, un groupe était assis en face d'un poste de télévision en couleurs. Il raccrocha et sortit.

La ville de Suzhou ne semblait pas avoir beaucoup changé malgré la nouvelle politique chinoise «de la porte ouverte». Quelques nouveaux immeubles apparaissaient çà et là au milieu des vieilles maisons, mais il chercha en vain une cabine téléphonique.

Au coin de la grande rue, un bureau de poste était ouvert, et plusieurs personnes faisaient la queue devant les portes vitrées d'une rangée de cabines téléphoniques. Au-dessus de chacune un panneau lumineux affichait le nom de la ville et le numéro de téléphone appelé. Une femme leva les yeux, ouvrit la porte d'une cabine et décrocha le téléphone à l'intérieur.

Chen commença à remplir un formulaire pour appeler Gu, puis hésita de nouveau. Mieux valait ne pas révéler à un personnage aussi douteux que Gu l'endroit où il se trouvait. Il écrivit donc le numéro de monsieur Ma. Gu avait peut-être contacté le vieux docteur.

Au bout de dix minutes, le numéro de Ma s'afficha sur l'écran. Il entra dans la cabine, ferma la porte derrière lui, et décrocha.

— Allô, ici Chen Cao, docteur Ma. Gu vous a-t-il contacté?

— Oui. J'ai appelé le service. Ils m'ont dit que vous étiez à Hangzhou.

— Que vous a dit Gu?

— Il semblait très inquiet pour vous. D'après lui, vous avez contre vous des adversaires qui ont le bras long.

– Qui sont-ils ?

– Je le lui ai demandé, mais il ne me l'a pas dit. Il m'a seulement demandé si j'avais entendu parler d'une triade de Hong Kong appelée le Bambou vert.

– Le Bambou vert ?

– Oui. J'ai questionné différentes personnes cet après-midi, c'est une organisation internationale ayant son quartier général à Hong Kong.

– On sait quelque chose sur ses activités à Shanghai ?

– Non, rien de plus. Je vais continuer à me renseigner. Faites attention à vous, inspecteur principal Chen.

– Je vais être prudent. Soyez-le vous aussi, docteur Ma.

Il quitta le bureau de poste fort songeur. Plusieurs éléments semblaient emmêlés, comme les racines du bambou sous le sol. Le Bambou vert. L'inspecteur principal Chen en entendait parler pour la première fois.

Ensuite il s'égara dans cette ville presque inconnue. Il arriva au jardin de la pagode Bausu et acheta un ticket d'entrée, bien qu'il fût trop tard pour entrer dans la pagode elle-même. Il flâna sans but, espérant une idée. Une jeune fille lisait sur un banc de bois. Elle n'avait pas plus de dix-huit ou dix-neuf ans, et était sagement assise sur un journal étalé sur le banc, un livre dans une main et un stylo dans l'autre. Cette scène lui rappela ses journées au parc du Bund, plusieurs années auparavant.

Que pouvait-elle bien lire ici ? Un recueil de poèmes ? Il fit un pas vers le banc et comprit qu'il se faisait des illusions. Le livre s'intitulait : *Stratégies boursières*. La Bourse avait été fermée pendant des années, mais maintenant une frénésie de boursicotage balayait le pays, même dans ce coin du vieux jardin.

Il gravit une petite butte et se reposa quelques minutes au sommet. Des étoiles ponctuaient la nuit d'avril…

Les mêmes étoiles, mais celles d'une autre nuit, depuis longtemps révolue
Pour qui je brave ce soir le vent et le gel.

Pourtant cette nuit, il n'était ni aussi malheureux ni aussi transi que l'auteur de ses vers, Huang Chongzhe. Il sifflota et essaya de se réconforter. Il n'était pas destiné à vivre de sa poésie, ni à être un Chinois d'outre-mer venu avec sa petite amie américaine balayer la tombe de ses parents, comme l'avaient imaginé ces vieilles femmes. Ni un touriste en excursion à Suzhou. Il était officier de police, et menait incognito une enquête. Un policier qui, de toute façon, ne pouvait prendre de décision avant d'avoir parlé à la personne qu'il devait rencontrer le lendemain.

28

Tôt le lendemain matin, ils se rendirent chez Liu dans un faubourg de Suzhou.

Liu vivait dans une magnifique demeure cachée derrière de hauts murs, contrastant fortement avec le style général de la ville. Son luxe à l'occidentale étonna l'inspecteur Rohn. La grille en fer forgé n'était pas verrouillée, alors ils entrèrent dans la propriété. Le gazon était entretenu comme un terrain de golf et au bord de l'allée une statue de marbre prenait place.

L'inspecteur principal Chen appuya sur la sonnette et une femme vint ouvrir la porte. Catherine lui donna entre trente-cinq et quarante ans, à cause de quelques pattes-d'oie qui ne parvenaient pas à gâcher la finesse des traits. Elle portait une tunique de soie violette et un pantalon assorti sur lequel elle avait noué un tablier blanc brodé. Malgré son chignon démodé, elle avait du charme.

La jeune Américaine se demanda quel était le statut de cette femme. Ce n'était pas une servante, pas non plus la maîtresse de maison, puisque l'épouse de Liu était à Shanghai. Sa façon d'accueillir ses hôtes était ambiguë.

– Je vous en prie, prenez un siège. Le directeur général Liu

256

vient de m'appeler de sa voiture, il sera ici dans une demi-heure. C'est bien vous qui lui avez téléphoné hier ?

– Oui, c'est moi. Je suis Chen Cao. Catherine est mon amie américaine.

– Puis-je vous offrir à boire, thé ou café ?

– Du thé, s'il vous plaît. Voici ma carte. Liu et moi sommes tous deux membres de l'Union des écrivains chinois.

Catherine se demanda ce que Chen avait derrière la tête. Tout était possible avec cet énigmatique policier. Le mieux était de le laisser parler, en approuvant et en insistant au besoin, comme se comporterait sans doute une amie américaine.

– Vous avez l'accent de Shanghai, remarqua Chen.

– Je suis née à Shanghai. Je ne suis à Suzhou que depuis peu de temps.

– Vous êtes la camarade Wen Liping, n'est-ce pas ? (Chen se leva, il lui tendit la main.) Heureux de faire votre connaissance.

La femme recula inquiète, n'en croyant pas ses oreilles. Catherine était tout aussi surprise. Elle n'avait plus devant elle la Wen de la photo, une femme brisée à l'expression éteinte, mais une personne agréable à regarder, gaie, aux yeux vifs.

– Comment connaissez-vous mon nom ? Qui êtes-vous ?

– Je suis l'inspecteur principal Chen de la police de Shanghai. Et voici l'inspecteur Catherine Rohn, de la police fédérale des États-Unis.

– Et vous êtes venus me chercher ici ?

– Oui, nous vous avons cherchée partout.

– Je suis ici pour vous accompagner aux États-Unis, expliqua Catherine.

– Non ! Je ne veux pas ! s'exclama Wen d'une voix tremblante mais déterminée.

– Ne vous inquiétez pas, Wen. Vous ne risquez rien. La police américaine vous fera bénéficier de son dispositif de protection des témoins. Les têtes de serpents seront mises en prison. Les gangsters ne pourront pas vous trouver. La sécurité de votre famille est assurée.

– Nous prendrons soin de tout, renchérit Catherine.

– Je n'ai jamais entendu parler de ce dispositif de protection, protesta Wen, affolée, en posant machinalement les mains sur son ventre.

– Dès votre arrivée aux États-Unis, notre gouvernement se chargera de tout. Vous aurez droit à une allocation, une assurance médicale, un logement, une voiture, des meubles.

– Je n'y crois pas!

– Mais si! C'est prévu, en échange de la collaboration de votre mari, c'est-à-dire de son témoignage au procès contre Jia. C'est une promesse faite par notre gouvernement.

– Non. Vous pouvez promettre tout ce que vous voulez, je ne viendrai pas.

– Voyons, il y a des mois que vous demandez un passeport, intervint Chen. Le gouvernement chinois et le gouvernement américain s'intéressent désormais à votre situation. Nous ne nous sommes pas seulement occupés de votre passeport, votre visa aussi est prêt. Pourquoi avez-vous changé d'avis? Votre mari a insisté pour que vous veniez aux États-Unis comme condition de sa collaboration. Vous voyez bien que lui aussi s'occupe de vous.

– Il s'occupe de moi? Non. Seulement de son fils dans mon ventre.

– Vous savez ce qui va arriver à votre mari, si vous refusez de venir?

– C'est lui qui a conclu un accord avec votre gouvernement, pas moi.

– Parce que maintenant que vous vivez avec un autre homme, un nouveau riche, ça ne vous dérange pas que votre mari passe sa vie en prison, c'est ça?

– Allons, inspecteur Rohn, intervint en hâte Chen, la situation n'est pas si simple que ça. Liu…

– Ah non!

Wen baissa la tête et s'assit toute raide, comme une plante prise dans la glace.

– Vous pouvez dire tout ce que vous voulez sur une malheureuse comme moi, murmura-t-elle, les lèvres tremblantes, mais ne dites rien contre Liu.

– Liu est bon, nous le savons. Mais l'inspecteur Rohn s'inquiète pour votre sécurité.

– Je vous ai déjà dit que je ne viendrai pas, inspecteur principal Chen, répondit résolument Wen. Je n'ai rien à ajouter.

Wen baissait obstinément la tête, et malgré les efforts de Chen pour relancer la conversation, elle ne dit plus un mot. Le silence fut interrompu par des bruits de pas précipités à l'extérieur, une clef qui tournait dans la serrure, puis un sanglot de Wen.

Un homme d'une quarantaine d'années, brun, mince, au visage austère, entra. Un homme distingué, vêtu d'un costume de bonne coupe et tenant, de façon inattendue, une gigantesque carpe vivante qui s'agitait, la gueule transpercée d'un fil de fer. Le poisson devait mesurer dans les soixante centimètres, sa queue touchait presque le sol.

– Qu'est-ce qui se passe ? demanda-t-il.

Wen se leva, prit la carpe pour la porter à l'évier de la cuisine, et revint se placer à ses côtés.

– Ils veulent que j'aille aux États-Unis. Le policier américain insiste pour que je parte avec elle.

– Vous êtes monsieur Liu Qing ? (Catherine tendit sa carte.) Je suis Catherine Rohn, inspecteur de la police fédérale des États-Unis, et voici l'inspecteur principal Chen Cao, de la police criminelle de Shanghai.

– Pourquoi devrait-elle partir avec vous ?

– Son mari est là-bas, expliqua Chen. C'est à sa demande que l'inspecteur Rohn est venue chercher son épouse. Wen sera couverte par leur dispositif de protection des témoins, elle n'aura rien à craindre. Vous devriez la persuader de partir avec l'inspecteur Rohn.

– Un dispositif de protection des témoins ?

– Oui, elle ne sait sans doute pas comment il fonctionne. Il assure la protection d'un témoin et de sa famille.

Liu ne répondit pas tout de suite, il se tourna vers Wen, qui rencontra son regard mais ne dit rien. Liu hocha la tête, comme s'il avait lu la réponse dans ses yeux.

– La camarade Wen Liping est mon invitée. Qu'elle veuille partir ou rester ne regarde qu'elle. Personne ne peut l'obliger à se rendre quelque part. Plus maintenant.

– Vous devez la laisser partir, monsieur Liu, dit Catherine. Son mari en a fait la demande auprès du gouvernement américain. Et le gouvernement chinois a accepté de coopérer.

– Je ne l'empêche pas de partir, absolument pas. Demandez-le-lui.

– Non, personne ne me retient ici, répondit Wen. C'est moi qui veux rester.

– Vous l'avez entendue, inspecteur Rohn ? Si son mari a contrevenu à vos lois, qu'il soit puni. Personne ne soulève d'objection. Mais comment le gouvernement américain peut-il décider du sort d'un citoyen chinois contre son gré ?

Catherine ne s'attendait pas à une telle hostilité de la part de Liu.

– Elle peut commencer une nouvelle existence aux États-Unis. Avoir une vie meilleure.

– Ne croyez pas tous les Chinois prêts à tout pour aller vivre aux États-Unis, inspecteur Rohn !

– Je vais être obligée d'informer les autorités chinoises de votre attitude. Vous faites obstruction à la justice.

– Eh bien informez-les ! Vous, les Américains, vous êtes toujours en train de parler du respect des droits de l'homme. N'at-elle pas le droit, en tant qu'être humain, de rester si elle le désire ? Nous ne sommes plus à l'époque où vous pouviez donner des ordres aux Chinois. Voici le numéro de mon avocat.

Liu se leva, lui donna une carte, puis montra la porte :

– Maintenant je vous en prie, laissez-nous.

– Votre gouvernement a promis sa complète coopération, inspecteur principal Chen. (Catherine se leva elle aussi.) C'est maintenant à la police d'agir.

– Allons, calmons-nous… (Chen se tourna vers Liu.) L'inspecteur Rohn a ses arguments et vous avez les vôtres. Il est normal que chacun interprète la situation selon son point de vue. Ne pourrions-nous discuter en tête à tête, tous les deux?

– Il n'y a rien à discuter, inspecteur principal Chen. (Il réfléchit un instant.) Comment l'avez-vous retrouvée?

– Grâce à votre poème, *Du bout des doigts*. Je suis, moi aussi, membre de l'Union des écrivains.

– Ah, vous êtes ce Chen Cao-là. Ce nom m'était familier. Mais cela ne change rien.

– Vous avez entendu parler de l'affaire Wu Xiaoming?

– Oui, bien sûr, elle a fait la une des journaux l'an dernier. Ce jeune salaud d'ECS!

– C'est moi qui étais chargé de l'affaire. Un cas épineux. Je m'étais juré que justice serait faite, et j'ai tenu parole. Je vous en donne ma parole de poète aussi bien que ma parole de policier. Je ne vous obligerai ni vous ni Wen à faire quoi que ce soit. Acceptez de m'entendre, ensuite vous pourrez juger si Wen n'aurait pas intérêt à envisager avec moi d'autres solutions.

– Voyons, inspecteur principal Chen! protesta Catherine.

– Wen a été assez claire, non? objecta Liu. Pourquoi perdre davantage de temps?

– La décision lui appartient entièrement, mais pour la prendre de façon posée, il lui faut être informée de tous les éléments de cette affaire. Ce qui n'est pas le cas. Sinon, elle risque de prendre une décision que vous regretterez tous les deux. Il y a quelques données très sérieuses en jeu, je vous assure, que vous ignorez l'un et l'autre. Vous ne voulez pas la laisser se précipiter la tête la première vers le danger, n'est-ce pas?

– Eh bien, parlez-lui.

– Vous croyez qu'elle va vouloir m'écouter, maintenant? Vous êtes le seul qu'elle écoutera.

– Vous tiendrez parole, inspecteur principal Chen?

– Oui, je ferai un rapport au service afin d'expliquer sa décision, quelle qu'elle soit.

Cette façon de procéder faisait naître de sérieux doutes dans l'esprit de Catherine Rohn. Les autorités chinoises n'avaient jamais semblé enthousiastes, et Chen, maintenant qu'ils avaient retrouvé Wen, ne semblait pas très pressé de lui faire quitter la Chine. Mais dans ce cas, pourquoi l'avoir amenée avec lui chez Liu?

– Très bien. Montons parler dans mon bureau. (Liu se retourna vers Wen Liping.) Ne te tracasse pas. Déjeune avec l'Américaine. Nul ne t'obligera à faire quoique ce soit.

29

Le bureau de Liu était beaucoup plus spacieux que celui de Chen à la police criminelle de Shanghai. Plus luxueusement meublé aussi: un énorme bureau métallique en forme de U sur lequel était posé un ordinateur, un siège pivotant en cuir, des fauteuils en cuir et des étagères garnies de livres reliés. Liu s'assit dans un fauteuil et pria Chen d'en faire autant.

Chen remarqua plusieurs statues dorées de Bouddha, chacune vêtue d'une robe de soie de couleur vive. Elles lui rappelèrent une scène dont il avait été témoin des années plus tôt, en compagnie de sa mère, dans un temple recouvert de lierre à Hangzhou: une statue de Bouddha en plâtre doré trônait très haut dans une grande salle, et des pèlerins en haillons se prosternaient devant des robes en soie brodées d'or et d'argent. La cérémonie s'appelait «vêtir Bouddha», avait expliqué sa mère. Plus la robe était coûteuse, plus grande était la ferveur des pèlerins. Bouddha faisait des miracles proportionnels à la dévotion montrée par les donateurs. Suivant l'exemple de sa mère, le garçonnet avait allumé un bâton d'encens et fait trois vœux. Il avait oublié ses vœux depuis longtemps, mais non le trouble qu'il avait ressenti.

Si l'on a la foi, tout devient possible. Liu croyait-il au pouvoir de ces statues ou bien les considérait-il comme des éléments décoratifs? En tout cas, il semblait convaincu d'agir comme il fallait.

– Pardon de m'être emporté, commença-t-il. Mais cette femme policier américaine n'a aucune idée de la façon dont se passent les choses en Chine.

– Ce n'est pas de sa faute. J'ai appris hier soir quelques détails sur la vie de Wen que je ne lui ai pas communiqués. C'est pourquoi j'ai désiré vous parler en tête à tête.

– Alors si vous savez quel enfer a été sa vie avec son salaud de mari, pourquoi insistez-vous pour l'envoyer le rejoindre? Vous ne pouvez pas imaginer à quel point nous l'admirions à l'école. Elle était première en tout, avec sa longue natte dans le dos, et ses joues plus roses que les fleurs de pêchers… Pourquoi je vous dis tout ça?

– Dites-moi, je vous en prie, tout ce que vous pouvez. Cela me permettra de rédiger un rapport détaillé pour le service.

Chen sortit un carnet de notes.

– Si c'est ce que vous voulez… Par où dois-je commencer?

– Eh bien, commencez par le commencement, votre première rencontre avec Wen.

Liu était entré au lycée en 1967, à l'époque où son père, propriétaire d'une usine de parfum depuis 1949, avait été dénoncé comme ennemi du peuple. Liu lui-même n'était pour ses camarades de classe qu'un méprisable «rejeton de brebis galeuse». Il avait vu Wen pour la première fois parmi ses camarades de classe. Comme les autres, il était subjugué par sa beauté, mais il ne pensa jamais à l'approcher. Un enfant issu d'une famille «douteuse» ne pouvait prétendre faire partie des gardes rouges. Wen conduisait la classe pour chanter des chants révolutionnaires, hurler des slogans politiques, et déclamer *Le Petit Livre rouge* de Mao, seul livre autorisé à l'époque. Que Wen soit cadre des gardes rouges ne faisait qu'accentuer sa propre infériorité. Aux yeux du jeune garçon, elle était comme le soleil levant et il était heureux de l'admirer de loin.

Cette même année, son père avait été hospitalisé pour une opération des yeux. Même là, dans les salles de l'hôpital, les gardes rouges et les rebelles rouges étaient nombreux. Malgré ses yeux bandés, son père avait reçu l'ordre de se lever pour rédiger une confession publique devant un portrait de Mao. C'était une tâche impossible pour un malade incapable de voir. Liu avait donc dû venir en aide au vieil homme et écrire la confession à sa place. C'était une tâche très dure pour un garçon de treize ans. Au bout d'une heure passée à se creuser la cervelle, il n'avait écrit que deux ou trois lignes. Désespéré, il avait fermé son stylo et était sorti en courant dans la rue, où il avait rencontré Wen Liping avec son père. Elle l'avait salué d'un large sourire et avait effleuré du bout des doigts son stylo dont l'extrémité dorée avait soudain brillé au soleil. Rentré chez lui, il avait rédigé d'un trait le discours. Un peu plus tard, à l'hôpital, il avait soutenu son père, s'était tenu raide comme un piquet à côté de lui et, refusant de céder à l'humiliation, avait lu à sa place, comme un robot. Il avait connu ce jour-là son pire et son meilleur moment.

Leurs trois années d'études s'étaient terminées par l'envoi des jeunes instruits à la campagne. Il était parti avec ses camarades pour la province de Heilongjiang. Wen était partie seule pour le Fujian. Ce fut le jour de leur départ, à la gare de Shanghai, que se produisit le miracle, il brandit avec elle le cœur de papier rouge sur lequel figurait l'idéogramme *Loyal* lors d'une danse. Par ce geste commun, il était enfin admis au rang de ses camarades. Le souvenir de la danse était un rayon de lumière dans ce noir tunnel.

La vie à Heilongjiang était dure. Le souvenir de cette danse du caractère *Loyal* était la lumière au bout de ce tunnel sans fin. Lorsqu'il apprit son mariage, il en fut atterré. Paradoxalement, c'est alors qu'il commença à penser sérieusement à son propre avenir. Il se remit assidûment à ses études.

Comme les autres, il retourna à Shanghai en 1978. Récompense de ses études solitaires dans le Heilongjiang, il fut reçu à l'examen d'entrée dans l'enseignement supérieur, et devint la même année étudiant à l'université de l'Est. Il fit plusieurs tentatives pour retrouver la jeune femme. Elle semblait s'être évaporée et il ne put obtenir aucun renseignement. Pendant les quatre années qu'il passa à l'université, Wen ne revint pas une seule fois à Shanghai. Une fois diplômé, Liu fut nommé au *Wenhui*, chargé de reportages sur l'industrie de Shanghai, et il commença à écrire des poèmes. Il entendit un jour dire que le *Wenhui* allait publier un article sur une usine de la commune populaire de la province du Fujian, et demanda à son rédacteur en chef de le charger du reportage. Il ignorait le nom du village où se trouvait Wen, et n'avait pas l'intention de se mettre à sa recherche. Mais la vie est pleine de coïncidences: en entrant dans l'atelier de l'usine de la commune populaire, il l'aperçut avec émotion.

Après la visite, il s'entretint longuement avec le directeur de l'usine. Celui-ci avait dû se douter de quelque chose et l'avertit que Feng était connu pour son caractère jaloux et violent. Après tant d'années, Liu ressentait encore pour elle la même passion. Mais le lendemain matin, la réalité l'emporta. Ses reportages étaient appréciés, on publiait ses poèmes et il avait des petites amies plus jeunes. Allait-il choisir une femme mariée, qui n'était plus ni jeune ni jolie? Il quitta précipitamment le village.

De retour à Shanghai, il rédigea son article. Son patron le trouva poétique. *La meule de la Révolution polissant l'esprit de notre société* devint une métaphore souvent citée. L'article parut sans doute aussi dans le journal local du Fujian. L'avait-elle lue? Il pensa lui écrire, mais que lui dire? C'est alors que commença à naître dans sa tête le poème publié ensuite dans la revue *Étoiles,* et sélectionné comme le meilleur de l'année.

D'une certaine façon, l'incident balaya ses illusions quant à sa carrière de journaliste, et contribua à sa décision de démissionner. Le moment n'aurait pu être mieux choisi. Au début des années quatre-vingt, peu de gens pouvaient décider de renoncer à un «bol de riz en fer», c'est-à-dire à un poste dans une entreprise d'État. Cela lui permit de prendre un bon départ, et le *guanxi* accumulé comme reporter au *Wenhui* lui fut fort utile. Il gagna beaucoup d'argent, puis rencontra Zhenzhen, une étudiante. Elle tomba amoureuse de lui, ils se marièrent, eurent une fille l'année suivante. Quand son recueil parut, il n'avait plus le temps de s'adonner à la poésie. Il en envoya néanmoins un exemplaire à Wen avec sa carte professionnelle. Il ne reçut pas de réponse et n'en fut pas surpris.

Il demanda une fois à un homme d'affaires du Fujian de faire parvenir anonymement à son ex-camarade de classe trois mille yuans, qu'elle refusa. Occupé par les problèmes liés à ses affaires, il n'avait pas le temps de penser à ses états d'âme. Il crut l'avoir oubliée.

Quelques jours auparavant, elle était entrée dans son bureau. Elle avait beaucoup changé et ressemblait maintenant à n'importe quelle paysanne. Pourtant, à ses yeux, elle était encore la même qu'à seize ans, le même visage ovale, la même douceur infinie du regard et les mêmes doigts fins qui avaient brandi le cœur en papier rouge. Il n'avait pas hésité une seconde. Elle l'avait aidé au moment le plus noir de sa vie. C'était à son tour de l'aider.

Liu se tut et but une gorgée de thé.

– Pour vous, remarqua Chen, Wen est l'image, le symbole de votre jeunesse perdue. Qu'elle ne soit plus jeune ni belle n'a pas d'importance.

– À mes yeux, elle en est d'autant plus émouvante.

– Et elle vous est d'autant plus chère. Que vous a-t-elle dit sur elle-même ?

– Qu'elle ne pouvait retourner dans son village pendant quelque temps.

– Vous lui avez demandé pourquoi ?

– Elle m'a expliqué qu'elle ne voulait pas rejoindre Feng aux États-Unis. Mais, a-t-elle ajouté, elle craignait bien de ne pas avoir le choix. Elle a fondu en larmes deux fois durant notre entretien. J'ai pensé que c'était à cause de sa grossesse.

– Elle ne s'est pas expliquée davantage?

– Elle doit avoir ses raisons. Peut-être a-t-elle besoin de réfléchir à son avenir, ce qu'elle ne pouvait pas faire au village. Elle ne semble pas pressée de partir, ajouta Liu d'un ton songeur. Elle est quand même mariée à un beau salaud!

– Oui…

Chen comprit qu'il était inutile de continuer à questionner Liu sur les projets de Wen. Il lui aurait permis de rester chez lui même si elle ne lui avait donné aucune explication.

– Il y a quelque chose qu'elle ne vous a pas dit: elle s'est enfuie de son village parce que Feng lui a téléphoné pour l'avertir que sa vie était menacée par des gangsters.

– Elle ne m'en a pas parlé. Je ne lui ai d'ailleurs rien demandé.

– Il est compréhensible qu'elle ne vous ait pas tout dit, mais nous savons qu'elle s'est réfugiée chez vous avec l'intention d'y rester quelques jours afin, non de réfléchir, mais d'échapper à la triade locale.

– Je suis content qu'elle ait pensé à moi lorsqu'elle a eu besoin d'aide.

Liu alluma une cigarette.

– D'après nos informations, elle devait avertir Feng dès qu'elle serait en lieu sûr. Elle ne l'a pas fait, et maintenant elle ne veut plus le rejoindre, même si nous nous portons garants de sa sécurité. Elle doit donc avoir pris sa décision.

– Elle peut rester ici aussi longtemps qu'elle le désire. Croyez-vous qu'elle sera heureuse là-bas?

– Beaucoup de gens le pensent. Regardez la file d'attente pour les visas au consulat américain de Shanghai. Sans parler de ceux qui, comme son mari, sont partis en douce.

– Une vie heureuse avec ce salaud?

– Mais il est encore son mari, n'est-ce pas? Et si elle reste ici, avec vous, que vont penser les gens?

– Ce qui importe, c'est ce qu'elle pense, elle. Quand elle s'est réfugiée chez moi, le moins que je pouvais faire était de l'héberger, non ?

– Vous avez fait beaucoup pour elle. J'ai vu la photo de son passeport. En quelques jours elle s'est métamorphosée, c'est presque une autre femme.

– Je sais, c'est une sorte de résurrection. Le mot est trop fort, allez-vous dire.

– Non. C'est le mot exact, sauf que nous ne vivons pas dans un roman d'amour.

– L'amour n'a rien à voir ici, inspecteur principal Chen. (Liu secoua la tête.) C'est vous qui le voyez comme ça. Je vous ai dit ce que je sais, comme vous me l'avez demandé. Qu'avez-vous à me dire ?

– Je vais être franc, Liu. (Chen savait bien qu'il ne le serait pas.) J'admire votre décision de l'aider, alors ne me jugez pas indiscret si je me place sur un plan plus personnel.

– Je vous en prie…

– Vous jouez avec le feu.

– Que voulez-vous dire ?

– Elle connaît vos sentiments pour elle, n'est-ce pas ?

– Je l'aime depuis le lycée. Je ne peux pas effacer le passé.

– Vos sentiments sont restés les mêmes, que ce soit pour la reine du lycée ou pour la femme d'âge mûr enceinte d'un autre. Vous êtes un monsieur Gros Sous, et pas mal de femmes seraient prêtes à vous tomber dans les bras. Et après tout ce que vous avez fait pour elle, elle ne peut s'empêcher d'éprouver les mêmes sentiments pour vous. Tant que vous vous contentez de ressusciter vos rêves d'écolier, en la considérant comme une partie de votre passé, et aussi longtemps qu'elle se contente d'être pour vous un rêve immatériel, n'existant qu'à travers vos souvenirs, tout se passera sans doute très bien. Mais il arrivera un moment où elle se sera assez remise pour se sentir vraiment femme. De chair et de sang. Et un soir, elle vous tombera peut-être dans les bras. Que ferez-vous ? (Involontairement,

Chen devenait sarcastique.) Vous refuserez? Ce sera encore plus cruel. Et si vous acceptez, qu'en sera-t-il de votre famille?

– Wen sait que je suis marié. Je ne pense pas qu'elle fasse ça.

– Vous ne le pensez pas? Vous continuerez donc à la regarder pendant des mois ou des années comme votre ex-camarade de classe. Oui, vous serez heureux de l'aider. Mais elle, sera-t-elle heureuse si elle doit toujours refouler ses sentiments?

– Mais alors, que diable dois-je faire? La renvoyer vers un mari qui la maltraite? rétorqua Liu en colère... Ou bien laisser une bande d'assassins la pourchasser comme un lapin?

– C'est exactement ce dont je veux discuter avec vous.

– De quoi exactement?

– De cette menace. La triade. Ils la recherchent frénétiquement en ce moment. Quelle que soit la réaction des services de police à mon rapport, et je suis obligé de le faire, vous le savez bien, le gang apprendra tôt ou tard sa présence ici.

– Quoi! La police ne va quand même pas renseigner les gangsters!

– Non, mais les triades ont leurs réseaux d'information. De la même manière qu'ils ont appris le marché conclu par Feng, ils auront vent du lieu où se trouve Wen. Durant ces derniers jours, l'inspecteur Rohn et moi avons été suivis partout.

– Vraiment?

– Le premier jour, l'inspecteur Rohn a presque été renversée par une moto. Le deuxième, un escalier s'est cassé alors que nous le descendions. Le troisième, quelques heures après notre visite à une femme enceinte de Guangxi, un gang a enlevé celle-ci en la prenant pour Wen. Mon adjoint l'inspecteur Yu a failli être empoisonné dans un hôtel de Fujian, et on lui a tiré dessus. Et enfin, la veille de notre venue à Suzhou, nous avons échappé de peu à une rafle menée par la police pour nous arrêter au marché de Huating.

– Vous êtes certain que ces incidents doivent tous être imputés à ces malfrats?

– Ce ne sont pas des coïncidences. Ils ont des informateurs à la police aussi bien à Shanghai qu'à Fujian.

Liu approuva de la tête.

– Je vois… ils infiltrent aussi le monde des affaires. Plusieurs entreprises, ici, ont embauché des voyous pour collecter les impayés.

– Alors vous voyez bien, Liu. D'après mes renseignements les plus récents, la triade ne la lâchera pas, même après le procès, et que Feng collabore ou non.

– Pourquoi ça… je ne comprends pas…

– Ne me demandez pas pourquoi. Tout ce que je sais, c'est qu'ils sont prêts à tout pour la retrouver. Pour l'exemple. Et ils y arriveront, ce n'est qu'une question de temps. Elle se trompe en croyant que tout va s'arranger si elle reste ici avec vous.

– Vous êtes inspecteur principal, vous ne pouvez pas faire quelque chose pour elle, une femme enceinte ?

– J'aimerais le pouvoir, Liu. Croyez-vous qu'il soit facile pour moi d'admettre mon impuissance, de reconnaître que je ne suis qu'un pauvre flic, incapable d'apporter une solution ? Rien ne me rendrait plus heureux que de pouvoir faire quelque chose pour elle.

Sa voix trahissait combien il s'en voulait. Pour un policier, avouer son impuissance est plus que perdre simplement la face. Il put voir dans les yeux de Liu que celui-ci le comprenait.

– Alors, si vous prenez cette situation en considération, continua gravement Chen, vous devez comprendre qu'il est vraiment dans son intérêt de partir. Vous n'avez aucune chance d'être en mesure de la protéger très longtemps ici.

– Mais comment pourrais-je la laisser rejoindre cet homme qui la maltraite ?

– Je ne crois pas qu'elle laisse Feng continuer à la maltraiter. Ces quelques jours qui viennent de passer ont fait la différence. Vous avez parlé de résurrection. Je crois qu'elle repart d'un bon pied. De plus, l'inspecteur Rohn veillera sur elle, elle fera tout ce qu'il faut pour l'aider. Je m'en assurerai.

– Nous voici donc revenus au point de départ. Il faut que Wen s'en aille.

– Non, nous n'en sommes plus au point de départ, nous avons tous les deux une meilleure perception de la situation. Je vais essayer de l'expliquer à Wen, et elle pourra prendre sa décision en connaissance de cause.

– Très bien, inspecteur principal Chen. Parlez-lui.

30

L'inspecteur principal Chen et Liu Qing revinrent au salon. Ils y trouvèrent l'inspecteur Rohn et Wen qui les attendaient, assises en silence.

La table de salle à manger s'était garnie d'une impressionnante variété de mets, au milieu desquels trônait une gigantesque carpe à la sauce soja, dont la tête et la queue dépassaient d'un plat décoré d'un saule pleureur. Préparer une carpe vivante de cette taille n'avait pas dû être facile. Les autres plats étaient tout aussi appétissants. Dans l'un d'eux, des écrevisses rosées frites vivantes avec des feuilles de thé vert fumaient encore. Un tablier en plastique était abandonné sur une chaise à côté de l'inspecteur Rohn.

– Désolé de t'avoir fait attendre si longtemps, murmura Liu à Wen… L'inspecteur principal Chen désire te parler.

– Ne lui as-tu pas parlé?

– Oui, mais c'est à toi de décider, et il tient à ce que tu comprennes bien la situation sous tous ses aspects. Ce peut être très important. Et il préférerait entendre ta décision de ta propre bouche.

Ce n'était pas ce à quoi Wen s'était attendue. Ses épaules tremblèrent.

– Si tu crois qu'il le faut vraiment… répondit-elle sans relever la tête.

271

– Je t'attendrai là-haut dans mon bureau.

– Et ta carpe ? Le poisson sera froid. C'est ton plat préféré.

Un détail vraiment anodin, pensa Chen, mais qui prenait à cet instant une importance énorme. Wen pensait-elle en fait au plat favori de Liu, ou bien se disait-elle qu'il risquait d'être le dernier qu'elle cuisinerait pour lui ?

– Ne t'en fais pas pour ça, on la réchauffera. L'inspecteur principal Chen a promis qu'il ne t'obligerait à rien. Si tu décides de rester, tu seras toujours la bienvenue ici.

Dès que Liu sortit, Wen s'effondra.

– Que vous a-t-il dit ?

Elle haletait, sa voix était presque inaudible.

– La même chose qu'à vous.

– Je n'ai rien à ajouter, dit la femme avec obstination, en se cachant le visage dans les mains... Vous pouvez dire tout ce que vous voulez.

– Je suis policier, je dois faire un rapport dans lequel je ne peux pas raconter n'importe quoi. Il me faut leur expliquer pourquoi vous ne voulez plus partir, sinon ils refuseront de classer l'affaire.

– C'est exact, Wen, nous avons besoin de connaître vos raisons, renchérit Catherine en lui tendant une serviette en papier pour s'essuyer les yeux.

– Sans compter que votre présence ici chez Liu demandera quelques explications... Si les gens ne comprennent pas, ils s'en prendront à lui. Vous ne voulez pas qu'il lui arrive quelque chose, n'est ce pas ?

– Comment pourraient-ils s'en prendre à lui ? C'est moi qui ai décidé de rester, protesta Wen d'une voix étranglée en cachant de nouveau dans ses mains son visage strié de larmes.

– Ça ne change rien. Je suis policier, et je sais à quel point les choses peuvent mal tourner pour lui. L'enquête est menée conjointement par la Chine et les États-Unis. Vous devez vous expliquer, non seulement dans votre intérêt, mais aussi dans celui de Liu.

– Que voulez-vous que je vous dise?

– Eh bien, commencez au moment où vous avez fini vos études, ça me donnera un aperçu d'ensemble.

– Vous voulez vraiment savoir ce que j'ai souffert toutes ces années avec ce... ce monstre? articula-t-elle avec effort, les larmes aux yeux.

– Nous sommes tout à fait conscients qu'il est pénible pour vous d'en parler, mais il le faut.

Catherine versa de l'eau dans une tasse pour Wen qui la remercia d'un signe de tête. L'hostilité affichée par Wen envers Catherine semblait avoir disparu.

Le visage totalement inexpressif, les yeux dans le vague, le corps secoué par moments de sanglots silencieux, Wen commença d'une voix machinale, comme si elle racontait l'histoire de quelqu'un d'autre.

En 1970, alors que le mouvement des jeunes instruits balayait tout le pays, Wen n'avait que quinze ans. Dès son arrivée au village de Changle dans le Fujian, elle comprit qu'il n'y avait pas de place pour elle dans la minuscule cabane où se serraient déjà trois générations de lointains membres de sa famille. Étant la seule jeune instruite du village, elle s'était vu attribuer par le comité révolutionnaire de la commune populaire de Changle, dirigé par Feng, une cabane à outils inutilisée, adjacente à l'étable du village. Pas d'eau ni d'électricité, aucun meuble à part le lit. Wen croyait dans la parole de Mao : les jeunes instruits avaient besoin d'être rééduqués par un dur labeur. Cependant Feng n'était pas précisément le «paysan pauvre ou moyen-pauvre» de la théorie de Mao.

Celui-ci commença par la convoquer dans son bureau. Numéro un local des cadres du Parti, il était habilité à faire des cours de politique, destinés soi-disant à rééduquer les jeunes. Elle dut donc subir trois ou quatre fois par semaine les mains baladeuses de Feng, assis, porte fermée, comme un singe déguisé en homme, devant la couverture rouge du livre de Mao. Et ce qu'elle redoutait arriva une nuit. Feng fit irruption dans sa chambre en passant par l'étable. Elle eut beau se débattre, il était beaucoup plus fort qu'elle. Il revint ensuite pratiquement toutes les nuits. Personne au village n'osa protester. Il n'avait jamais eu l'intention de l'épouser, mais en apprenant qu'elle était enceinte, il changea d'avis. Il n'avait pas d'enfant de sa première femme. Wen était désespérée. Elle songea à l'avortement: la clinique de la commune dépendait de Feng. Elle pensa s'enfuir: aucune ligne d'autobus n'arrivait encore au village et les villageois devaient emprunter un tracteur de la commune pendant des kilomètres pour atteindre l'arrêt d'autobus le plus proche. Elle envisagea le suicide, mais elle ne put s'y résoudre lorsqu'elle sentit le bébé bouger en elle.

Ils se marièrent donc sous un portrait de Mao. «Un vrai mariage révolutionnaire», rapporta une station de radio locale. Feng ne se donna pas le mal de demander un certificat de mariage. Pendant les premiers mois, sa nouvelle épouse, séduisante, jeune, instruite, combla ses désirs. Mais il s'en lassa vite et commença à la maltraiter après la naissance du bébé.

Elle comprit que ce n'était pas la peine de lutter. Feng était très puissant à cette époque. Qui prendrait en pitié une paysanne au visage jaunâtre, un bébé dans le dos, labourant la rizière avec un bœuf? Sa solution pour accepter son sort fut de rompre les relations avec sa famille et ses amis de Shanghai.

En 1977, après la fin de la Révolution culturelle, Feng fut déboulonné. Après avoir joui d'un tel pouvoir, il fut incapable de se remettre à travailler la terre. Ce fut à Wen de faire vivre la famille. Il disposait maintenant de tout son temps et de toute son énergie pour la maltraiter. Parmi les accusations portées contre lui, il y avait celle de s'être débarrassé de sa première femme et d'avoir séduit une jeune instruite. Il lui attribua sa chute. Quand il apprit son intention de divorcer, il menaça de la tuer avec son fils. Elle le savait capable de n'importe quoi, et tout continua comme avant.

Au début des années quatre-vingt, il commença à passer beaucoup de temps en déplacements «pour le travail», disait-il, mais elle ne sut jamais exactement ce qu'il faisait. Il gagnait peu et ne rapportait à la maison que des jouets pour son fils. Après la mort de ce dernier, les choses allèrent de mal en pis. Il fréquentait d'autres femmes et ne rentrait que lorsqu'il était sans le sou. Elle ne fut pas surprise de l'entendre annoncer son départ pour les États-Unis. Il était même surprenant qu'il ne soit pas parti plus tôt. En novembre, il passa deux semaines chez lui et elle se retrouva enceinte. Un examen médical révéla que l'enfant était un garçon. Feng devint un autre homme. Il promit de la faire venir dès qu'il serait installé aux États-Unis, et annonça qu'une vie nouvelle commencerait là-bas pour eux.

Elle n'avait pas d'illusions sur ce revirement : Feng n'était plus jeune, c'était sans doute sa dernière chance d'avoir un enfant. Pour elle également. Aussi lui demanda-t-elle de retarder son départ. Il refusa, mais téléphona peu de temps après son arrivée à New York. Puis, après plusieurs semaines d'un silence pour lequel il ne donna aucune explication, il l'appela pour lui annoncer qu'il était en train d'essayer de la faire venir, et qu'elle devait faire une demande de passeport. Elle fut stupéfaite. Les femmes laissées au pays devaient souvent attendre des années et même parfois émigrer clandestinement. Tandis qu'elle attendait son passeport, elle reçut un appel téléphonique qui l'affola, et s'enfuit à Suzhou.

C'était un long récit, difficile à suivre, car par moments l'émotion empêchait Wen de parler. Elle continua pourtant, ne leur épargnant aucun triste détail, et Chen voyait bien pourquoi. Elle s'accrochait à son dernier lambeau d'espoir : que les flics, après avoir entendu les détails des souffrances endurées à cause de Feng, l'autorisent à rester. Chen se sentait de plus en plus mal à l'aise. Certes, il pourrait faire son rapport au service, et décrire son malheur comme il l'avait promis, mais il savait bien que cela ne servirait à rien.

L'inspecteur Rohn était visiblement bouleversée. Elle se leva pour préparer une autre tasse de thé pour Wen et parut à plusieurs reprises sur le point de dire quelque chose.

– Merci Wen, dit Chen. J'ai encore une ou deux questions à vous poser. C'est en janvier que votre mari vous a dit de faire une demande de passeport?

– Oui, en janvier.

– Lui avez-vous demandé comment ça se passait pour lui aux États-Unis?

– Non, je ne l'ai pas fait.

– Je vois… Vous n'aviez pas l'intention de partir là-bas, n'est-ce pas?

Wen le regarda avec étonnement.

– Comment le savez-vous?

– Il vous a demandé dès janvier de commencer les démarches. Or, d'après nos informations, vous n'avez pas déposé votre demande avant la mi-février. Pourquoi avez-vous changé d'avis?

– Eh bien… j'ai tout d'abord hésité, puis j'ai pensé à mon bébé, dit Wen d'un ton bizarre. Il serait trop dur pour lui de grandir sans un père. Alors j'ai changé d'avis et commencé les formalités. En février. Et puis il y a eu ce coup de téléphone.

– A-t-il donné davantage d'explications ce jour-là?

– Non, il a seulement dit que des gens dangereux me cherchaient.

– Saviez-vous qui était ces gens?

– Non. Mais je me doutais qu'il avait dû avoir un différend financier avec la triade. Les émigrants clandestins doivent payer une grosse somme à ces brutes. C'est un secret de polichinelle au village. Notre voisin a eu un accident de voiture à New York et n'a pas envoyé l'argent qu'il devait. Sa femme a dû se cacher parce qu'elle était incapable de payer ses dettes. Les malfrats l'ont vite retrouvée et obligée à se prostituer pour les rembourser.

– La police du Fujian n'a rien fait? demanda Catherine.

– La police locale marche main dans la main avec les Haches volantes. C'est pourquoi il fallait que je m'enfuie loin, très loin de Changle. Mais où? Je ne voulais pas revenir à Shanghai, où la triade m'aurait vite retrouvée. Et je ne voulais pas créer d'ennuis à mes proches.

– Comment avez-vous décidé de venir à Suzhou ?

– Je n'avais pas de destination précise en tête. En faisant à la hâte mes bagages, je suis tombée sur le recueil de poèmes, avec la carte de Liu. J'ai pensé que chez lui, personne ne pourrait me retrouver. Nous nous étions perdus de vue depuis l'école, qui aurait pu se douter que c'était à lui que j'avais demandé de l'aide ?

– Oui, c'était bien raisonné… approuva Catherine. Mais vous l'aviez revu, lors de sa visite à l'usine ?

– Je ne l'avais même pas reconnu, ce jour-là. Du temps où nous étions élèves, il ne parlait presque pas, je ne me souvenais pas d'avoir échangé deux mots avec lui et encore moins de l'épisode de la danse de l'idéogramme *Loyal* rapporté dans son poème. Sans ce poème, je n'aurais jamais imaginé que cet épisode avait tant compté pour lui.

– Pourtant c'était le cas, dit Chen… Mais vous avez dû deviner l'identité du journaliste quand vous avez reçu le recueil de poèmes ?

– Oui. Toutes ces années ont ressurgi. L'introduction biographique m'a appris qu'il était devenu poète et journaliste. J'en étais heureuse pour lui, mais je ne me faisais aucune illusion. Pour lui, je n'étais rien qu'une malheureuse, une source d'inspiration pour son imagination poétique. J'ai gardé le livre avec sa carte à l'intérieur, en souvenir de mes années perdues. Je n'avais jamais envisagé de reprendre contact avec lui, ajouta-t-elle en se tordant les doigts… S'il n'y avait pas mon bébé, je préférerais mourir plutôt que mendier de l'aide auprès de quelqu'un. Je ne m'attendais pas à ce qu'il fasse tout ça pour moi. C'est un homme très occupé, pourtant il a pris une journée pour m'accompagner à l'hôpital. Il a tenu à m'emmener acheter tout ce dont j'avais besoin, y compris des vêtements de bébé. Il m'a promis que je pourrai rester aussi longtemps que je le voudrai.

– Je comprends… Je comprends, répéta Chen après une pause, ce qu'il y a entre vous, mais que vont penser les gens?

– Liu dit qu'il se moque de ce que pensent les gens. Pourquoi m'en préoccuperais-je?

– Vous avez donc décidé de rester ici avec Liu?

– Que voulez-vous dire, inspecteur principal Chen?

– Eh bien, quels sont vos projets pour l'avenir?

– Je désire élever mon fils toute seule.

– Et où? La femme de Liu n'a pas encore appris votre présence ici, n'est-ce pas? Que va-t-elle penser?

– Je n'ai pas l'intention de m'attarder ici. Liu va me louer un appartement pour les mois à venir. Dès que mon bébé sera né, je partirai.

– Avec les gangsters en train de rôder à votre recherche, je ne vois pas comment vous pourriez être en sécurité où que ce soit. Pointez votre nez dehors, soit pour retourner au Fujian, soit pour aller à Shanghai, ils tomberont sur vous immédiatement.

– Je n'ai pas l'intention d'aller loin. Je vais rester dans les parages. Liu pourra me trouver du travail, il a beaucoup d'amis à Suzhou. Nous nous arrangerons, inspecteur principal Chen.

– La triade vous retrouvera. (Il alluma une cigarette, et l'écrasa après une bouffée.) Ce n'est qu'une question de temps.

– Personne ne sait rien sur moi. Même pas mon vrai nom. Liu me fait passer pour sa cousine.

– C'est une affaire d'État, je suis obligé de faire mon rapport. Tôt ou tard, la triade en aura une copie.

– Je ne comprends pas, inspecteur principal Chen.

– Il y a de fortes chances pour qu'il y ait complicité entre la triade et la police du Fujian. D'ailleurs, vous le savez bien!

Il remarqua l'expression étonnée de Catherine Rohn. Le secrétaire du Parti Li avait tellement insisté sur le fait que les fuites étaient dues aux Américains! Mais peu importait en ce moment ce que pensait Catherine… et ce que penserait Li plus tard.

– Ce qui veut dire que vous ne pouvez rien faire pour moi ?

– En toute honnêteté, je dois vous avouer que nous ne pouvons pas garantir votre sécurité. Vous ne connaissez que trop le pouvoir de ces gangs. D'ailleurs, Liu est d'accord avec mon analyse de la situation. Et, lorsqu'ils vous auront retrouvée, il aura forcément des ennuis lui aussi. Vous savez de quoi ils sont capables.

Wen leva la tête et le regarda dans les yeux.

– Vous croyez que je dois partir à cause de Liu, inspecteur principal Chen ?

– En tant que flic, ma réponse est oui. Il y a non seulement les Haches volantes, mais aussi le gouvernement qui fera tout pour essayer de vous persuader.

– Votre décision concerne l'intérêt de nos deux pays, vous comprenez, dit Catherine.

– Liu ne peut pas gagner à la fois contre le gouvernement et les triades, dit Chen… Et son épouse ne lui pardonnera jamais d'avoir tout gâché pour une autre femme.

– Vous n'avez pas besoin d'en dire plus.

Wen se leva, le regard résolu.

– Liu ne veut pas que vous partiez, parce qu'il a peur pour vous aux États-Unis, continua Chen… Moi aussi j'ai peur. Je serai en contact régulier avec l'inspecteur Rohn. Feng ne pourra pas vous maltraiter. Et s'il y a quoi que ce soit que puisse faire pour vous l'inspecteur Rohn, je suis certain qu'elle le fera.

Catherine prit la main de Wen.

– Bien sûr ! Je ferai tout mon possible pour vous aider… Faites-moi confiance.

– Très bien, je vais partir, murmura Wen. Mais je veux, inspecteur principal Chen, que vous m'assuriez qu'il n'arrivera rien à Liu.

– Je m'en porte garant. Le camarade Liu nous a rendu un grand service en vous protégeant. Rien ne lui arrivera.

– Il y a une chose que je peux faire, intervint Catherine… Je vous attribuerai un numéro de boîte postale spécial. Vous ne pourrez écrire à personne directement, mais vous pourrez écrire à cette adresse, et vos lettres seront transmises à Liu ou à qui que ce soit d'autre. Et vous pourrez aussi recevoir les siennes.

— Encore une chose, inspecteur Rohn et inspecteur principal Chen. Il faut absolument que je retourne au Fujian avant de quitter la Chine.

— Pourquoi ça?

— Dans ma hâte de m'enfuir, j'ai oublié des papiers importants et le recueil de poèmes...

— Nous demanderons à l'inspecteur Yu de les apporter à Shanghai.

— Et je veux aller sur la tombe de mon fils, continua Wen d'une voix ferme. Pour la voir une dernière fois.

Chen hésita.

— Je ne suis pas certain que nous en ayons le temps, Wen.

— Elle veut dire adieu à son fils, intervint Catherine. C'est normal qu'une mère veuille dire adieu à son fils.

Cette exigence semblait à Chen exagérément sentimentale, vu les circonstances. Il ne voulut pas paraître sans cœur et ne dit rien, mais une si déraisonnable exigence de la part d'une femme pourchassée l'intriguait.

31

— Où va-t-on, maintenant? demanda Catherine à Chen en montant dans le taxi.

— Au commissariat de police de Suzhou. J'ai prévenu le commissaire. Si Wen avait décidé de rester en Chine, Liu aurait pu essayer de la cacher ailleurs. J'ai donc été obligé de demander de l'aide, et ils ont placé des hommes autour de la demeure de Liu. En outre, je tiens à quitter Suzhou le plus tôt possible. Vous connaissez notre proverbe: *Une longue nuit donne le temps*

280

de faire beaucoup de rêves. C'est l'équivalent de votre: *Il y a loin de la coupe aux lèvres*. Si nous sommes obligés d'aller dans le Fujian, je tiens à ce que ce soit aujourd'hui même. Tout est possible de la part de ces malfrats. Et pour obtenir des billets sur le premier train ou avion en partance pour Fuzhou, nous avons besoin de l'aide de la police.

– Wen m'a parlé de sa vie, pendant que vous étiez en haut avec Liu. Vous savez, inspecteur principal Chen, j'ai terriblement pitié d'elle, c'est pourquoi je l'ai soutenue lorsqu'elle a insisté pour retourner à Changle.

– Je comprends, oui…

Il se sentit soudain épuisé, et parla très peu pendant le reste du trajet. A peine eurent-ils mis un pied dans le commissariat que le commissaire Fan Baohong se précipita vers eux.

– Voyons, vous auriez dû me prévenir plus tôt de votre arrivée, inspecteur principal Chen!

– Nous ne sommes ici que depuis hier, commissaire Fan. Je vous présente l'inspecteur Catherine Rohn, de la police fédérale des États-Unis.

– Bienvenue à Suzhou, inspecteur Rohn. C'est un grand honneur de faire votre connaissance.

– Pour moi aussi, commissaire Fan.

– L'affaire qui vous amène à Suzhou est sans nul doute de la plus haute importance. Sachez que je ferai tout ce qui est en mon pouvoir pour vous aider.

– C'est une affaire extrêmement délicate, de portée internationale, c'est pourquoi je ne peux pas m'expliquer davantage. Vos hommes sont toujours autour de la résidence de Liu?

– Bien entendu, inspecteur principal Chen.

– Ne les retirez surtout pas. Et j'ai un autre service à vous demander: nous avons besoin de trois places en avion ou en train pour le Fujian dès que possible.

– Honghua, cria Fan à une jeune femme assise au comptoir, regardez s'il y a des places disponibles sur le premier train ou avion pour Fuzhou!

– Nous vous sommes très reconnaissants de votre aide, commissaire Fan, dit Catherine.

– Allons dans mon bureau, nous y serons mieux.

– Merci, commissaire Fan, mais ne vous dérangez pas. Il nous faut quitter Suzhou au plus vite et moins de gens seront informés de notre visite, mieux cela vaudra.

– Je comprends tout à fait, inspecteur principal Chen, je puis vous assurer que je n'en soufflerai mot à personne.

– Excusez-moi, commissaire Fan… (La jeune femme policier apparut sur le seuil.) J'ai les renseignements que vous vouliez. Il n'y a pas de vol direct Suzhou-Fuzhou, il faut passer par Shanghai. Il y a un vol Shanghai-Fuzhou cet après-midi à quinze heures trente. Mais il y a un train express Suzhou-Fuzhou à vingt-trois heures trente ce soir. Le voyage dure à peu près quatorze heures.

– Nous prendrons le train.

– Malheureusement, toutes les places en wagon-lits sont réservées, il ne reste que des couchettes ordinaires.

– Appelez la gare, ordonna Fan. Il nous faut absolument des places en wagon-lits, ils n'ont qu'à rajouter une voiture si nécessaire.

– Ce n'est pas la peine, commissaire Fan, protesta Catherine. Une couchette ordinaire suffira. Je préfère ça.

– L'inspecteur Rohn désire goûter à la vie chinoise. Voyager en couchette ordinaire comme n'importe qui sera une nouvelle expérience. Donc c'est arrangé. Trois places.

– Si l'inspecteur Rohn y tient…

– Expliquez à vos hommes que Liu doit conduire une femme à la gare ce soir. S'il prend cette direction, qu'ils n'interviennent pas et se contentent de le suivre de loin. Sinon, qu'ils les arrêtent. Et entre-temps, qu'ils restent aux aguets pour toute présence suspecte dans les environs.

– Ne vous en faites pas, ils connaissent leur travail. (Il jeta un coup d'œil à sa montre.) Nous avons plusieurs heures devant nous. Je vous propose de célébrer la première visite de l'inspecteur Rohn à Suzhou par un repas typique. Le *Restaurant du Pin et de la Grue* vous conviendrait-il ?

Chen se leva.

– Je vous demande pardon d'être obligé de décliner votre invitation, commissaire Fan.

– Très bien, nous nous verrons à la gare, alors.

Fan les raccompagna à la porte, où Honghua leur tendit deux petites boîtes de bambou.

– Un petit souvenir de Suzhou, expliqua son patron. Une livre de Nuage et Brouillard de qualité supérieure, un thé autrefois réservé aux empereurs de Chine.

Un cadeau qui aurait coûté dans les cinq cents yuans au grand magasin n°1 de Shanghai. Bien sûr, Fan, dont les hommes patrouillaient dans les plantations de thé, l'avait certainement payé beaucoup moins cher, mais ça n'en était pas moins un généreux cadeau.

– Merci beaucoup, camarade Fan, je suis vraiment comblé.

« Voilà qui fera plaisir à ma mère, elle qui apprécie tant les thés de qualité… » Le policier se sentait un peu coupable de ne pas lui avoir téléphoné avant de quitter Shanghai.

Dix minutes plus tard, ils étaient de retour à l'hôtel et cinq minutes après, Chen avait terminé ses bagages. Il alla dans la chambre de Catherine téléphoner à Liu pour lui expliquer ce qu'il venait d'organiser. Celui-ci accepta de bon gré de conduire Wen à la gare. Chen appela ensuite son adjoint.

– Nous avons retrouvé Wen, inspecteur Yu.

– Où ça, inspecteur Chen ?

– À Suzhou, chez Liu Qing, un ancien camarade de classe. Il est l'auteur d'un des poèmes du recueil. C'est une longue histoire, je vous en dirai plus à notre retour à Shanghai. Nous prenons cette nuit le train pour Fuzhou, Wen tient à retourner chez elle chercher quelques affaires

– Parfait. Je vous attendrai à la gare.

– Non, Yu. Rentrez en avion aujourd'hui. Nous avons un budget spécial. Et pas un mot de nos projets à la police locale.

– Je comprends… Et merci, inspecteur principal Chen.

Celui-ci donna un dernier coup de fil à la police de Fuzhou. Un jeune policier nommé Dai répondit que le commissaire divisionnaire Hong n'était pas dans son bureau.

– Je veux être attendu à la gare demain matin avec un véhicule, de préférence une camionnette.

Il se garda bien de préciser qu'il serait accompagné de l'inspecteur Rohn et de Wen Liping.

– Pas de problème, inspecteur principal Chen. Nous savons tous que vous travaillez sur une affaire de portée internationale.

– Merci.

Chen raccrocha en se demandant comment tout le commissariat pouvait être au courant de l'importance de sa mission.

Catherine téléphona ensuite au QG de Washington, où il ne faisait pas encore jour, et laissa un message annonçant qu'elle allait ramener Wen d'ici un jour ou deux. Il était un peu plus de dix-sept heures, il leur restait plusieurs heures à passer à Suzhou. La jeune femme sortit quelques affaires du placard et commença à préparer ses bagages.

Chen, pour qui le temps passait bien lentement, alla à la fenêtre et remarqua que leur hôtel était entouré de bâtiments en très mauvais état. Peut-être à cause de la proximité de la gare. Chen était de moins en moins satisfait d'avoir à retourner au Fujian. Le moindre délai augmentait les risques pour Wen.

Il sortit fumer une cigarette dans le couloir. Au bout, des clients de l'hôtel passèrent, chargés de bassines en plastique pleines d'habits. Ils allaient laver leur linge dans la buanderie commune, une pièce équipée d'un long lavoir en ciment avec plusieurs robinets. Les machines à laver n'étaient pas encore arrivées à Suzhou. Il alla regarder à la fenêtre à l'autre bout du couloir, et trouva sur le côté une porte ouvrant sur une volée de marches montant jusqu'à une plate-forme en ciment sur le toit plat. Une jeune femme suspendait ses vêtements sur une corde à linge. Vêtue d'une tunique noire à fines bretelles, jambes et pieds nus, elle avait l'air d'une gymnaste prête à s'élancer. Un jeune homme, sorti de derrière les vêtements étendus, la prit dans ses bras sans se soucier des gouttes d'eau brillant sur ses épaules. Un couple en voyage de noces. Chen plissa les yeux derrière sa fumée de cigarette. La plupart des clients n'étaient pas riches et devaient s'accommoder des inconvénients d'un hôtel bon marché, mais ces deux-là étaient heureux.

« Et moi, ai-je pensé au bonheur de Wen ? A-t-elle une chance d'être heureuse avec Feng dans ce pays lointain ? » Wen savait bien que non, c'est pourquoi elle avait choisi de rester à Suzhou. Les meilleures années de sa vie avaient été gâchées par la Révolution culturelle, alors elle essayait de s'accrocher à ses derniers lambeaux de rêves de bonheur en restant ici avec Liu.

Mais un flic n'est pas payé pour montrer de la compassion. Quelques vers lui vinrent à l'esprit. L'inspecteur Rohn s'approcha de lui.

– À quoi pensez-vous ?

– À rien, rétorqua-t-il sèchement.

Si lui et l'Américaine ne s'en étaient pas mêlés, Wen serait peut-être restée avec Liu. Toutefois le reprocher à sa coéquipière était quelque peu injuste...

– On a fait notre boulot, ajouta-t-il plus aimablement.

– Oui, on a fait notre boulot. Pour être exacte, c'est vous qui avez tout fait, et fort bien, je dois le reconnaître.

– Quel exploit, en effet !

Il écrasa sa cigarette sur le rebord de la fenêtre. Catherine avait dû remarquer son humeur sombre, car elle posa doucement sa main sur la sienne.

– Qu'avez-vous dit à Liu dans son bureau ? Il n'a pas dû être facile à convaincre.

– Il y avait beaucoup de points de vue d'où considérer la situation. Je n'ai fait que lui en montrer un autre.

– Un point de vue politique ?

– Non, inspecteur Rohn, il n'y a pas que la politique ici.

Il remarqua le jeune couple qui les observait du toit. Que

pouvaient-ils penser d'un Chinois et d'une Américaine côte à côte à la fenêtre ?

Il changea de sujet.

– Je suis désolé d'avoir refusé cette invitation à dîner. Ça aurait sans doute été un somptueux banquet durant lequel nous n'aurions cessé de lever notre verre à l'amitié entre la Chine et les États-Unis. Mais je n'en avais vraiment pas envie.

– Vous avez bien fait de refuser, ça nous donne le temps de visiter un des jardins de Suzhou.

– Vous voulez aller voir un jardin ?

– Je n'en ai pas vu un seul. Puisqu'on est obligés d'attendre l'heure du train, pourquoi pas ?

– Ce n'est pas une mauvaise idée... Donnez-moi juste le temps de passer un dernier coup de fil.

Il composa le numéro de Gu. Maintenant qu'ils étaient sur le point de quitter Suzhou, il pouvait courir le risque d'appeler le directeur du *Dynastie*. Celui-ci semblait sincèrement anxieux.

– Où êtes-vous, inspecteur principal Chen ? Je vous ai cherché partout.

– Je suis en déplacement, Gu. Vous vouliez me dire quelque chose ?

– Soyez très prudent, inspecteur principal Chen, il y a des gens qui vous en veulent. Ils appartiennent à une organisation internationale.

– Vous n'en savez pas plus ?

– Leur base est à Hong Kong, je n'ai pas réussi à en apprendre plus. Et je ne peux guère vous parler maintenant, inspecteur principal Chen. Je vous dirai ce que je sais à votre retour, d'accord ?

– D'accord.

Catherine l'attendait devant l'hôtel. Elle voulut le photographier debout à côté d'un des lions de bronze, la main sur le dos de l'animal. Au toucher, ça n'avait pas l'air d'être du bronze. Il examina la statue de plus près. C'était un lion en plastique, peint en doré.

32

Chen était d'humeur sombre, et celle-ci s'avéra bientôt contagieuse. Quand ils approchèrent du paysage de style Qing du jardin de Yi, Catherine n'était pas très gaie non plus. Bon nombre de questions sans réponse, lui trottaient encore dans la tête. Mais enfin, ils avaient retrouvé Wen, et ce n'était pas le moment de harceler son coéquipier de questions.

Le jardin était silencieux, presque désert et le seul bruit était celui de leurs pas.

– Quel beau jardin ! Mais il n'y a pratiquement personne.

– C'est à cause de l'heure.

Le soleil couchant s'attardait sur les tuiles colorées d'un ancien pavillon de pierre.

– Vous n'avez pas envie de faire du tourisme, inspecteur principal Chen.

– Non. Mais j'apprécie d'être ici en votre compagnie.

Ils arrivèrent à un autre petit pont, de l'autre côté duquel se dressait une maison de thé à piliers vermillon. Un étendard de soie jaune, brodé de l'idéogramme signifiant « thé », flottait à la brise du soir. Un arrangement de pierres aux formes étranges décorait l'entrée de la maison de thé.

– On entre ? suggéra Catherine.

La maison de thé avait sans doute été conçue pour servir de salle de réception. Elle était vaste, élégante, mais triste. Quelques lueurs du jour brillaient encore à travers les vitraux. Une femme âgée était debout derrière un comptoir vitré, près d'un paravent de laque verte. Elle leur remit une bouteille thermos dans un étui de bambou, deux tasses avec des feuilles de thé vert, une barquette de tofu sec braisé à la sauce au soja, et une boîte de petits gâteaux verdâtres.

– Si vous voulez plus d'eau chaude, venez remplir le thermos.

Ils étaient les seuls consommateurs, et personne ne s'approcha d'eux quand ils furent assis à une des tables d'acajou. La vieille femme avait disparu derrière le paravent. Le thé était excellent, peut-être à cause de la qualité des feuilles, ou de celle de l'eau, ou de l'atmosphère paisible du lieu. Le tofu sec, baignant dans une savoureuse sauce épicée, était délicieux lui aussi, et les petits gâteaux légèrement sucrés encore meilleurs, avec un parfum que Catherine n'avait jamais goûté auparavant.

– Ce repas vaut tous les banquets, remarqua-t-elle, une feuille de thé collée à la lèvre.

– Je trouve aussi. (Il versa de l'eau bouillante dans sa tasse.) Les véritables amateurs de thé bu à la manière chinoise considèrent que la première tasse n'est jamais la meilleure. Le goût s'exhale de lui-même à la seconde ou troisième tasse. C'est la raison pour laquelle dans une maison de thé, on donne un thermos, ce qui permet d'apprécier le breuvage en prenant le temps de contempler le paysage.

– C'est vrai que le paysage est merveilleux...

– L'empereur Hui de la dynastie des Song avait un faible pour les pierres d'une forme intéressante. Il a ordonné qu'en soit effectuée la recherche dans tout le pays, ce fut le *Huashigang,* mais il a été capturé par les envahisseurs Jin avant que les pierres choisies aient été transportées dans sa capitale. La légende veut que quelques-unes d'entre elles soient restées à Suzhou. Regardez celle-ci, on l'appelle «la porte du Ciel».

– J'avoue que je ne vois pas le rapport...

Le nom semblait ne pas lui convenir du tout. La pierre avait plutôt la forme d'une pousse de bambou au printemps, anguleuse, pointue, et ne suggérait en rien de magnifiques portes menant au paradis.

– Il faut la voir sous le bon angle. Elle peut ressembler à beaucoup de choses, une pomme de pin dans le vent, un vieillard pêchant dans la neige, un chien aboyant à la lune, une amoureuse abandonnée attendant le retour de son amant... Tout dépend de l'angle sous lequel on la regarde.

– Je comprends, ça dépend du point de vue.

Mais elle ne voyait aucune de ces ressemblances.

Elle était contente que Chen recommence à jouer les guides, mais agacée de reprendre son rôle de touriste. La vue des pierres lui rappela ce qu'elle avait tendance à oublier: eût-il longuement étudié la civilisation chinoise, un officier de la police fédérale des États-Unis ne verrait jamais les choses exactement du même œil que son collègue chinois. C'était un utile rappel à l'ordre.

– J'ai quelques questions à vous poser, inspecteur principal Chen.

– Allez-y, inspecteur Rohn.

– Vous avez appelé le commissariat de Suzhou depuis la maison de Liu. Alors pourquoi ne pas avoir demandé aux policiers locaux de faire ce travail? Ils auraient pu obliger Wen à coopérer, non?

– Oui, mais cette façon de procéder me déplaisait. Liu ne la retenait pas contre son gré. De plus, j'avais beaucoup de questions à leur poser, et je voulais être le premier à leur parler.

– Vous avez obtenu les réponses à vos questions?

– À quelques-unes, pas toutes. (Il embrocha sur une pique de bambou une bouchée de tofu.) Et je me demandais quelle serait la réaction de Liu. C'est un esprit tellement romantique. Selon Bertrand Russell, une passion amoureuse atteint son zénith lorsque les amants ont l'impression que tout le monde est contre eux.

– De toute évidence, vous ne vous êtes pas lancé à l'aveuglette, inspecteur principal Chen. Et si vous n'aviez néanmoins pas réussi à les convaincre?

– Je suis policier, j'aurais été obligé de remettre un rapport objectif.

– Et la police les aurait obligés à capituler, n'est-ce pas?

– Oui. Vous voyez, je me suis donné bien du mal pour rien.

– Vous avez réussi à les convaincre, Wen part de son plein gré. Et ce qu'il y a entre eux, pouvez-vous me l'expliquer? Mais peut-être avez-vous promis à Liu d'être discret…

Lorsqu'il commença à parler, elle buvait son thé à petites gorgées, mais elle fut bientôt si captivée qu'elle laissa le breuvage refroidir dans sa tasse. Il lui révéla aussi quelques passages des cassettes d'interrogatoire envoyées par Yu, décrivant les souffrances endurées par Wen en tant que compagne de Feng.

Quand il se tut, elle contempla longuement le fond de sa tasse. Elle leva les yeux, la pièce lui parut encore plus sinistre. Elle comprenait maintenant pourquoi son coéquipier avait eu ce moment de déprime.

– Une dernière question, inspecteur principal Chen. Vous avez parlé d'une possible complicité entre les Haches volantes et la police du Fujian. Vous croyez qu'elle existe ?

– C'est plus que probable… Il a bien fallu que je le fasse comprendre à Wen, ajouta-t-il évasivement. Peut-être aurais-je été capable de la protéger une semaine ou deux, mais je n'aurais pu continuer bien longtemps. Elle sait maintenant qu'elle n'a pas d'autre choix que le départ pour les États-Unis.

– Vous auriez dû m'en parler.

– Vous croyez que c'est agréable, pour un policier chinois, d'admettre ça ?

Elle lui prit la main. Le silence fut brisé par la vieille femme mâchant des graines de pastèque derrière son paravent.

– Allons dehors, dit Chen.

Ils prirent le thé et les gâteaux, retraversèrent le pont et entrèrent dans un kiosque au toit de tuiles vernissées jaunes et aux poteaux rouge vermillon. Ceux-ci étaient plantés au milieu d'un banc circulaire à dessus de marbre blanc et dossier à claire-voie. Ils posèrent leur thermos sur le sol, et s'assirent avec le thé et les gâteaux entre eux. Des oiseaux gazouillaient dans une grotte derrière eux.

– Les jardins paysagés de Suzhou ont été conçus pour inspirer aux promeneurs des pensées poétiques.

L'Américaine ne se sentait pas spécialement aimée des muses, mais elle appréciait la promenade. Un jour, plus tard, elle considérerait probablement ce début de soirée à Suzhou comme un moment privilégié de son séjour en Chine. Appuyée de biais à un des poteaux, elle sentit son humeur changer, comme si elle et Chen avaient échangé leurs rôles. C'était elle qui avait du vague à l'âme à présent. Que faisaient Wen et Liu en ce moment?

– L'heure de la séparation va bientôt sonner pour Wen et Liu, dit-elle d'une voix songeuse.

– Liu pourrait aller un jour aux États-Unis…

Elle secoua la tête.

– Non, il ne pourra jamais la retrouver. C'est ainsi que fonctionne notre dispositif.

– Wen pourra peut-être revenir… pour une visite… non, ce serait trop dangereux.

– C'est hors de question.

– *Il est difficile de se rencontrer/Plus difficile encore de se séparer/Le vent d'Est est distrait/Et les fleurs se languissent…* Excusez-moi, me voilà encore en train de vous citer des vers!

Elle se pencha pour se frotter la cheville, il lui tendit la boîte de gâteaux.

– Prenez le dernier.

– C'est un drôle de nom, «gâteau vert feuille de bambou», lut-elle tout haut sur le carton.

– Il se peut que la recette comporte des feuilles de bambou. Depuis toujours, le bambou joue un rôle très important dans la culture chinoise. Tout jardin doit comporter un bosquet de bambou, et tout banquet un plat de pousses de bambou.

– C'est intéressant. Même les gangsters utilisent le mot «bambou» dans le nom de leurs triades.

– Qu'est-ce que vous voulez dire, inspecteur principal Rohn?

– Vous vous souvenez du fax que j'ai reçu dimanche dernier? Il contenait des renseignements sur les triades internationales impliquées dans l'immigration clandestine. L'une d'elles s'appelle le Bambou vert.

– Vous avez le fax avec vous?

– Non, je l'ai laissé à l'*Hôtel de la Paix.*

– Mais vous êtes certaine de ce que vous dites?

– Tout à fait, je me souviens parfaitement de ce nom.

Elle changea de position, se tourna vers lui en appuyant le dos contre le poteau. Il retira les tasses, elle quitta ses chaussures et posa les pieds sur le marbre frais du banc.

– Attention, votre cheville est encore fragile, et le marbre du banc est trop froid.

Il lui souleva les pieds et les plaça sur ses propres genoux, après les avoir gardés un instant dans ses mains pour les réchauffer. Involontairement elle avait plié les orteils en sentant le contact de ses doigts.

– Merci.

– Il y a un poème que j'ai envie de vous réciter, inspecteur Rohn. Il m'est venu à l'esprit par bribes, ces derniers jours.

– Il est de vous?

– Pas vraiment. C'est plutôt une imitation de celui de MacNeice, *Le Soleil sur le jardin.* Il décrit deux personnes qui jouissent du moment qu'elles passent ensemble, tout en sachant qu'il sera éphémère.

Il laissa sa main sur sa cheville.

Soleil d'or en fusion
Nous ne pouvons conserver la lumière
De ce jardin d'autrefois
Dans un vieil album.
Choisissons bien notre jeu
Ou le temps sera impitoyable.

– En fait, l'image centrale m'est venue au *Faubourg de Moscou.* Puis après avoir pris connaissance du poème de Liu sur la danse de l'idéogramme *Loyal,* et surtout après avoir fait la connaissance de Wen et de Liu, d'autres vers me sont venus à l'esprit.

Quand tout est dit
Qui peut distinguer
La question de la réponse
Qui nous garde
Sous le charme
La danse ou la danseuse?

Catherine hocha la tête…

– La danse ou la danseuse… ça, c'est clair. Aux yeux de Liu, c'est par Wen que la danse de l'idéogramme *Loyal* est devenue un miracle.

– Le poème de MacNeice décrit l'impuissance des êtres humains.

– Je sais que MacNeice est un de vos poètes modernistes préférés.

– Comment savez-vous ça ?

– Oh, je me suis documentée sur vous, inspecteur principal Chen. Dans une récente interview, vous avez parlé de la mélancolie dont souffrait ce poète parce que son travail l'empêchait d'écrire autant qu'il le désirait. Mais vous pensiez aussi à vous, vous exprimiez vos propres regrets parce que vous avez l'impression d'avoir laissé passer l'occasion d'être un poète.

Un fin brouillard descendait sur le jardin.

– Je vais vous réciter ma dernière strophe.

Triste encore, mais un peu moins
Le cœur de nouveau endurci
Sans chercher de pardon
Mais reconnaissant et content
Des moments passés ensemble.
Le soleil a quitté le jardin.

Elle crut deviner pourquoi il avait eu envie de lui réciter ces vers. Il ne pensait pas seulement à Wen et Liu.

Ils restèrent quelque temps sans parler, les derniers rayons du soleil découpaient leur silhouette sur la verdure. Ces instants étaient un petit cadeau de la vie, qu'elle acceptait avec gratitude. Le soir s'étendit comme le rouleau d'une peinture traditionnelle chinoise, l'horizon changea tout en restant le même, une fraîche brise se leva, une légère brume adoucit les formes des collines. Le même jardin romantique, le même pont grinçant construit pendant la dynastie des Ming, le même soleil se couchant sur la dynastie des Qing.

Des centaines d'années auparavant.

Des centaines d'années plus tard.

Le silence était si profond qu'ils entendaient éclater les petites bulles d'air à la surface de l'eau verte.

33

Le train entra à l'heure en gare de Fuzhou. Il était onze heures trente-deux, et la gare fourmillait de gens agitant la main, courant le long du quai, brandissant des pancartes avec le nom de tel ou tel passager. Mais aucun membre de la police du Fujian ne les attendait sur le quai encombré.

Chen ne fit aucune remarque. Une certaine négligence de la part de la police locale était admissible, mais pas dans un cas de ce genre. Cette absence n'augurait rien de bon.

– Attendons ici, suggéra Catherine, ils sont peut-être en retard.

– Non, répondit Chen sans exprimer ses craintes. Je vais louer une voiture.

– Vous savez où aller ?

– L'inspecteur Yu m'a dessiné un plan, il a marqué par où passer. Attendez ici avec Wen.

Quand il revint au volant d'une petite camionnette Dazhong, les deux femmes étaient seules sur le quai.

– Montez à l'avant avec moi, Wen, dit-il en lui ouvrant la portière. Vous pourrez me guider.

Elle ouvrit enfin la bouche.

– Je vais essayer. Je suis désolée de vous causer tant de tracas.

De l'arrière, Catherine essaya de la réconforter.

– Vous n'y êtes pour rien, Wen.

Chen, aidé de son plan et guidé par Wen, trouva sans mal son chemin.

Lorsque le village de Changle fut en vue, le visage de Wen s'anima. Elle se frotta les yeux, comme si du vent y avait projeté du sable.

À l'intérieur du village, la route se rétrécissait et devenait juste assez large pour un petit tracteur.

– Vous aurez beaucoup de bagages, Wen ?

– Non, pas beaucoup.

– Garons-nous ici, alors.

Ils descendirent de voiture et suivirent Wen. Il était presque treize heures, et la plupart des habitants étaient chez eux en train de déjeuner. Quelques oies qui claudiquaient près d'une flaque d'eau tendirent le cou vers les nouveaux venus. Une femme portant un panier de plantes vert sombre reconnut Wen, mais fila comme une souris en voyant les inconnus qui l'escortaient.

La maison de Wen se trouvait dans une impasse, à côté d'une grange en ruines. Il y avait une cour devant et une autre derrière, en haut d'une pente descendant jusqu'à un ruisseau et envahie de mauvaises herbes. Les murs lézardés, la porte non peinte, les fenêtres condamnées lui donnaient l'apparence d'un taudis.

Ils entrèrent dans la pièce de devant. Chen fut frappé par le grand portrait aux couleurs fanées du président Mao, accroché au mur au-dessus d'une vieille table en bois. *Écoutons le président Mao, Obéissons au Parti communiste*, continuaient à proclamer, malgré les changements survenus depuis lors, deux banderoles cornées en papier rouge placées de chaque côté du portrait. Une araignée se reposait paisiblement, telle un grain de beauté d'un nouveau genre, sur le menton de Mao.

Une expression indéchiffrable traversa brièvement les traits de Wen. Au lieu de se mettre à ses bagages, elle resta un instant, lèvres tremblantes, à contempler le portrait du Grand Timonier, en loyal garde rouge prêtant serment.

Plusieurs paquets portant des étiquettes en anglais et en chinois étaient rangés dans un seau sous la table. Elle prit un tout petit paquet et le mit dans son sac.

– C'est de l'abrasif. Je veux en emporter un peu, pour ne pas oublier ma vie ici, expliqua-t-elle presque volubile. Un souvenir.

– Un souvenir…

«Le petit escargot couleur d'émeraude rampant sur le mur du poème de Liu», pensa Chen en regardant un des autres paquets dont l'étiquette portait un schéma représentant un feu barré d'un grand X rouge. L'explication de Wen était étrange. Qu'y avait-il ici dont elle eût pu désirer se souvenir? Elle passa dans une autre pièce, fermée par un rideau en perles de bambou. Catherine la suivit, et Chen vit Wen sortir d'un tiroir des vêtements d'enfant. Il ne pouvait pas l'aider à faire ses bagages, alors il traversa la cour de derrière jusqu'au mur qui la fermait. La porte noire avait dû à l'origine donner sur la pente menant au ruisseau, mais elle était condamnée. Il contourna la maison jusqu'à la cour de devant. Le fauteuil d'osier à côté de la porte était cassé et couvert de poussière. Il aperçut des bouteilles vides entassées dans un panier de bambou, surtout des bouteilles de bière.

Dehors, un vieux chien couché à l'ombre dans la ruelle se leva et partit silencieusement. Chen alluma une cigarette et s'appuya pour attendre au chambranle de la porte.

Un train partait pour Shanghai en fin de soirée. Il avait décidé de ne pas contacter la police locale, et pas seulement à cause de son absence à la gare. Il ne pouvait se débarrasser de l'impression de menace ressentie quand Wen avait exigé qu'ils entreprennent ce voyage.

L'inspecteur principal Chen était épuisé. Il avait à peine fermé l'œil de la nuit. Le choix de voyager en couchette ordinaire avait causé une difficulté imprévue. Il y avait trois couchettes, et celle du bas revenait naturellement à Wen. Il était hors de question de demander à une femme enceinte de grimper à l'échelle. Les deux couchettes supérieures, l'une à droite l'autre à gauche, furent donc pour lui et Catherine.

Il était indispensable de garder Wen à l'œil. *Il arrive qu'un canard cuit s'envole.* Il avait passé la majeure partie de la nuit allongé sur le côté, à la surveiller. À chaque fois qu'elle quittait sa couchette, il était obligé de la suivre le plus discrètement possible. Il avait dû résister à la tentation de laisser son regard errer en direction de Catherine, en face de lui. Elle aussi avait passé la plus grande partie de la nuit allongée sur le flanc, vêtue seulement de la tunique noire achetée au marché de Huating. La faible lumière éclairait les courbes voluptueuses de son corps et la maigre couverture couvrait à peine ses jambes et ses épaules. Elle ne pouvait pas voir la couchette située juste en dessous d'elle, alors qu'elle était, la plupart du temps, tournée dans la direction de son coéquipier. L'extinction des feux à minuit n'avait pas amélioré la situation. Il la sentait toute proche de lui dans l'obscurité, se tournant et se retournant au son des coups de sifflets irréguliers du train.

Conséquence de cette nuit blanche, il était là, sur le seuil de cette masure, affligé d'un torticolis.

C'est alors qu'il entendit des pas lourds et pressés s'approchant de l'entrée du village. Pas les pas d'un ou de deux hommes, mais le piétinement d'un grand nombre d'hommes. Il leva les yeux : une douzaine d'individus couraient vers la maison, le visage dissimulé par un foulard noir, brandissant quelque chose qui brillait au soleil... des haches !

Leurs cris couvraient les aboiements des chiens et les gloussements effrayés des poulets.

– Les Haches volantes ! cria-t-il aux deux femmes qui sortaient de la maison. Rentrez ! Vite !

Il dégaina, visa, fit feu. Un des hommes masqués tourna sur lui-même comme un robot cassé, essaya en vain de lever sa hache et s'effondra. Ses compagnons semblaient stupéfaits.

– Il est armé !

– Il a tué le vieux Numéro Trois !

Les gangsters ne battirent pas en retraite pour autant. Ils se séparèrent en deux groupes, les uns se mirent à couvert derrière la maison faisant face à celle de Wen, et les autres se glissèrent derrière la vieille grange. Chen avança d'un pas, et une petite hache passa en sifflant tout près de lui. Il recula. Chacun des attaquants était armé de plusieurs haches, grandes et petites, enfoncées dans leur ceinture, en plus de celles qu'ils brandissaient. Ils lançaient les petites comme des couteaux de jet. À la surprise de Chen, aucun des malfaiteurs ne semblait porter d'arme à feu. Pourtant la contrebande d'armes n'était pas inconnue dans cette province côtière.

Et lui, qu'avait-il pour se défendre? Un revolver dans lequel il restait cinq balles. Même s'il faisait mouche à chaque fois, que ferait-il une fois sa dernière balle tirée? Les Haches volantes encercleraient la maison et donneraient l'assaut. Inutile d'espérer un secours de dernière minute de la police locale.

Catherine s'égosillait dans son téléphone portable.

– Allô, la police du Fujian?... la police du Fujian?

Une autre hache traversa l'air et se ficha en vibrant dans la porte, manquant la jeune femme de quelques centimètres.

Il avait fait une énorme erreur en venant ici avec les deux femmes. Courir un tel risque était impardonnable.

Accroupie à côté de Catherine, Wen serrait contre elle, comme un bouclier, son recueil de poèmes.

La poésie change le monde. Il avait lu ce vers bien des années auparavant, et il y avait cru. Et maintenant, il se trouvait ici pris au piège à cause d'un recueil de poèmes... C'était idiot de penser à de telles bêtises au milieu d'un combat sans espoir.

– Vous n'avez pas d'essence ici, Wen?

– Non.

– Pourquoi cette question, inspecteur Rohn?

– Avec toutes ces bouteilles... on pourrait fabriquer des cocktails Molotov.

– L'abrasif! Les produits chimiques sont inflammables, en général, non?

– Oui, bien sûr! Ça marche sans doute aussi bien qu'avec de l'essence.

– Vous savez fabriquer des cocktails Molotov?

Elle courait déjà chercher dans la maison le seau de produits abrasifs. Plusieurs malfrats étaient sortis de leur cachette et l'un d'eux chargea, tel un fanatique de la Guerre des Boxers, en scandant comme un possédé «Les Haches volantes tuent le Mal». Chen leva son revolver et tira deux coups. L'une des balles frappa l'homme à la poitrine, mais, emporté par son élan il continua sa course de quelques mètres avant de tomber, la hache toujours à la main. Un coup de chance, Chen n'avait jamais été transcendant au tir. Il ne lui restait plus que trois balles.

Quatre ou cinq haches traversèrent les airs en sifflant. Sachant que Catherine revenait avec les bouteilles, Chen leva instinctivement le fauteuil d'osier devant lui, les haches s'y heurtèrent avec une telle force qu'il fut repoussé en arrière.

Derrière lui, Catherine, accroupie, remplissait d'abrasif des bouteilles que Wen fermait avec un chiffon.

– Vous avez du feu, Catherine?

Elle chercha dans ses poches.

– La boîte d'allumettes de l'hôtel, un souvenir de Suzhou!

Elle en craqua une. Chen lui arracha la bouteille et la lança de toutes ses forces dans la maison derrière laquelle s'abritaient les gangsters. Il y eut une explosion, des flammes multicolores jaillirent. Elle lui alluma une seconde bouteille qu'il lança en direction de la grange. Celle-ci explosa plus bruyamment, et l'odeur âcre des produits chimiques monta aux narines de Chen.

C'était un répit qu'il fallait mettre à profit. Ils pouvaient avoir une chance, dans la confusion causée par ces explosions. Il se tourna vers Wen.

– Il n'y a pas un raccourci pour sortir du village en traversant le ruisseau?

– Si. Il n'y a pas beaucoup d'eau, en ce moment.

– Catherine! Il y a une porte dans la cour, cassez-la et filez avec Wen. Traversez le ruisseau jusqu'à la voiture. (Il lui tendit son arme.) Prenez ça. Il n'y a plus que trois balles. Je vais vous couvrir.

– Et comment?

– Avec des cocktails Molotov, je vais leur jeter des bouteilles.

Il retira la hache fichée dans la porte. Peut-être serait-il bientôt obligé de s'en servir.

– Non, on ne peut pas vous abandonner comme ça! La police locale va bien finir par être avertie, elle devrait arriver d'un instant à l'autre.

– Écoutez Catherine, coassa-t-il, la gorge sèche, on ne va pas pouvoir tenir longtemps. S'ils attaquent des deux côtés à la fois, il sera trop tard. Filez maintenant.

Tout en parlant, il se mit à lancer les bouteilles l'une après l'autre. Le chemin était envahi par la fumée et les flammes. Au milieu des explosions il entendit Catherine cogner sur la porte de derrière. Il n'avait pas le temps de regarder par-dessus son épaule, un gangster fonçait sur lui, ses haches étincelant à travers la fumée. Chen lança une bouteille, puis la hache. Personne ne sortit de la fumée.

«Parfait.» Il empoigna une autre bouteille. Un coup de feu claqua à l'arrière de la maison, suivi d'un bruit sourd. Il se retourna, Catherine tirait Wen pour la faire rentrer dans la maison. Un visage dissimulé par un foulard noir monta au-dessus du mur, suivi de deux mains puis de deux épaules. Elle tira de nouveau, le gangster retomba en arrière.

– Cette salope est armée! hurla quelqu'un.

Avec Chen devant et Catherine derrière, les malfaiteurs étaient provisoirement arrêtés. Ils passeraient de nouveau à l'attaque dans quelques minutes. Il ne restait plus qu'une balle dans le chargeur.

Il entendit un lointain bruit de sirène, puis un véhicule entra dans le village sur les chapeaux de roues. Des pas précipités… des cris étouffés… des aboiements frénétiques.

Il se jeta dehors en tenant à la main ses deux derniers cocktails Molotov. Des coups de feu éclatèrent, une grêle de balles s'abattit sur les malfrats retranchés derrière la maison d'en face, et une autre sur la grange qui s'embrasa de nouveau.

– Les flics!

Les assaillants sortirent en courant et décampèrent. En

quelques secondes il ne restait plus que des corps inertes sur le sol.

Des policiers, tenant haut le revolver, poursuivaient les fuyards. Yu s'avançait vers eux en agitant son pistolet.

34

Chen serra chaleureusement la main de Yu.

– Inspecteur Yu!

– Ça fait plaisir de vous revoir, patron!

Yu était trop excité pour en dire plus. Catherine, le visage taché de suie et la blouse déchirée à l'épaule, saisit son autre main.

– Je suis si contente que vous soyez là, inspecteur Yu!

– Moi aussi, inspecteur Rohn. Heureux de faire votre connaissance.

– Je te croyais reparti pour Shanghai, Yu.

– Mon avion était retardé, alors j'ai écouté une dernière fois mon répondeur avant d'embarquer. Et j'ai trouvé le message de l'inspecteur Rohn expliquant qu'il n'y avait personne pour vous attendre à la gare.

– Quand avez-vous téléphoné à Yu?

– Pendant que vous étiez en train de louer la voiture.

– L'absence de la police locale à la gare était incompréhensible, plus j'y pensais, plus ça me paraissait suspect. Après tous ces incidents, vous comprenez…

Chen se hâta de l'interrompre. Le mot «suspect» était un euphémisme, et l'inspecteur Rohn le savait, sinon elle n'aurait pas prévenu Yu de l'absence de la police locale. Mais ce n'était pas un sujet à aborder devant elle.

– Alors je suis allé à la police de l'aéroport, j'ai réquisitionné une jeep et des hommes, et je suis retourné au village. Une sorte d'intuition, si vous voulez…

– Une heureuse intuition.

Chen entendit d'autres véhicules arriver en trombe. Il leva les yeux et aperçut sans grande surprise le commissaire divisionnaire Hong à la tête d'un groupe de policiers armés jusqu'aux dents.

– Je suis désolé, inspecteur principal Chen. (La voix de Hong ruisselait d'excuses.) Nous vous avons manqués à la gare, mon assistant s'était trompé sur votre heure d'arrivée. C'est en retournant au commissariat que nous avons appris que vous aviez été attaqués. Alors nous nous sommes précipités, bien sûr!

– Ne vous en faites pas, commissaire divisionnaire Hong, tout est terminé. Les Haches volantes sont bien informés. Nous étions à peine dans la maison qu'ils nous sont tombés dessus.

– Des villageois auront reconnu Wen et les auront avertis.

Chen fit de son mieux pour ne pas prendre un ton sarcastique.

– C'est sans doute la raison pour laquelle les gangsters ont appris notre arrivée avant la police!

– Vous savez combien la situation est compliquée ici, inspecteur principal Chen.

Hong hocha la tête et se tourna vers l'inspecteur Rohn.

– Je suis désolé de faire votre connaissance en de telles circonstances, inspecteur Rohn. Je tiens à vous remercier de votre collaboration en tant que représentante de la police fédérale américaine.

D'autres policiers arrivèrent pour dégager le champ de bataille. Les gangsters blessés gisaient sur le sol et l'un d'eux semblait mort. Chen en entendit un autre murmurer quelques mots à un policier et allait poser une question quand Hong le devança.

– Inspecteur principal Chen, vous pouvez m'expliquer ce que signifie le proverbe : *Mogao yice, daogao yizhang*?

– Le sens littéral, c'est : *Le diable mesure dix centimètres et la voie de la justice cent.* En d'autres termes, la justice l'emportera toujours. Mais le proverbe d'origine disait exactement le contraire, nos anciens sages étaient moins optimistes que nous sur le pouvoir de la justice.

– Le gouvernement chinois, déclara pompeusement Hong, est absolument décidé à combattre le Mal jusqu'au bout.

Chen hocha la tête en regardant du coin de l'œil un policier bourrer de coups de pied un malfaiteur blessé.

– Bon Dieu, disait l'homme en uniforme, tu vas la fermer avec ta saloperie de mandarin !

Le blessé poussa un cri de douleur perçant qui interrompit la conversation comme une hache de plus lancée contre eux.

– Je vous demande pardon, inspecteur principal Chen, ces malfrats sont les pires ordures qui soient.

– Depuis que je suis ici, tout ce que j'entends du matin au soir, ce sont des excuses, grommela Yu d'un ton amer. (Il se croisa les bras sur la poitrine.) Je m'en souviendrai du Fujian !

– Vous n'ignorez pas que nous, les policiers de province, disposons de pouvoirs réduits, ajouta Hong en regardant Chen dans les yeux.

Était-ce une allusion à une manœuvre politique venue de plus haut ? Les doutes qui taraudaient l'inspecteur principal depuis le début de l'enquête étaient en train de refaire surface. Peut-être la disparition de Wen n'avait-elle pas été orchestrée à l'avance, mais il n'était pas du tout convaincu de la soi-disant hâte des autorités à envoyer la jeune femme aux États-Unis. Dans ce cas, le rôle réservé à Chen était semblable à celui d'un acteur dans un théâtre d'ombres, beaucoup de bruit et d'agitation, mais rien de plus. Si vraiment il en était ainsi, on ne pouvait blâmer la police locale de n'avoir rien fait pour empêcher l'attaque contre eux. Tel était en tout cas le sens implicite de la remarque de Hong : tout avait été planifié et organisé à un niveau plus élevé. Chen refusait encore d'y croire. Peut-être ne connaîtrait-il jamais la vérité. Il serait bien plus simple de se comporter en flic chinois stupide, comme dans les films hollywoodiens, et au diable le jugement de l'inspecteur Rohn ! De toute façon, ce n'était pas le moment de lui faire part de ses soupçons. Sinon un autre rapport de la Sécurité intérieure atterrirait sur le bureau du secrétaire de Parti Li avant que lui-même soit à Shanghai.

– L'affaire est donc terminée, annonça le commissaire divisionnaire Hong avec un large sourire, vous avez retrouvé Wen. Tout est bien qui finit bien. Nous devons fêter cet heureux résultat. Je vous invite à goûter les meilleurs plats de la province, un banquet des cent poissons des mers du Sud.

– Non, merci, commissaire divisionnaire Hong. Mais j'ai encore un service à vous demander.

– Je suis à votre disposition, inspecteur principal Chen.

– Il nous faut regagner Shanghai immédiatement. Le temps presse.

– Pas de problème. Allons directement à l'aéroport, nous avons plusieurs vols par jour sur Shanghai. Vous pourrez prendre le prochain. En cette saison, il reste certainement des places.

Hong et son escorte partirent devant en jeep. Yu suivit avec Wen dans le véhicule réquisitionné à l'aéroport, Chen et Catherine montèrent dans la Dazhong de location.

– Je vous demande pardon, inspecteur principal Chen.

– De quoi ?

– Je n'aurais jamais dû soutenir Wen quand elle a insisté pour revenir ici.

– Je n'y étais pas non plus formellement opposé. Moi aussi je vous dois des excuses, inspecteur Rohn.

– Pourquoi ?

– À cause de tout ça…

– Comment les hommes de la triade ont-ils fait pour nous trouver si vite ?

– Bonne question !

Il n'en dit pas plus. Cette question-là, c'était au commissaire divisionnaire Hong d'y répondre.

– Vous aviez téléphoné à la police du Fujian depuis Suzhou, murmura-t-elle.

En termes de taï chi, ça s'appelle «effleurer l'endroit».
Catherine n'avait pas besoin d'en dire plus.

– C'était une grave erreur. Mais je n'avais pas mentionné
Wen... Je ne comprends pas... Seule la police de Suzhou savait
que Wen était avec nous. Peut-être des villageois ont-ils averti
les malfaiteurs dès notre arrivée, comme l'assure le commissaire
divisionnaire Hong ?

– Peut-être...

– Je ne suis pas très au courant de la situation locale. (Il
était aussi évasif que Hong l'avait été avec lui, mais que pouvait-
il lui dire d'autre ?) À moins que la bande n'ait tout simplement
attendu le retour de Wen. Comme le fermier qui attend que le
lapin s'assomme tout seul contre un arbre.

– Fermier ou non, les Haches volantes étaient là, et pas la
police.

– Nous avons un autre proverbe : *Le grand dragon est impuis-
sant contre les petits serpents de la région.*

– Encore une question, inspecteur principal Chen...
Pourquoi ces petits serpents de la région ne sont-ils armés que
de haches ?

– Peut-être ont-ils été rassemblés à la hâte, alors ils sont venus
avec ce qu'ils avaient sous la main.

– Rassemblés à la hâte ? Je n'y crois pas. Pas en si grand
nombre. Et ils avaient pris la précaution de se masquer le visage.

C'était une solide objection qui menait à une autre question :
pourquoi avaient-ils pris la peine de dissimuler leurs traits ?
Leurs haches trahissaient leur appartenance à la triade, c'était
une signature, tout comme les marques de hache sur le cadavre
du parc.

– Nous avons accompli notre mission, Catherine, alors ces-
sons de nous tracasser pour ces questions.

– Et leurs réponses !

Elle sentait qu'il ne voulait pas en dire plus, c'était comme
un plagiat ironique du poème du jardin de Suzhou. Elle était
assise tout près de lui, mais en même temps si loin.

Il tourna le bouton de la radio, mais elle diffusait une émission en dialecte du Fujian dont il ne comprenait pas un traître mot.

Ils aperçurent bientôt l'aéroport. À côté de la porte réservée aux vols intérieurs, un colporteur déguisé en taoïste avait étalé ses marchandises sur un morceau de toile blanche posé à même le sol. Un impressionnant assortiment de plantes médicinales accompagné de livres, de revues ouvertes, de photographies vantant les bienfaits des simples de la région. Cet ingénieux marchand arborait, comme un ermite de légende, une barbe blanche... le fidèle disciple de Lao-tseu, cultivant des plantes dans la solitude des montagnes voilées de nuages, méditant au-dessus du vain tumulte du monde, et vivant en harmonie avec la nature bien plus longtemps que le commun des mortels.

Il leur dit quelques mots que ni l'un ni l'autre ne comprirent. Voyant leur expression, il s'adressa à eux en mandarin.

– Regardez, le gâteau de Fulin, la célèbre spécialité du Fujian. Ses propriétés sont bénéfiques pour l'ensemble de l'organisme, déclara gravement le colporteur. C'est une source naturelle d'énergie qui procure tout ce dont votre santé a besoin.

Le colporteur rappela à Chen le diseur de bonne aventure du temple de Suzhou. Ironie du sort, ses mystérieuses prédictions s'étaient réalisées.

En passant la porte, ils entendirent des informations sur leur vol diffusées d'abord en dialecte, puis en mandarin et enfin en anglais.

Chen sursauta : il venait de s'apercevoir qu'il y avait quelque chose qui n'allait pas, pas du tout.

– Bon Dieu !

Il regarda sa montre. Trop tard.

– Que se passe-t-il, inspecteur principal Chen ?

– Rien... rien du tout.

35

L'invitation à dîner était une initiative de Yu, ou plus exactement une initiative de Yu suggérée par Chen. Celui-ci avait mentionné le désir de l'inspecteur Rohn de voir un foyer chinois, en ajoutant qu'il ne pouvait guère l'inviter dans son appartement de célibataire. Point n'était besoin d'en dire plus à son adjoint. Aussitôt rentré chez lui, Yu avait abordé le sujet avec Peiqin.

– L'inspecteur Rohn retourne aux États-Unis demain matin, alors ça ne peut être que ce soir.

– Mais tu viens de rentrer ! objecta Peiqin en lui tendant une serviette chaude. Ça fait bien court, je n'aurai pas le temps de tout préparer, surtout pour une Américaine.

– Mais je les ai déjà invités, Peiqin…

– Tu aurais pu me téléphoner d'abord ! (Elle lui versa une tasse de thé au jasmin.) Notre logement est si petit, une Américaine ne pourra pas bouger d'un centimètre.

La pièce qu'habitaient Yu et sa famille se trouvait à l'extrémité gauche de l'aile est d'un immeuble. L'appartement avait été attribué à son père, le Vieux chasseur, au cours des années cinquante. Maintenant, quarante ans plus tard, quatre familles se le partageaient. En conséquence, chaque pièce servait à la fois de chambre, de salon, de salle à manger et de salle de bain. La pièce de Yu, autrefois la salle à manger de l'appartement, était particulièrement malcommode pour accueillir des invités. La pièce voisine, où demeurait le Vieux chasseur, était autrefois le salon et possédait l'unique accès au couloir. Il fallait donc traverser le logement du Vieux chasseur pour arriver chez eux.

– Ça n'a pas d'importance, la rassura Yu, l'inspecteur Rohn a fait des études de chinois. Et tu sais, je me demande s'il n'y a pas quelque chose entre elle et Chen.

– Tiens, tiens ! (Peiqin était soudain très intéressée.) Mais Chen a une petite amie à Pékin, une ECS, non ?

– Je n'en suis pas trop sûr, depuis cette affaire Baoshen. Tu te souviens du voyage de Chen dans les Montagnes jaunes?

– Tu ne m'avais pas dit ça! Alors c'est fini, entre eux?

– C'est plus compliqué que ça… toujours la politique, bien sûr. La conclusion de l'affaire n'a pas été très agréable pour le père, et les relations sont tendues entre la fille et Chen. Du moins, c'est ce qui se raconte. Sans compter qu'ils n'habitent pas la même ville.

– Ça, c'est mauvais. Tu as été parti une semaine, et j'ai trouvé le temps très long. Je ne vois pas comment ils pourraient rester ensemble, à vivre séparés comme ça. (Elle lui prit la serviette chaude et la passa sur son menton mal rasé.) Pourquoi Chen n'a-t-il pas été muté à Pékin?

– Il est têtu, il ne veut rien devoir à une ECS.

– Je ne connais pas très bien ton patron, mais être proche d'une ECS et de tout ce qui va avec ne me semble pas ce qu'il lui faut. Tu crois que l'inspecteur Rohn en pince pour lui? Il serait temps qu'il se case, quand même!

– Allons, Peiqin, tu le vois avec une Américaine? S'il y a quelque chose entre eux, c'est comme dans un film d'Hollywood, une petite escapade chinoise d'une semaine. Mais je ne vois pas du tout l'inspecteur Rohn se casant avec Chen.

– On ne sait jamais, Guangming. Alors, quel est le menu?

– Un repas traditionnel conviendra très bien. D'après Chen, l'inspecteur Rohn adore tout ce qui est chinois. Pourquoi pas un repas de boulettes farcies?

– Oui, bonne idée… Et c'est la saison des jeunes pousses de bambou. Je peux préparer des boulettes avec trois farces différentes, de la viande, des crevettes et des pousses de bambou. Frites, à la vapeur, et dans une soupe de canard aux chatons d'arbre noir. Je m'arrangerai pour rentrer plus tôt, et j'apporterai quelques spécialités du restaurant. On a beau avoir un logement aussi petit qu'un morceau de tofu séché, on ne peut pas perdre la face devant une Américaine.

Yu s'étira.

– Je suis de congé, aujourd'hui. Si j'allais faire un tour au marché acheter un panier de pousses de bambou vraiment fraîches?

– Choisis-les bien tendres, pas plus grosses que deux doigts. Et on ferait mieux de hacher la viande à la maison, la chair de porc hachée n'est jamais fraîche. À quelle heure vont-ils arriver?

– Vers seize heures trente.

– Alors, mettons-nous y tout de suite, c'est long à faire, la pâte à boulettes.

Chen et Catherine arrivèrent avec plus d'une heure d'avance. Le policier portait un complet gris, et Catherine, en *cheongsam* sans manche et haut fendu ressemblait à une actrice dans un film tourné à Shanghai durant les années trente. Chen tenait à la main une bouteille de vin et Catherine portait un grand sac en plastique.

– Enfin, vous nous amenez une fille, inspecteur principal Chen!

– Enfin! répéta Catherine en faisant semblant de prendre cérémonieusement le bras de Chen.

Peiqin fut intriguée par la réaction de l'Américaine et regretta de n'avoir pas tourné sa langue sept fois dans sa bouche avant de parler. Mais Catherine ne semblait pas vexée.

– Je vous présente l'inspecteur Rohn, de la police fédérale américaine. Elle porte beaucoup d'intérêt à la culture chinoise et rêve depuis qu'elle est arrivée à Shanghai d'aller dans une famille chinoise.

Peiqin essuya ses mains enfarinées avant de prendre celle de Catherine.

– Je suis très heureuse de faire votre connaissance, inspecteur Rohn.

– Moi aussi, Peiqin. L'inspecteur principal Chen m'a souvent vanté vos talents de cordon-bleu.

– Une exagération de poète !

Yu s'efforça d'être plus cérémonieux, après tout c'était lui le maître de maison.

– Je vous en prie, excusez ce désordre. Puis-je vous présenter notre fils ? Il s'appelle Qinqin.

Il n'y avait dans la pièce de place que pour une seule table. Celle-ci était encore encombrée de pâte, de boulettes, de viande hachée et de légumes. On n'aurait pu y loger une tasse à thé. Catherine posa son sac sur le lit.

– L'inspecteur principal Chen est toujours accablé de travail, il est obligé de retourner à son bureau plus tard. (Catherine sortit deux boîtes du sac.) Ce sont juste deux petites choses que j'ai choisies pour vous au magasin de l'hôtel. J'espère qu'elles vous plairont.

L'une des boîtes contenait un mixer et l'autre une cafetière électrique.

– C'est merveilleux, inspecteur Rohn ! s'exclama Peiqin. C'est si gentil de votre part. Et c'est une très bonne idée. Lorsque Chen reviendra nous voir, nous pourrons lui offrir du vrai café.

– On peut aussi s'en servir pour chauffer l'eau du thé, expliqua Chen. Et aujourd'hui on pourra se servir du mixer pour hacher la viande et les légumes.

– Et les pousses de bambou, compléta fièrement Yu en commençant à manipuler la machine.

– Moi aussi j'ai apporté quelque chose…

Chen sortit plusieurs étuis de verre et brocart contenant des pinceaux à calligraphier en résine de pin moulée en forme de tortue, de tigre, de dragon. Ils étaient censés stimuler l'inspiration. Une spécialité des montagnes de Tai.

« Très beaux, mais pas très utiles, pensa Peiqin, comparés au choix de Catherine Rohn. »

Chen se plongea dans la traduction du mode d'emploi rédigé en anglais sur les boîtes des appareils ménagers, et Catherine voulut elle aussi aider.

– Ne me traitez pas en étrangère, ce n'est pas pour ça que je suis ici !

– Elle veut pouvoir se vanter de son expérience de la vie à Shanghai, plaisanta Chen.

Peiqin lui tendit un tablier en plastique pour protéger sa robe, et Catherine eut bientôt les mains dans la farine. Le visage en reçut un peu aussi, mais elle ne renonça pas et réussit à façonner deux boulettes, trop grandes et plutôt biscornues.

– Bravo ! applaudit Yu…

– De grandes boulettes pour le grand homme du service, déclara l'Américaine avec un éclat rieur dans ses yeux bleus.

Puis il fut temps de passer à la cuisson. Peiqin se dirigea vers la cuisine et Catherine lui emboîta le pas. La Chinoise était gênée : la cuisine n'en était pas vraiment une, juste une partie du couloir consacrée au rangement et à la cuisson des aliments, où s'alignaient les fourneaux à charbon des sept familles habitant à l'étage. Le plat rapporté du restaurant serait réchauffé sur le fourneau de la voisine. Catherine sembla pourtant bien s'amuser, en dépit du manque d'espace. Elle essaya de se rendre utile, et regarda Peiqin plonger une partie des boulettes dans de l'eau bouillante, en arranger d'autres dans le panier à vapeur en bambou, et faire frire le troisième lot dans le wok. Ensuite Peiqin ajouta divers assaisonnements au bouillon de canard.

– Quand le Vieux chasseur doit-il rentrer chez lui ? demanda Chen en aidant Yu à débarrasser la table.

– Je ne sais pas. Il est parti tôt, ce matin, je ne lui ai pas encore parlé. Vous êtes vraiment obligé de retourner au bureau ?

– Oui, il y a quelque chose qui…

La conversation fut interrompue par l'apparition sur la table des différentes sortes de boulettes. Catherine apporta deux saladiers, Yu mélangea de l'ail à la sauce au poivre rouge, Chen ouvrit une petite bouteille de vin doré de Shaoxing. Yu rapprocha de quelques centimètres la table du lit. Chen s'assit d'un côté, Catherine en face, Yu et son fils au bord du lit. La place la plus près de la cuisine fut laissée à Peiqin, qui allait devoir faire cuire au fur et à mesure d'autres boulettes.

– Hmm, que c'est bon! dit Catherine entre deux bouchées. Je n'ai jamais rien mangé d'aussi savoureux au quartier chinois de New York.

– Il faut préparer soi-même la pâte des boulettes, expliqua Peiqin.

– Merci, Peiqin, renchérit Chen, une moitié de boulette dans la bouche. C'est toujours un tel régal de manger chez vous!

– C'est la première fois que je mange des pousses de bambou aussi fraîches. On n'en voit jamais aux États-Unis.

– Elles ont une saveur très différentes quand elles sont bien fraîches. Su Dongpo a dit un jour qu'il était plus important de manger des pousses de bambou bien fraîches que de la viande. C'est une friandise, pour un gourmet.

– C'est le même Su Dongpo dont vous nous avez parlé le jour où on a fait un repas de crabe, oncle Chen? demanda Qinqin.

– Oui. Tu as une mémoire d'éléphant, Qinqin!

– Mon cher fils est passionné par l'histoire, mais Peiqin veut qu'il étudie l'informatique. Elle pense qu'il aura davantage de débouchés plus tard.

– C'est la même chose aux États-Unis.

Les plats de boulettes étaient vides.

– Il va falloir attendre la soupe de canard quelques minutes, avertit la maîtresse de maison en prenant sa tasse de vin. Ça demande un peu de temps. Récitez-nous un poème, inspecteur Chen.

– Bonne idée, approuva Yu. Comme dans *Le Rêve dans le pavillon rouge*. D'ailleurs vous nous l'avez promis, la dernière fois.

– Je n'ai pas eu beaucoup de temps à consacrer à la poésie, ces derniers jours.

La soupe au canard arriva. Peiqin en servit à Catherine une petite coupe, les chatons d'arbre noir flottaient à la surface. Elle apporta en même temps sur la table un mets peu ordinaire.

– La spécialité du restaurant où je travaille. Ça s'appelle une « tête de Bouddha ».

C'était une tête de Bouddha sculptée dans une courge blanche, cuite à la vapeur dans un panier de bambou et couverte d'une grosse feuille de lotus. Avec un couteau en bambou, Yu découpa adroitement le sommet du crâne et sortit « le cerveau » avec des baguettes. C'était en fait un pigeon frit farci d'une caille grillée elle-même fourrée d'une hirondelle braisée.

– Tant de cerveaux sous un seul crâne ! remarqua Chen. Ce n'est pas étonnant que ce plat soit appelé « tête de Bouddha ».

– Les différentes saveurs de ces oiseaux sont censées se mélanger lors de la cuisson à la vapeur, chaque bouchée est une symphonie de goûts.

– C'est absolument délicieux. (L'inspecteur principal Chen soupira de satisfaction et posa ses baguettes sur le bord de sa tasse.) Et maintenant, avec la bénédiction de Bouddha, j'ai une nouvelle à annoncer. Elle concerne nos hôtes.

– Qu'est-ce qui nous arrive ?

– Je suis passé au bureau ce matin pour, entre autres obligations, assister à la réunion du comité du logement. Celle-ci a décidé d'attribuer à l'inspecteur Yu un trois-pièces rue de Tianling. Félicitations !

– Un trois-pièces ! s'exclama Peiqin. Vous plaisantez !

– Pas du tout, la décision a été prise en commission.

– Vous auriez dû vous bagarrer pour vous, patron !

– Tu le mérites, Yu.

Catherine prit la main de Peiqin.

– Félicitations, c'est une merveilleuse nouvelle ! Mais pourquoi une bagarre ?

– La liste d'attente comportait plus de soixante-dix noms, et combien le service avait-il d'appartements à attribuer, cette fois, patron ?

– Quatre.

– *Il n'y a pas assez de bouillie de riz pour nourrir tous les moines.* Le comité du logement doit tenir je ne sais combien de réunions avant d'arriver à une décision. Chen est un membre important du comité.

– Encore une exagération, Peiqin. Votre mari était en tête de liste. (Chen sortit une petite enveloppe.) Mon intervention s'est bornée à empocher la clef de l'appartement à l'issue de la réunion. Elle vous appartient officiellement. Vous pourrez emménager dès le mois prochain.

– Merci beaucoup, inspecteur principal Chen. (Peiqin prit l'enveloppe à deux mains.) C'est ça qui compte, la clef. *Une longue nuit donne le temps de faire beaucoup de rêves.*

– Je crois que j'ai déjà entendu ce proverbe ! plaisanta Catherine.

Chen leva sa tasse.

– À la vôtre !

– À la vôtre ! (Elle se pencha vers lui et chuchota assez fort pour que tout le monde entende.) Je comprends maintenant pourquoi vous tenez tant aux fonctions que vous exercez dans votre service.

– Oui, et puisque vous abordez le sujet, je crois bien qu'il faut que j'y retourne !

– Et moi il faut que je file à l'hôtel préparer mes bagages.

Vingt minutes plus tard, Peiqin débarrassait quand le Vieux chasseur fit irruption dans leur pièce.

– L'inspecteur principal Chen n'est pas venu ?

– Si. Lui et l'Américaine étaient ici. Ils viennent de partir.

– Où sont-ils allés ?

– Elle est rentrée à son hôtel et il est retourné au bureau.

– Appelle-le, fils… (Le Vieux chasseur était un peu essoufflé.) Juste pour en être sûr.

Yu obtempéra, mais Chen n'était pas au bureau, ni à l'hôtel et Yu finit par le joindre sur son portable.

– Je suis sur la route. Salue pour moi le Vieux chasseur ! Je risque d'être difficile à joindre, ce soir… Je te rappelle.

– Qu'est-ce qui se passe, Père? demanda Yu en raccrochant. Peiqin entra avec des boulettes réchauffées.

– Le ciel et la terre soient loués! Au moins il n'est pas à l'hôtel. (Le vieillard prit les boulettes.)

– Que voulez-vous dire? demanda Peiqin en ajoutant une pincée de poivre noir à la soupe de son beau-père.

– Yu est l'homme de l'inspecteur principal Chen, tout le monde sait ça, au service et en dehors. Alors on me dit de temps en temps une chose ou deux.

– Et que t'a-t-on dit?

– Il y a de sales poulets aux yeux blancs sans une once de tripes juste bons à faire des coups par en dessous. Ils imaginent des choses entre l'inspecteur Chen et l'Américaine. Il se peut même que la Sécurité intérieure ait été envoyée à l'hôtel.

– Cette bande de salopards!

– Ne t'en fais pas Yu, l'inspecteur principal Chen est un homme prudent, murmura Peiqin en s'essuyant les mains à son tablier. C'est pour ça qu'il a préféré amener Catherine chez nous plutôt que l'inviter chez lui.

– Il m'a demandé quand tu allais revenir, Père.

– J'ai parlé avec lui ce matin. À propos de Gu Haiguang.

– Qui est Gu Haiguang?

– Le propriétaire du club de karaoké *Dynastie*. Un monsieur Gros Sous, pas mal lié aux triades. Ton patron ne t'a rien dit sur lui?

– On n'a pas discuté boulot pendant le vol.

– Il m'avait dit qu'il me rapporterait son entrevue avec Gu plus tard. J'ai essayé de le joindre à son bureau, mais il n'y était pas, expliqua le Vieux chasseur en mangeant. J'ignore dans quelle affaire Gu est impliqué, si c'est l'affaire du parc ou celle de la femme disparue, mais avec ce que j'ai appris à ton patron sur le directeur du *Dynastie*, il pourrait le mettre à l'ombre pour un an ou deux.

– Alors qu'est-ce qu'il fabrique? C'est bizarre… L'affaire Wen est terminée. Je me demande ce qu'il mijote encore.

– Il ferait bien de se méfier.

– Reprenez des boulettes, Père, dit Peiqin en entrant avec un autre plat fumant. Il va bien appeler…

Plusieurs heures plus tard, il n'y avait toujours aucune nouvelle de l'inspecteur principal Chen. Qinqin dormait sur le canapé pliant, et le Vieux chasseur dans sa chambre. Yu et Peiqin étaient couchés et attendaient. Que faire d'autre ? Main dans la main, ils parlaient de leurs invités.

– L'inspecteur principal Chen a peut-être une chance de fleur de pêcher, mais cette fleur-là ne produira jamais de fruit.

– Pourquoi dis-tu ça ? Tu as vu la façon dont elle le regardait ?

– Ça ne change rien, Peiqin, ce serait impossible entre eux.

– Pourquoi ? Chen est loin d'être insensible à ses charmes. Et on parle tellement de mariages mixtes, maintenant…

– Pas avec la fonction qu'il exerce. En fait, il ne l'a même pas informée de tous les aspects de l'enquête.

– C'est lui qui t'a dit ça ?

– Oui. Il a parlé de frontière entre celui qui est à l'intérieur et celui qui est à l'extérieur. Une phrase du secrétaire du Parti Li.

Yu non plus n'avait pas tout raconté à sa femme, il s'était abstenu, par exemple, de mentionner la tentative d'empoisonnement.

– Il ne pourrait pas aller vivre aux États-Unis ?

– Même s'il le voulait, tu crois qu'il pourrait faire carrière là-bas, avec le dossier politique qu'il a ici ? Il y a de la politique partout, il ne serait jamais inspecteur principal, là-bas.

– Catherine ne pourrait pas vivre ici ? Elle serait une bonne épouse, ça lui a plu de m'aider, même dans notre petite cuisine.

– Tu la vois aller tôt le matin vider le pot de chambre, rouler à vélo sous la pluie et la neige, éteindre le soir le fourneau à charbon, jour après jour ?

– Je fais bien tout ça, moi ! Et ça ne m'empêche pas d'être une épouse heureuse et satisfaite.

– Ce serait une catastrophe pour l'inspecteur principal Chen. Avec une Américaine dans sa vie, il n'aurait plus qu'à dire adieu à sa carrière. Et on ne sait pas où il en est avec sa petite amie ECS. Même si tout ne va pas toujours bien entre eux, elle est venue à son secours quand il a eu des ennuis.

– C'est vrai, oui... Tu imagines... dans un mois on va emménager dans notre nouvel appartement. Je n'arrive pas à y croire! C'est peut-être la dernière fois qu'on a reçu ton patron, ou des invités, dans ce logement.

– Tu te souviens de la première visite de Chen?

– Bien sûr, Guangming. C'était au moment de l'affaire de l'héroïne rouge. On a fait un repas de crabe.

– Ce soir-là, je suis resté longtemps éveillé à écouter les crabes faire des bulles. Je me sentais si minable, comparé à ces ECS qui donnent de somptueuses réceptions dans leurs vastes demeures. Nous, quand on est au lit, on ose à peine respirer, avec Qinqin dans la même pièce.

– Oh, tu sais, Guangming (elle posa une main sur sa poitrine), ça ne me déplairait pas de ne pas oser respirer, ce soir.

Le téléphone sonna.

C'était l'inspecteur Rohn. Elle n'arrivait pas à joindre l'inspecteur principal Chen et se faisait du souci. Yu aussi. Il promit de la rappeler dès qu'il saurait quelque chose.

Il pensait qu'il n'avait pas la tête à ça, mais les caresses de Peiqin le firent changer d'avis.

36

Une fois de plus, l'avion avait du retard. L'inspecteur Rohn, Wen, l'inspecteur Yu, le secrétaire du Parti Li et le sergent Qian, tout le monde en fait sauf l'inspecteur principal Chen était à l'aéroport international Hongqiao de Shanghai, debout devant les écrans qui n'affichaient encore aucune heure de départ pour le vol United Airlines à destination de Washington DC. Selon l'inspecteur Yu, qui avait eu des nouvelles de Chen une heure plus tôt, celui-ci était en chemin pour les rejoindre.

L'inspecteur principal Chen était un homme ponctuel, et sa coéquipière se faisait du souci. Elle n'avait eu aucune nouvelle de lui depuis le repas chez Yu. Bien que leur mission soit considérée comme accomplie, selon les mots du secrétaire du Parti Li, bon nombre de questions demeuraient sans réponse. Et, à moins d'un nouveau retard, l'avion décollerait dans une heure et demie.

Le soleil de l'après-midi filtrait par les hautes fenêtres. Wen était debout à l'écart, le visage aussi blême et inerte qu'un masque d'albâtre, à part les cernes bleus sous ses yeux. Yu essayait de savoir quel temps il faisait à Tokyo. Qian, que Catherine voyait pour la première fois, avait l'air d'un élégant petit jeune homme, agréable et serviable. Il avait proposé d'aller leur chercher à boire. Le secrétaire du Parti Li radotait une fois de plus sur l'amitié entre les peuples chinois et américain. Catherine s'excusa et rejoignit Wen. Elle avait du mal à trouver les mots pour la réconforter.

– Ne vous tracassez pas, Wen, commença-t-elle, en répétant ce qu'elle lui avait déjà dit à Suzhou. Si je peux faire quoi que ce soit pour vous aux États-Unis, croyez bien que je le ferai.

– Ne vous tracassez pas, répéta Wen comme un écho. Vous avez réussi votre mission.

Catherine Rohn n'avait pas du tout l'impression d'une réussite. Elle chercha autre chose à dire… À ce moment, Chen et Liu entrèrent dans l'aéroport, chargés de plusieurs sacs en plastique.

– Oh, regardez, Liu Qing est venu vous dire adieu avec l'inspecteur principal Chen ! s'exclama Catherine.

Comme incrédule, Wen recula d'un pas. Le secrétaire du Parti Li se dirigea en hâte vers les deux hommes. Yu et Qian suivirent.

– Je vous ai amené le camarade Liu de Suzhou, secrétaire du

Parti Li, dit Chen. Je n'ai pas eu le temps de vous demander l'autorisation.

– Liu a collaboré avec nous, intervint Catherine. Nous n'aurions jamais réussi à convaincre Wen sans son aide. C'est normal qu'ils se fassent leurs adieux.

– Il n'est pas venu seulement pour ça, inspecteur Rohn, dit Chen. Il y a quelque chose d'autre dont je dois absolument parler avec la camarade Wen Liping. Allons au salon d'honneur…

Le salon d'honneur était une longue pièce élégamment meublée d'une table de marbre entourée de deux rangées de fauteuils en cuir. C'était ici que les officiels de la ville recevaient des personnalités étrangères de passage à Shanghai. Catherine s'assit avec Liu d'un côté de la table, Chen et ses collègues de l'autre. Au bout de la pièce se trouvait un petit espace de repos où les passagers pouvaient se détendre sur des canapés.

– Inspecteur Rohn, secrétaire du Parti Li et inspecteur Yu, veuillez m'excuser de ne pas avoir eu le temps de vous parler de ce nouveau développement.

Catherine croisa le regard de Yu, puis de Li, tous deux aussi surpris qu'elle. Chen ignora Qian qui jouait d'un air gêné avec son verre. Était-ce parce que le jeune homme n'était qu'un subordonné de rang inférieur ?

– Où étiez-vous passé hier, patron ? commença Yu. J'ai attendu votre appel pendant des heures.

– À l'origine, j'avais l'intention d'amener le Vieux chasseur avec moi pour ma visite à Gu, mais celui-ci m'a prié de venir seul, et plus tôt. Alors je suis allé déguster vos boulettes avant mon rendez-vous avec Gu.

– Vous ne m'en avez pas parlé, protesta Catherine.

– Je n'avais aucune idée de ce qu'allait me dire Gu. Et après l'avoir vu, je n'avais plus le temps de vous informer, il m'a fallu partir immédiatement pour Suzhou. Petit Zhou m'a conduit, mais Liu avait un rendez-vous d'affaires tardif et j'ai attendu son retour. Je lui ai parlé et nous sommes repartis avant l'aube. C'est pourquoi nous sommes arrivés juste à temps.

Chen s'arrêta, reprit son souffle, et dit de son ton le plus officiel :

– Inspecteur Rohn, puis-je vous demander de promettre quelque chose, au nom de la police fédérale américaine ?

– Quoi donc, inspecteur principal Chen ?

– Dès votre arrivée aux États-Unis, déplacez Feng et Wen. Immédiatement...

– Nous en avions l'intention, mais pourquoi est-ce si urgent, inspecteur principal Chen ?

– Parce que la triade va tout faire pour s'en prendre à Wen, même quand elle aura rejoint son mari.

Yu sortit une cigarette.

– Pour quelle raison, patron ?

– C'est une longue histoire... Les Haches volantes ont appris le marché conclu par Feng aux États-Unis dès le début de janvier, bien avant que Wen ne commence les démarches pour son passeport. Elle préférait rester au Fujian plutôt que le rejoindre, mais ils l'ont poussée à passer un marché avec eux : elle devait rejoindre son mari aux États-Unis, puis l'empoisonner. Ils ont promis qu'ils s'arrangeraient pour qu'elle n'ait pas d'ennuis. Elle a accepté, non parce qu'elle en voulait assez à son mari pour le supprimer, mais parce qu'elle savait ce qui l'attendait si elle refusait. Alors, maintenant, la situation est encore plus compliquée, continua le policier, sans prêter attention aux réactions de son auditoire à ces révélations. Une fois qu'elle sera là-bas, elle sera en péril. Non seulement elle aura à craindre les Haches volantes, mais aussi le Bambou vert. Cette triade a une filiale aux États-Unis et représente pour elle un grave danger.

– De quoi parlez-vous ? interrompit Yu. Qu'est-ce que le Bambou vert a à voir avec ça ?

– Le Bambou vert est une triade internationale bien plus importante et bien plus dangereuse que les Haches volantes, localisées dans le Fujian. Ils sont décidés à mettre la main sur l'émigration clandestine à partir du Fujian et veulent arracher à Feng des renseignements vitaux en prenant son épouse en otage. Les gangsters masqués qui nous ont attaqués à Changle, c'étaient eux.

– Comment savez-vous tout ça, inspecteur principal Chen? demanda Li.

– J'expliquerai tout au fur et à mesure que nous y arriverons, secrétaire du Parti Li. (Il se tourna vers Wen.) Camarade Wen, je comprends maintenant pourquoi vous avez changé d'avis et demandé un passeport, pourquoi vous vous êtes réfugiée chez Liu, et pourquoi vous avez tenu à retourner dans le Fujian. Puisque vous étiez obligée d'aller aux États-Unis, il fallait emporter le poison fourni par les Haches volantes. Et vous l'aviez laissé chez vous en vous enfuyant le 5 avril.

Wen ne répondit pas, mais lorsque Liu lui posa légèrement la main sur l'épaule, elle se cacha le visage dans les mains et fondit en larmes.

– Feng avait gâché votre jeunesse, et les gangsters ne vous ont pas laissé le choix. La police locale n'avait pratiquement rien fait pour vous protéger et il fallait bien que vous songiez à votre bébé. Toute femme à votre place aurait envisagé de faire comme vous.

– Mais tu ne peux pas faire ça, Wen, protesta Liu d'une voix étranglée. Il faut te construire une nouvelle vie.

– Liu a tellement fait pour vous, Wen, remarqua Catherine. si vous faites quelque chose d'aussi stupide, que va-t-il lui arriver?

– Je ne dis pas ça pour vous effrayer, insista son coéquipier, mais vous avez passé deux semaines chez lui. On pensera que vous avez manigancé ça tous les deux et tout le monde croira que c'est de sa faute, Wen...

– Je ne vois pas comment Liu pourrait échapper aux ennuis s'il arrive quelque chose à Feng, renchérit Yu. On cherche toujours des boucs émissaires.

Le secrétaire du Parti Li ne pouvait se permettre de laisser passer une occasion de parler.

– Et comment les Haches volantes pourraient-ils vous tirer de là, camarade Wen ? C'est absurde !

– Non, bien sûr, ils n'y arriveront pas, déclara Qian en écho. Le jeune homme n'avait jusqu'alors pas prononcé un mot.

– Je te demande pardon, Liu, sanglota Wen en s'accrochant à la main de son ami. Je n'avais pas réfléchi à ça. Plutôt mourir que te causer des ennuis !

– Laisse-moi te dire quelque chose, Wen… Durant toutes ces années dans l'Heilongjiang, ma vie n'était qu'un tunnel sans la moindre lueur au bout. Sauf quand je pensais à toi. Toi sur ce quai de gare. Ta main brandissant avec la mienne le cœur sur lequel était peint l'idéogramme *Loyal*. Un miracle. Si ce miracle avait pu arriver, tout était possible. Alors je me suis accroché. Et tout s'est arrangé en 1976, à la fin de la Révolution culturelle. Crois-moi Wen, pour toi aussi ça s'arrangera.

– Écoutez-moi, Wen, dit Chen. Je vous l'ai promis à Suzhou et je ne reviendrai pas sur ma promesse : rien n'arrivera à Liu tant que vous coopérerez avec les Américains. Je vous réitère ma promesse en présence du secrétaire du Parti Li.

– L'inspecteur principal Chen a raison, répondit Li d'une voix sincère. Je fais la même promesse. C'est un ancien bolchevik, membre du Parti depuis quarante ans qui vous parle.

Yu sortit de sa poche de pantalon un petit livre tout corné.

– Tenez, Wen, voici un dictionnaire anglais. Ma femme et moi avons tous les deux fait partie des jeunes instruits. Quand nous étions dans le Yunnan, je n'ai jamais pensé que je serais un jour flic à Shanghai, en train d'essayer de baragouiner en anglais avec une femme policier venue des États-Unis. Liu dit vrai, le monde change. Prenez ce dictionnaire, vous serez obligée de parler anglais, là-bas.

Liu le prit pour Wen qui continuait à pleurer, la tête dans les mains.

– Merci, inspecteur Yu, il lui sera très utile.

– Et j'ai autre chose pour vous.

Chen sortit d'une enveloppe la photographie de Wen quittant Shanghai à la tête d'autres jeunes instruits, celle qui avait illustré l'article du *Wenhui*. Catherine la prit. Wen était toujours inconsolable. Vingt ans plus tôt, à la gare, cette photographie avait marqué un tournant dans la vie de la jeune fille… Catherine regarda la photographie, puis Wen. Maintenant, la jeune femme allait affronter un autre tournant. Mais elle n'était plus la jeune garde rouge enthousiaste, levant haut l'idéogramme *Loyal* en regardant vers des lendemains qui chantent.

– Une remarque, murmura Catherine. Les gens admis dans notre dispositif de protection de témoins peuvent en sortir, à leurs risques et périls, bien sûr. Ce n'est pas recommandé. Mais on ne sait jamais… Dans plusieurs années, quand les triades auront été éradiquées, nous pourrons peut-être discuter avec l'inspecteur principal d'un changement de modalités.

Wen la regarda à travers ses larmes, mais ne dit rien. Elle fouilla dans son sac, sortit un petit paquet et le lui tendit.

– Voilà ce que m'avaient remis les Haches volantes. Vous n'avez pas besoin d'en dire plus, inspecteur Rohn.

– Merci, s'écrièrent en chœur Chen et Yu.

– Maintenant qu'elle a promis sa complète collaboration, dit Liu avec un coup d'œil vers la petite salle attenante, ne pourrions-nous pas passer quelques minutes ensemble?

– Bien sûr, répondit aussitôt Catherine. Nous vous attendrons ici.

37

Une fois que Wen et Liu se furent éloignés, Catherine Rohn se tourna vers Chen qui fit un geste d'excuse aux autres.

– Maintenant nous vous écoutons, inspecteur principal Chen, dit-elle sèchement.

Les derniers développements l'avaient sans doute moins surprise que ses collègues chinois. Ces derniers jours, elle avait plus d'une fois senti que quelque chose trottait dans la tête de son énigmatique coéquipier.

– Cette enquête était tout à fait exceptionnelle, secrétaire du Parti Li, commença Chen, et j'ai été obligé de prendre quelques décisions sans vous consulter, ni consulter mes collègues, et d'agir sous ma seule responsabilité. Si j'ai gardé pour moi certaines informations, c'est parce que je n'étais pas certain qu'elles soient en rapport avec cette affaire. Il y aura certainement dans mon récit des points qui vous échapperont. Soyez patients, laissez-moi m'expliquer.

– Ce sont les circonstances qui vous ont obligé à prendre seul certaines décisions, nous le comprenons tous, répondit Li d'un ton magnanime.

– Oui, nous le comprenons tous, se sentit obligée de répéter Catherine Rohn.

Mais elle se hâta de prendre l'initiative des questions, avant que la discussion ne tourne à la conférence politique.

– Quand avez-vous commencé à soupçonner Wen, inspecteur principal Chen?

– Au début, je ne me suis pas soucié de ses mobiles. J'ai supposé qu'elle allait aux États-Unis parce que Feng voulait qu'elle vienne, c'était évident. Mais l'objection que vous avez faite vous-même à propos du long délai pour obtenir son passeport m'a tracassé. J'ai donc vérifié les différentes étapes. La procédure avait été lente, mais il y avait une incohérence de dates. Bien que Feng vous ait assuré que son épouse s'était occupée du passeport dès le début janvier, Wen n'avait rien fait avant la mi-février.

– C'est juste, nous avons évoqué cette contradiction.

– D'après le rapport détaillé de l'inspecteur Yu, je m'étais fait une image très précise de la vie conjugale de Wen avec Feng. Les enregistrements des interrogatoires m'avaient aussi appris que Feng avait téléphoné plusieurs fois au début de janvier et que Wen avait une fois refusé de venir prendre la communication. J'en ai déduit qu'à cette époque-là, Wen refusait de partir.

– Mais Feng a toujours prétendu qu'elle n'avait qu'une hâte, c'était de le rejoindre.

– Il vous mentait. Avouer son refus lui aurait fait perdre la face. Alors, pour quelle raison avait-elle changé d'avis? J'ai demandé à la police du Fujian qui, m'ont-ils répondu, n'avait en rien cherché à l'influencer. Ce que je crois tout à fait exact, leur manque d'intérêt pour cette affaire a été évident du début à la fin. Et puis j'ai remarqué autre chose dans le rapport de l'inspecteur Yu...

Celui-ci essaya de cacher sa surprise.

– Quoi donc, patron?

– Quelques-uns des villageois semblaient ne rien ignorer des problèmes de Feng aux États-Unis. Comme ils avaient employé le terme vague de «problèmes», j'ai d'abord pensé qu'ils faisaient référence à cette bagarre à New York, au cours de laquelle il avait été arrêté. Mais le directeur Pan avait utilisé un autre mot, il avait parlé de marché conclu par Feng avant la disparition de son épouse. Si les villageois savaient ça, la triade le savait forcément aussi, et je n'arrivais pas à comprendre pourquoi les malfaiteurs avaient attendu patiemment l'annonce de l'arrivée de l'inspecteur Rohn pour enlever Wen. Alors qu'ils pouvaient le faire avant.

– Et en toute tranquillité, ajouta Yu. C'est vrai, je n'ai jamais pensé à ça.

– La triade avait de bonnes raisons pour essayer de retrouver Wen avant nous. Mais avec tous ces accidents dans le Fujian et à Shanghai, j'ai commencé à me poser des questions. Pourquoi cette quête désespérée, tout d'un coup? Ils ont dû frapper à toutes les portes, y compris celle des flics. Et puis ce qui s'est passé dimanche dernier au marché de Huating n'a fait qu'augmenter mes soupçons.

– Dimanche dernier? interrompit Li. Ne vous avais-je pas suggéré de prendre un jour de congé?

– C'est ce que nous avons fait, rétorqua Catherine. L'inspecteur principal Chen et moi sommes allés faire des achats, et il y a eu une descente de police dans un marché. Rien ne nous est arrivé, ajouta-t-elle vaguement, en remarquant l'expression interloquée du secrétaire du Parti. Alors, inspecteur principal Chen, vous saviez déjà quelque chose à ce moment-là?

– Non, rien du tout. Je commençais à deviner que tout n'était pas comme je le pensais, mais rien n'était clair. Et pour tout dire, il reste encore un ou deux points passablement obscurs.

– L'inspecteur principal Chen ne voulait certainement pas déclencher sans raison une alerte, inspecteur Rohn.

– Cette enquête n'a été que chausse-trappes et retournements de situations, vous savez. Je vais essayer de récapituler par ordre chronologique. L'un comme l'autre nous avons, à un stade de l'enquête ou à un autre, éprouvé certains soupçons, et nous en avons parlé ensemble. Et à plusieurs reprises, ce sont vos observations qui ont éclairé la situation, inspecteur Rohn.

– Vous voulez vous montrer diplomate, inspecteur principal Chen.

– Pas du tout. Vous vous souvenez de notre conversation au *Village du saule verdoyant*? Vous avez alors attiré mon attention sur un fait important: en dépit de la demande faite par Feng lors de son dernier appel, Wen n'avait pas, semblait-il, fait le moindre effort pour le prévenir qu'elle était en lieu sûr. Du moins en un lieu qu'elle jugeait sûr.

– Oui, ça m'étonnait, mais nous ne pouvions être certains qu'elle soit hors de danger. Ce devait être le septième ou huitième jour après sa disparition, lorsque nous avons eu cette discussion au restaurant.

– Et au café *Deda*, vous m'avez convaincu que Gu ne nous avait pas dit tout ce qu'il savait. Ce qui m'a poussé à creuser un peu plus dans cette direction.

– Oh non, vous ne pouvez pas dire que c'est grâce à moi. Vous aviez mentionné au club de karaoké vos relations au service de Régulation de la circulation et…

Un coup d'œil de Chen l'arrêta. Avait-il parlé à Li du marché tacitement conclu avec Gu? Ou même de leur visite au club *Dynastie*?

– Vous avez très bien su vous y prendre avec Gu, approuva Li. *Pour attraper une tortue dorée, il faut un appât appétissant.*

– Merci, secrétaire du Parti Li. (Chen paraissait un peu décontenancé.) Après cette soirée de l'Opéra de Pékin, j'ai, suivant vos instructions, raccompagné l'inspecteur Rohn à son hôtel. En chemin, nous avons pris une consommation au parc du Bund, et au cours de la conversation j'ai mentionné m'être trouvé chargé de deux enquêtes le même jour, l'affaire du meurtre du parc et l'affaire Wen. Elle a fait allusion à un possible rapport entre les deux, une hypothèse qui ne m'était jamais venue à l'esprit. Mais surtout, les multiples coups de hache du cadavre lui ont rappelé un roman sur la mafia, dans lequel un meurtre est commis de façon à diriger les soupçons sur une bande rivale... Comme me l'avait fait remarquer l'inspecteur Yu dès le début, les coups de hache indiquaient un assassinat perpétré par une triade. C'était presque une signature.

– C'est vrai, ça s'appelle la-mort-des-dix-huit-haches. Le plus sévère châtiment infligé par les Haches volantes.

– C'est ça. Et c'est ce qui a éveillé mes soupçons. Une telle signature n'était-elle pas trop évidente? Quand l'inspecteur Rohn m'a parlé de ce roman sur la mafia, il m'est venu à l'esprit une autre hypothèse: la victime du parc du Bund pouvait avoir été assassinée en suivant le mode opératoire des Haches volantes dans l'intention délibérée de leur faire porter le chapeau. Avec un double résultat: d'une part, obliger les Haches volantes à s'occuper de ce meurtre et ainsi les retarder dans leur recherche de Wen, d'autre part semer la confusion et détourner vers cette triade l'attention de la police. Et dans ce cas, à qui bénéficiait l'opération? À quelqu'un qui avait encore plus intérêt que les Haches volantes à retrouver Wen.

– Je commence à comprendre, patron...

– C'est pourquoi je vous dois une fière chandelle, inspecteur

Rohn. Malgré mes soupçons, j'étais aussi désorienté que les autres, incapable de placer ensemble les pièces du puzzle pour former une image cohérente. Je n'y serais jamais arrivé sans votre réflexion.

– Merci, inspecteur Rohn. Cette enquête est un merveilleux exemple de la fertile collaboration des forces de police de nos deux pays. Semblable au symbole du taï chi, où le yin s'accorde parfaitement au yang et... Hmm...

Li se tut et toussota et Catherine comprit pourquoi. Vu son haut rang dans la hiérarchie du Parti, Li devait surveiller son langage, et même cette métaphore apparemment innocente allait trop loin, à cause des éléments mâle et femelle suggérés par le vieux symbole.

– Et ce soir-là, reprit Chen, le Vieux chasseur m'a prévenu que Gu lui avait téléphoné parce qu'il était à la recherche d'un homme du Fujian qui avait disparu. C'était une surprise. Gu nous avait bien parlé d'un mystérieux visiteur venu de Hong Kong, pourquoi était-il maintenant à la recherche d'un homme du Fujian ?

C'est donc ce soir-là, au Bund, que j'ai commencé à regarder dans la bonne direction.

– Ce n'est pas étonnant, inspecteur principal Chen, ce parc vous porte chance, comme le veut la théorie des cinq éléments, remarqua Catherine.

– Que veut dire l'inspecteur Rohn ?

« Le secrétaire du Parti, pensa la jeune femme, a beau avoir choisi Chen comme dauphin, il en sait moins que moi sur sa biographie. »

– Oh, c'est une plaisanterie de mon père, secrétaire du Parti Li. En fait, j'ai eu ce soir-là une autre intuition. L'inspecteur Rohn m'a demandé de lui expliquer deux vers inscrits sur mon éventail de poche, un distique de Daifu. Mes pensées se sont égarées vers la mort encore inexpliquée de Daifu. Revenant au cadavre du parc, je me suis demandé s'il n'avait pas été placé là pour servir d'écran de fumée ou pour faire accuser quelqu'un d'autre. J'ai toujours soupçonné qu'il en avait été ainsi dans le cas de Daifu.

– Pourquoi ne m'en avez-vous rien dit, à ce moment-là, inspecteur principal Chen?

– Oh, ces vagues pensées n'ont vraiment pris forme qu'au moment où je suis rentré chez moi, tard dans la nuit. Je suis même allé rechercher mon poème sur Daifu, afin d'essayer de retrouver ma démarche de l'époque. C'est pourquoi, bien que ce fût un hasard, j'ai pu vous réciter ces vers le lendemain au *Faubourg de Moscou*. Et pourtant, ce n'est pas mon poème préféré, inspecteur Rohn. Mais je lui dois sans doute mon humeur poétique du marché de Huating!

Le regard de Li alla de Chen à Catherine, et son visage s'éclaira d'un large sourire.

– C'est ainsi que procède le camarade inspecteur principal Chen dans ses enquêtes, inspecteur Rohn, par sauts et bonds.

– Quant à ce qui s'est passé au marché de Huating, autorisez-moi à n'y voir qu'un hasard. Il n'y a pas de meilleure façon de décrire l'épisode. L'inspecteur Rohn et moi nous sommes trouvés là à ce moment-là, c'est tout. Selon ses propres termes, c'est un concours de circonstances, sans rapport les unes avec les autres… Un téléphone portable vert pâle… la pluie… les empreintes humides des pieds nus de la jeune vendeuse… des vers de Su Dongpo… Si un chaînon avait manqué, nous ne serions pas assis ici en ce moment.

Les collègues de l'inspecteur Rohn pouvaient-ils comprendre cette absconse explication? Catherine, qui s'était trouvée sur place, ne voyait pas exactement à quoi il faisait référence. Ce portable vert pâle, par exemple? C'était la première fois qu'elle en entendait parler.

Avec un effort visible, Yu ravala ses questions. Qian conserva son attitude respectueuse et discrète, mais Li, bien sûr, mourait d'envie d'assaisonner la conversation de quelques clichés politiques.

– Vous avez brillamment effectué votre tâche, comme le veut

d'ailleurs la glorieuse tradition de la police chinoise, inspecteur principal Chen, déclara-t-il pompeusement, en faisant semblant de comprendre les explications du policier.

– Je n'aurais pas avancé d'un pas sans la collaboration de l'inspecteur Rohn et le travail acharné de l'inspecteur Yu, répliqua gravement Chen. Regardez l'interrogatoire de Zheng. L'inspecteur Yu a insisté pour savoir ce qu'il voulait dire exactement par son «elle a changé d'avis». Que recouvrait exactement cette expression? Moi aussi, je me le suis demandé en parlant avec Wen le lendemain.

– Vous vous êtes posé un tas de questions sans m'en faire part, à ce que je vois, inspecteur principal Chen.

– Je n'étais pas sûr qu'elles méritent qu'on s'y attarde, inspecteur Rohn. Après notre entrevue avec Wen, vous m'avez demandé pourquoi j'avais préféré leur parler à tous les deux, elle et Liu, plutôt que demander l'intervention de la police locale. J'avais deux raisons: je pensais que Wen avait bien assez de soucis comme ça, je ne voulais pas la pousser à bout, et j'espérais qu'un entretien amical avec elle apporterait la réponse à mes questions.

– Et alors?

– Liu ne m'a rien appris, sinon que Wen ne lui avait pratiquement rien dit. Quant à elle, ce qu'elle a raconté sur sa vie avec Feng était vrai, mais elle n'a pas soufflé mot de l'accord conclu avec les gangsters. Et l'explication qu'elle a donnée de son retard pour demander un passeport ne m'a pas paru du tout convaincante. Mais le plus suspect, à mes yeux, a été son insistance à retourner dans le Fujian.

– En quoi était-ce suspect? demanda Li. N'était-il pas normal qu'une mère veuille revoir une dernière fois la tombe de son fils?

– Oui, mais quand nous sommes arrivés là-bas, elle n'est pas allée voir la tombe de son fils, elle n'en a même pas parlé. En arrivant chez elle, elle est allée tout droit prendre sous la table un petit paquet de produits chimiques. Un souvenir, a-t-elle expliqué. Ce n'était pas absurde, mais le fait qu'elle se sente obligée de me le dire m'a mis la puce à l'oreille. Elle était chez elle, elle pouvait emporter tout ce quelle désirait sans demander l'avis de personne. En plus, elle n'avait pas dit trois mots durant tout le trajet et la voilà qui racontait ça sans qu'on ne lui demande rien.

– C'est vrai, Wen a à peine ouvert la bouche durant le voyage.

– Après la bataille au village, elle aurait pu aller voir la tombe de son fils, mais elle ne l'a pas demandé, comme si ça n'avait soudain plus d'importance. Et puis j'ai entendu par hasard un policier local faire taire en hâte un malfaiteur blessé qui parlait en mandarin. Ça m'a paru étrange, mais sans me laisser le temps de m'étonner, le commissaire divisionnaire Hong s'est empressé de me demander l'explication d'un proverbe chinois.

– Le proverbe sur la justice plus forte que le Mal, c'est ça?

– Tout à fait. Mais ce n'est qu'à l'aéroport, en entendant notre vol annoncé en mandarin et en dialecte que ce que je n'avais pas remarqué m'a soudain sauté aux yeux. Les Haches volantes sont une triade locale. Pourquoi un malfaiteur blessé s'exprimerait-il en mandarin? Mais je suis quand même monté dans l'avion parce que ce qui comptait avant tout était que Wen et l'inspecteur Rohn arrivent sans encombre à Shanghai.

– Très bonne décision, approuva Li…

– Dès mon arrivée ici, j'ai été voir le Vieux chasseur, qui avait obtenu pas mal de renseignements sur Gu. J'ai aussi appris de Meiling que, d'après ses recherches, le parking pouvait en toute légalité être attribué au *Dynastie*. Alors je suis allé voir Gu. Au début il s'est montré assez réticent, mais j'ai abattu mes cartes et il est devenu beaucoup plus coopératif.

Catherine regarda Li du coin de l'œil. Que lui avait au juste dit Chen à ce sujet?

– Bien vu, inspecteur principal Chen, il fallait trouver la porte menant à la montagne.

– Selon Gu, la victime du parc était un officier de liaison des Haches volantes. Il s'appelait Ai et avait été envoyé à Shanghai pour retrouver Wen. Il avait rendu une visite officielle au Frère aîné de la Bleue, mais celui-ci était opposé à toute recherche d'envergure effectuée sans discrétion sur son territoire. Il ne croyait pas que Jia Xinzhi risque quoi que ce soit, du moment que Wen n'était pas entre les mains de la police. C'est pourquoi Ai n'a pas eu d'autre choix que de lui révéler le véritable projet des Haches volantes, c'est-à-dire faire empoisonner Feng par son épouse lorsque celle-ci l'aurait rejoint. S'agissant d'un rat puant comme Feng, la triade du Fujian considérait que le plus sage était de le faire taire définitivement. Le Bambou vert a eu vent du complot et eux, par contre, tenaient à ce que Feng reste en vie et témoigne, ce qui mettrait Jia hors jeu. C'est pourquoi ils ont assassiné Ai.

– Où Gu a-t-il appris tout ça? demanda Yu.

– Le Frère Aîné de la Bleue était très en colère contre Ai qui avait sans permission exporté dans son fief les pratiques du Fujian. Mais ce qu'avait fait le Bambou vert, abandonner dans le parc le cadavre de Ai, était encore pire. Gu a appris de lui, non seulement ce que manigançait le Bambou vert, mais aussi les intentions des Haches volantes. Dès que Gu m'eut raconté tout ça, ma décision fut prise : il fallait retourner à Suzhou. Wen était décidée : puisqu'on l'obligeait à aller aux États-Unis, elle empoisonnerait Feng. Je ne me sentais pas capable de la convaincre d'y renoncer. Une seule personne y arriverait peut-être : Liu. Il a accepté de venir avec moi ici, très tôt ce matin.

– Excellente initiative, inspecteur principal Chen, approuva Li d'une voix tonitruante. Comme dit l'un de nos proverbes, *Quand un général combat aux frontières, il n'est pas toujours obligé d'en référer à l'empereur.*

À cet instant, un téléphone sonna. Rouge de honte, Qian sortit son portable et, la main dissimulant au mieux l'appareil, dit :

– Je vous rappellerai.

– Un téléphone portable vert pâle… presque de la couleur du bambou. On n'en voit pas beaucoup de cette teinte-là. Je crois que je n'en ai vu qu'une fois, au marché de Huating.

– P... pure coïncidence, inspecteur principal Chen.

– Ça expliquerait pourtant pas mal d'incidents suspects.

Il y avait certes eu beaucoup d'étranges coïncidences dans cette enquête, mais Catherine ne voyait pas où Chen voulait en venir.

– On ne sait jamais de quoi les gens sont capables, n'est-ce pas? déclara Chen en regardant fixement son assistant temporaire.

Li se hâta d'intervenir et hocha tristement la tête.

– C'est bien vrai! Regardez Wen! Qui l'eût cru capable de comploter un empoisonnement?

– Eh bien moi, j'ai pas mal de choses à dire pour sa défense! (Catherine fut la première surprise de sa propre véhémence.) Les Haches volantes ne lui ont pas laissé le choix. Elle a donc obéi et commencé les démarches pour un passeport, mais je ne crois pas qu'elle ait eu l'intention de faire ce qu'ils exigeaient d'elle. Elle a sans doute espéré pouvoir demander à son arrivée l'aide des autorités américaines.

– Je pense comme vous, l'appuya Yu.

– Quand Feng lui a téléphoné de s'enfuir, continua l'officier de la police fédérale américaine, elle a naturellement été prise de panique. Qui étaient «ces gens» dont il parlait? Les Haches volantes? Dans ce cas, Feng risquait d'être au courant du complot. Elle s'est donc sauvée, mais après dix jours en compagnie de Liu, elle était une autre femme.

Chen acquiesça du chef.

– C'est vrai, Liu a même employé l'adjectif «ressuscitée».

– Après toutes ces années, elle a soudain repris espoir. Même son visage était différent de celui de sa photo de passeport. Il était vivant, j'ai eu du mal à la reconnaître quand je l'ai vue pour la première fois à Suzhou. Mais une fois qu'elle a admis qu'elle était obligée de quitter Liu, elle s'est aperçue qu'elle ne pouvait absolument plus envisager une vie commune avec Feng. Mesurer combien ce triste sire avait gâché sa vie l'a remplie de haine. Et d'un désir de vengeance. C'est pourquoi elle a insisté pour retourner à Changle récupérer le poison qu'elle y avait laissé. Cette fois, sa décision était prise.

– Je suis parfaitement d'accord avec vos déductions, inspecteur Rohn, approuva de nouveau Yu. La preuve qu'au début elle n'avait aucune intention de satisfaire aux exigences des gangsters est qu'elle n'a pas pris le poison en partant le 5 avril.

Chen but une gorgée d'eau.

– L'inspecteur Rohn nous a fort bien exposé ce point. Quant au reste, vous l'avez appris tout à l'heure en présence de Wen.

Li battit des mains.

– Quel splendide succès, inspecteur principal Chen ! Le consul des États-Unis a déjà téléphoné ses remerciements et ses félicitations aux autorités de la ville, mais il ignore quel exploit vous avez réalisé.

– Je n'aurais rien pu faire sans votre soutien sans faille pendant toute l'enquête, secrétaire du Parti Li.

Catherine voyait bien que l'inspecteur principal Chen ne demandait pas mieux que de laisser Li partager sa gloire. Après une enquête conduite de si peu orthodoxe manière, un peu de diplomatie était de mise.

– Si nous n'étions pas à l'aéroport, nous organiserions un grand banquet pour célébrer cette heureuse conclusion ! s'exclama Li avec enthousiasme. Vraiment, tout est bien qui finit bien !

– Secrétaire du Parti Li, j'ai l'intention d'envoyer un rapport à notre gouvernement sur le splendide travail effectué par la police criminelle de Shanghai. (Elle se tourna vers Chen.) Pour ce faire, j'ai encore une ou deux petites questions à vous poser… Ne pourrions-nous pas aller prendre un café ? Je me suis couchée très tard hier soir pour rédiger ma synthèse et je suppose qu'après cette nuit blanche, vous devez être épuisé.

– Maintenant que vous m'y faites penser…

– Eh bien, allez tous les deux prendre quelque chose à la cafétéria (Li était tout sourires.) Ce sera le cadeau d'adieu du service, inspecteur Rohn. Nous garderons l'œil sur Wen.

38

En fait, ce n'était pas tout à fait une cafétéria, plutôt un espace séparé du hall d'attente par une corde de nylon tendue entre des poteaux métalliques. Il y avait plusieurs tables entourées de chaises, et le comptoir offrait un assortiment de cafés importés. Une serveuse attendait près de l'une des hautes fenêtres avec vue sur les pistes et les avions.

– Café noir, inspecteur principal Chen?

– Plutôt du thé, aujourd'hui.

– Servez-vous du thé? demanda Catherine en chinois à la serveuse.

– Du Lipton?

– Non, du thé vert de Chine. Avec les feuilles dans la tasse.

– Bien sûr.

La serveuse leur donna un thermos en inox, deux tasses et un sachet de feuilles de thé. En s'installant à une table, Chen jeta un coup d'œil au salon d'honneur. Ses collègues surveillaient Wen et Liu, et des policiers en civil étaient en faction tout autour du hall. Il n'avait pas de souci à se faire de ce côté.

Il se sentait complètement épuisé. Il avait eu la double tâche de convaincre Wen, puis d'expliquer aux autres les décisions qu'il avait prises. Il avait eu quelque inquiétude quant aux réactions du secrétaire du Parti Li, et n'ignorait pas que les hommes de la Sécurité intérieure n'étaient pas loin. À son grand soulagement, la réaction de Li avait été positive sur toute la ligne. La présence de l'inspecteur Rohn devait y être pour beaucoup.

Et maintenant, il aurait dû rayonner de la satisfaction du privé des romans noirs devant l'heureux dénouement d'une affaire. Ce n'était pas le cas, même s'il appréciait de pouvoir passer un petit moment avec sa coéquipière. Certes, il avait fait son travail, il avait obtenu «un splendide succès». Mais qu'avait-il de splendide pour Wen? Sa vie en Chine touchait à sa fin, un chapitre qui s'achevait par un tragique coup de théâtre. Et sa vie aux États-Unis s'ouvrait sous de bien mauvais augures.

Bien sûr, Chen pouvait se trouver toutes sortes d'excuses, du genre «huit ou neuf fois sur dix, les choses en ce monde tournent mal» ou «ce n'est qu'un ironique rapport de causes à effets, dus à une mauvaise place du yin et du yang.» Il n'en restait pas moins vrai qu'il avait contribué largement à envoyer une malheureuse femme vivre avec le salaud qui avait gâché sa jeunesse.

Et que pouvait-il faire contre les triades? Toute initiative sérieuse contre une organisation internationale comme le Bambou vert devrait recevoir l'accord des organes du Parti, selon les mots de Li. Certes, le cadavre du parc avait fini par être identifié, mais pour en arriver où? Il serait facile de faire passer à la trappe les renseignements fournis par Gu sur la puissance des triades et leur fonctionnement. D'après Li, ce «splendide succès» méritait un banquet de célébration, et «tout est bien qui finit bien». Le message était clair: il n'y aurait pas d'enquête sur les activités des triades. Et Chen n'y pouvait rien.

Il n'y avait pas non plus la moindre raison de pavoiser quant au travail qui restait à faire. Certains dysfonctionnements, tels que la corruption de la police du Fujian, resteraient intouchables. Des questions telles que la provenance du téléphone portable vert pâle de Qian ne recevraient jamais de réponse. Sur d'autres points comme le marché conclu pour le parking de Gu, on agirait discrètement. D'autres enfin, comme l'implication possible dans cette affaire des plus hautes instances politiques, seraient définitivement enterrés. Et la Sécurité intérieure, allait-elle le lâcher, maintenant que l'affaire était terminée?

En vraie Chinoise d'adoption, Catherine déposait soigneusement, pincée par pincée, des feuilles de thé vert au fond de la tasse blanche. Elle paraissait se concentrer sur une tâche infiniment plus importante que poser des questions à Chen.

Et aujourd'hui, jour de son départ, assis en face d'elle à une table de la cafétéria de l'aéroport, il ne savait pas davantage ce qu'elle pensait que lorsqu'il s'était trouvé assis à ses côtés dans le taxi le jour de son arrivée.

Elle prit le thermos, versa de l'eau bouillante dans la tasse de Chen, puis prépara son propre thé.

– J'adore la manière chinoise de prendre le thé en regardant les feuilles se déplier lentement, toutes vertes, au fond de la tasse.

Il la regarda boire. Pendant une fraction de seconde, son image se superposa à celle d'une autre femme avec qui il était allé dans une maison de thé de Pékin. Elle aussi était pâle, et le soleil avait révélé des cernes bleutés sous ses yeux. Et une feuille de thé s'était attardée sur sa lèvre.

La douceur de la feuille de thé entre les lèvres
Tout est possible mais il n'y a jamais de pardon

– Li ne s'est pas trop conduit en secrétaire du Parti, aujourd'hui, remarqua-t-elle en croisant son regard. Quelle hardiesse d'encourager son dauphin à passer quelque temps en tête à tête avec une femme policier américain !

– D'où tenez-vous ça ? C'est au contraire tout à fait conforme à sa ligne de conduite. Toujours politiquement correcte, mais jamais trop.

– Alors un jour vous serez comme lui ?

– On ne sait jamais, vous savez bien.

– C'est vrai… Que va-t-il vous arriver, inspecteur principal Chen ? À quand votre prochaine promotion ?

– Elle dépend d'un grand nombre de facteurs, sur la plupart desquels je n'ai aucune prise.

– Ce n'est pas de votre faute si vous êtes l'étoile montante du Parti.

– Faut-il absolument parler de politique jusqu'au décollage ?

– Non. Mais notre monde est imprégné de politique, qu'on le veuille ou non. N'est-ce pas une des théories modernistes que vous m'avez exposées, inspecteur principal Chen ? J'ai très vite appris la façon chinoise de voir les choses, vous savez.

– Allons Catherine, ne soyez pas sarcastique… Parlons d'autre chose… J'espère que les dix jours que vous avez passés ici vont vous encourager à continuer vos études sur la Chine.

– Oui, je vais continuer. Peut-être m'inscrire aux cours du soir.

Il s'était attendu à ce qu'elle pose des questions sur l'enquête, mais elle ne le fit pas. Pourtant il avait gardé pour lui quelques petits détails intéressants. Par exemple, celui-ci, appris de Gu : les gangsters qui les filaient avaient interdiction formelle d'être armés. Toujours d'après le directeur du *Dynastie*, la triade ne voulait surtout pas se faire un ennemi d'un homme comme Chen qui avait des relations au plus haut niveau du Parti. Et puis le gouvernement américain aurait fait toute une histoire si un officier de la police fédérale avait été tué en Chine. Ce qui expliquait sans doute pourquoi les accidents provoqués par la triade risquaient d'avoir de sérieuses conséquences mais non d'être mortels. Y compris le coup de feu tiré sur Yu.

Elle posa sa tasse et sortit une photographie de son sac.

– J'ai quelque chose à vous montrer.

La photographie était celle d'une jeune fille jouant de la guitare à une terrasse de café. Ses cheveux mi-longs brillaient au soleil et elle balançait du bout du pied une sandale au-dessus d'une plaque de cuivre vissée dans le trottoir. Il reconnut la jeune fille.

– C'est vous !

– Oui, il y a six ans, à la terrasse d'un café du boulevard Delmar. Vous voyez cette plaque ? Il y en a plus d'une douzaine, comme celles d'Hollywood, sauf qu'elles sont en l'honneur des personnalités de Saint Louis. Dont T.S. Eliot, naturellement.

– C'est l'une des plaques des hommes et femmes célèbres ?

– C'est celle d'Eliot. Pardon, je ne voulais pas manquer de respect à votre poète préféré.

– Non, il aurait aimé ça… une belle fille aux cheveux éclaboussés de soleil, balançant sa sandale au-dessus de la plaque à son nom.

– C'est ma mère qui a retrouvé cette photo. C'est la seule où figure le nom d'Eliot.

– C'est une jolie photo.

– Peut-être un jour serez-vous assis à cette terrasse, à parler d'Eliot, à évoquer des souvenirs en savourant votre café, quand le soir s'étend sur le ciel?

– Ça me plairait beaucoup.

– C'est une promesse, inspecteur principal Chen. Ne figurez-vous pas sur la liste des écrivains chinois devant être invités dans notre pays? Gardez cette photo. Quand vous penserez à Eliot vous penserez un petit peu à moi.

– Je penserai moins souvent à Eliot qu'à...

Il s'interrompit... Ne pas aller trop loin... voie interdite. Il s'imagina marchant le long du Bund, entendant, comme le dit Eliot, «les sirènes chantant l'une pour l'autre, mais pas pour lui».

– Et j'attends avec impatience de pouvoir lire tous vos poèmes, en chinois ou en anglais.

– J'ai essayé d'écrire quelques vers hier soir, mais en revenant en voiture avec Liu ce matin, j'ai compris que j'étais un mauvais poète... et un mauvais flic, de surcroît.

– Pourquoi être si dur envers vous-même? (Elle lui prit la main par-dessus la table.) Vous faites de votre mieux dans une situation particulièrement épineuse. Ne croyez pas que je ne comprends pas.

Il y avait tant de choses qu'elle ne comprenait pas! Il ne répondit pas.

– Vous aviez parlé au secrétaire du Parti du marché avec Gu?

– Non, pas du tout.

Il s'attendait à ce qu'elle lui demande ça. Li n'avait montré aucune surprise, comme s'il le savait déjà. Ce qui menait à la délicate question des rapports de Li avec la Bleue. En tant qu'officier de police le plus haut gradé et responsable de la sécurité de la ville, il était très possible que le secrétaire du Parti Li ait été obligé de rester en bons termes avec la triade locale. Le mot d'ordre «stabilité politique» était une des rengaines de la presse du Parti. Depuis cet été troublé de 1989, c'était devenu la priorité première.

– Et ce téléphone portable de Qian ? Je ne me souviens pas l'avoir vu au marché.

– Non, vous étiez derrière le rideau de la cabine d'essayage. C'est à ce moment-là que j'ai remarqué un homme qui composait un numéro sur un téléphone de cette couleur inhabituelle.

Un air de musique s'éleva derrière le comptoir. Un chant qui, lui aussi, avait connu son heure de gloire durant la Révolution culturelle. Chen en avait oublié les paroles, mais se souvenait encore du refrain.

Génération après génération
Nous rendrons grâce au président Mao

Il secoua la tête.

– Qu'est-ce qu'il y a ?

– C'est cette chanson, répondit-il, soulagé de parler d'autre chose. Toutes ces chansons populaires de la Révolution culturelle reviennent à la mode. Celle-là était une chanson des gardes rouges. Wen a peut-être dansé la danse de l'idéogramme *Loyal* sur cette musique.

– Et les gens regrettent ces chants ?

– Ils les aiment bien. Non pas, je pense, à cause de leur sens, mais parce qu'ils ont fait partie de leur vie pendant dix ans.

– Alors qu'est-ce qui leur donne leur sens, la musique ou leurs souvenirs ?

Une subtile allusion aux vers qu'il lui avait récités dans le jardin de Suzhou.

– Je ne peux pas vous donner la réponse.

Il pensait à une autre question non formulée. Lui-même ne dansait-il pas, à sa façon, en une autre époque, en un autre lieu, la danse de l'idéogramme *Loyal* ? Et maintenant, il ferait bien d'envoyer un rapport au ministre Huang. Il n'en savait pas encore la teneur, mais à ce stade de sa carrière, il serait sans doute astucieux de démontrer sa loyauté directement aux autorités de Pékin, sans suivre la voie hiérarchique.

– À quoi pensez-vous, inspecteur principal Chen?
– À rien.
– Hé, camarade inspecteur principal Chen, embarquement dans dix minutes! cria de loin le secrétaire du Parti.
– J'arrive! (Il se retourna vers la jeune femme.) Moi aussi j'ai quelque chose à vous donner. Quand Liu a fait quelques emplettes pour Wen sur le chemin de l'aéroport, j'ai acheté pour vous un éventail de poche. J'y ai inscrit quelques vers.

Longtemps longtemps je regrette
De ne plus appartenir à moi-même
Oh, quand pourrai-je oublier
Tous les tracas du monde!
La nuit est profonde et le vent s'est calmé
Pas une ride ne fait frissonner la rivière.

– C'est de vous?
– Non, de Su Dongpo.
– Vous pouvez me réciter tout le poème?
– Non, je ne m'en souviens pas. Je ne me suis rappelé que ces vers.
– Ça ne fait rien, je le trouverai à la bibliothèque. Merci, inspecteur principal Chen.
Elle se leva, l'éventail à la main.
– Dépêchez-vous, s'il vous plaît, c'est l'heure! cria le secrétaire du Parti Li.
Les passagers commencèrent un par un à passer la porte.
– Vite! cria Qian qui, téléphone portable vert pâle à la main, s'était approché de Li.
Main dans la main, Liu et Wen étaient les derniers de la file. Chen allait devoir les séparer et escorter Wen à la porte. Et aussi l'inspecteur Rohn, «avec une partie de moi-même…», pensa-t-il.
Quoique cette partie de lui-même, peut-être l'avait-il perdu depuis longtemps, depuis ces heures matinales passées sur le banc vert tout humide de rosée du parc du Bund.

Au catalogue

Collection «A corps et à crime»

Margaret Yorke, *Emily Frost est revenue*

Littérature

Eliseo Alberto, *Caracol Beach*
Bruno Arpaia, *Dernière Frontière*
David Bergelson, *Une Tragédie provinciale*
Suzanne Berne, *Une vie parfaite*
James Buchan, *La Charrue d'or*
Domenico Campana, *A l'abri du sirocco*
Kate Chopin, *L'Éveil*
Linda D. Cirino, *La Coquetière*
Linda D. Cirino, *La Kamikaze*
Isabelle Eberhardt, *Yasmina*
Ernest J. Gaines, *Autobiographie de Miss Jane Pittman*
Ernest J. Gaines, *Colère en Louisiane*
Ernest J. Gaines, *D'amour et de poussière*
Ernest J. Gaines, *Dites-leur que je suis un homme*
Ernest J. Gaines, *Par la petite porte*
Ernest J. Gaines, *Une longue journée de novembre*
G. D. Gearino, *J'ai tout entendu*
Lesley Glayster, *Fastoche*
Lesley Glayster, *Blue*
Raúl Guerra Garrido, *Doux objet d'amour*
Raúl Guerra Garrido, *Tant d'innocents*
Eddy L. Harris, *Harlem*
Barbara Honigmann, *Un amour fait de rien*
Barbara Honigmann, *Très affectueusement*
Henry James, *L'Américain*
Henry James, *La Mort du lion*
Henry James, *Portrait de femme*
Henry James, *Washington Square*
Alter Kacyzne, *Contes d'hiver et d'autres saisons*
Andreï Kourkov, *L'Ami du défunt*
Andreï Kourkov, *Le Pingouin*
Andreï Kourkov, *Le Caméléon*
Primo Levi, *Le Fabricant de miroirs*
Primo Levi, *Lilith*
Rosetta Loy, *La Bicyclette*

Collection «Piccolo»

Achevé d'imprimer en avril 2003
dans les ateliers de Normandie Roto Impression s.a.s.
61250 Lonrai
N° d'impression : 03-1185

Dépôt légal : mai 2003

Imprimé en France